La globalización
imaginada

PAIDÓS ESTADO Y SOCIEDAD

(Últimos títulos publicados)

Si desea recibir información mensual de nuestras novedades/publicaciones, y ser incorporado a nuestra lista de correo electrónico, por favor envíenos los siguientes datos a **difusion@editorialpaidos.com.ar**
Nombre y apellido, profesión y dirección de e-mail.

Néstor García Canclini

La globalización
imaginada

Buenos Aires • Barcelona • México

Cubierta de Víctor Viano

Foto de cubierta: Yukinori Yanagi,
Alejandro Huidobro y Jimmy Fluker

306	García Canclini, Néstor
CDD	La globalización imaginada.- 1ª ed. 3ª reimp.- Buenos Aires : Paidós, 2005.
	242 p. ; 23x15 cm.- (Estado y sociedad)
	ISBN 950-12-5476-3
	1. Sociología de la Cultura I. Título

1ª edición, 1999
1ª reimpresión, 2000
2ª reimpresión, 2001
3ª reimpresión, 2005

© 1999 de todas las ediciones
   Ediciones Paidós Ibérica SA
   Mariano Cubí 92, Barcelona
© de esta edición, para Argentina y Uruguay
   Editorial Paidós SAICF
   Defensa 599, Buenos Aires
   e-mail: literaria@editorialpaidos.com.ar
   www.paidosargentina.com.ar

Queda hecho el depósito que previene la Ley 11.723
Impreso en la Argentina. Printed in Argentina

Impreso en Gráfica MPS
Santiago del Estero 338, Lanús, en agosto de 2005
Tirada: 1000 ejemplares

ISBN 950-12-5476-3

ÍNDICE

II. Intermedio

III. Políticas para la interculturalidad

Introducción

CULTURA Y POLÍTICA EN LOS IMAGINARIOS DE LA GLOBALIZACIÓN

A veces uno encuentra historias elocuentes en escritores que no son los que se prefiere citar. Leí hace unos meses este relato de Phillippe Sollers: "Dos más dos son seis, dice el tirano. Dos más dos son cinco, dice el tirano moderado. Al individuo heroico que recuerda, con sus riesgos y peligros, que dos más dos son cuatro, los policías le dicen: usted no querrá de ninguna manera que volvamos a la época en que dos más dos eran seis".

Ustedes no querrán que regresemos al tiempo de las dictaduras y las guerrillas, dicen los políticos. Ni desean retornar a los años de la hiperinflación, advierten los economistas. Entre tanto, seguimos sin saber cuánto pueden sumar en el nuevo desorden mundial los países que buscan integrarse por regiones para protegerse de la globalización: Estados Unidos con Europa frente a Japón y China, Estados Unidos con América Latina para que los europeos no se apropien del mercado latinoamericano; mientras tanto los latinoamericanos acordamos el libre comercio entre nosotros, bizqueando hacia fuera de la región para atraer capitales estadounidenses y europeos. A veces, asiáticos.

Estados Unidos impulsa, con la adhesión de algunos gobiernos latinoamericanos, el Área de Libre Comercio de las Américas (ALCA) para el año 2005. Los quince países que conforman la Unión Europea se vienen reuniendo con los que componen el Mercosur y con México, y en junio de 1999 con los demás países latinoamericanos, para ir estudiando si es posible acordar el libre comercio con algunos de ellos antes de esa fecha, quizás en el 2001, pese a las resistencias de los franceses, que ven amenazante la competencia latinoamericana en productos agrícolas. Estados Unidos acusa periódicamente de *dumping* o proteccionismo a México y a países europeos. En el Mercosur, desacuerdos y desconfianzas hacen peligrar cada año los pactos firmados. ¿Libre comercio, integración? ¿Nuevas formas de subordinación o de resistencia, o alianzas regionales? ¿Podrían los ciudadanos encarar alternativas a lo que ahora se impone y decidir qué conviene más, sin reconsiderar los vínculos interculturales? Viejas historias de rivalidades y miradas prejuiciadas cargan estas conversaciones sobre un futuro más imaginado que posible.

No es fácil aterrizar estos acuerdos en cifras porque vivimos entre cuentas delirantes. En los últimos veinte años las deudas externas de los

Estructura de deuda

N°3

países latinoamericanos se cuadruplicaron o sextuplicaron. ¿Qué pueden hacer naciones como Argentina y México con deudas de 120 o 160 mil millones de dólares si sólo para pagar los intereses requieren cada año la mitad o más del producto bruto? La de Estados Unidos (tres veces mayor) también es impagable. ¿Quién puede incorporar a la escala de vida cotidiana las cifras que encuentra al leer el diario? Pensar en la política exige imaginación, aunque las cantidades son tan disparatadas y los conflictos que provocan tan poco manejables que a menudo tienen el efecto de paralizar nuestros imaginarios.

Globalización

Es curioso que esta disputa de todos contra todos, en la que van quebrando fábricas, se destrozan empleos y aumentan las migraciones masivas y los enfrentamientos interétnicos y regionales, sea llamada globalización. Llama la atención que empresarios y políticos interpreten la globalización como la convergencia de la humanidad hacia un futuro solidario, y que muchos críticos de este proceso lean este pasaje desgarrado como el cual todos acabaremos homogenizados.

Globalización circular

ULARES Y TANGENCIALES

Pese a estos resultados dudosos la uniformación en un mercado planetario es consagrada como el único modo de pensar, y quienes insinúan que el mundo podría moverse de otro modo son descalificados como nostálgicos del nacionalismo. Si alguien, aun más audaz, no sólo cuestiona los beneficios de la globalización sino que la única forma de realizarla sea mediante la liberalización mercantil, se lo acusará de añorar épocas anteriores a la caída de un insoportable muro. Como nadie sensato cree posible regresar a esos tiempos, se concluye que el capitalismo es el único modelo posible para la interacción entre los hombres, y la globalización su etapa superior inevitable.

N°3

En este libro queremos averiguar qué podemos hacer ante este futuro, para algunos promisorio, para otros clausurado, quienes nos ocupamos de la cultura. O sea, qué preguntas le hacen la interculturalidad al mercado y las fronteras a la globalización. Se trata de repensar cómo hacer arte, cultura y comunicación en esta etapa. Por ejemplo, si al mirar la recomposición de las relaciones entre Europa, Estados Unidos y América Latina, se podría entender este proceso desde la cultura, y actuar en él de manera distinta a quienes sólo lo ven como intercambio económico.

Lo primero que hay que aclarar es que la cultura no es únicamente el lugar en el que se sabe que dos más dos son cuatro. Es también la indecisa posición en la que se trata de imaginar qué se puede hacer con cantidades que no están demasiado claras, cuya potencia acumulativa y expresiva aún se busca descubrir. Un sector de la cultura produce conocimientos en nombre de los cuales puede afirmarse con certeza, contra poderes políticos o eclesiásticos, lo que efectivamente suma dos más dos: es el saber que ha hecho posible entender "lo real" con cierta objetividad, desarrollar tecnologías de comunicación globalizadas, medir los consumos de las industrias culturales y diseñar programas mediáticos que amplían el conocimiento masivo y crean consenso social. Otra parte de la cultura, desde la modernidad, se desarrolla en la medida en que se siente insatisfacción con el desorden y a veces con el orden del mundo: además de conocer y planificar, interesa transformar e innovar.

Confrontar estas dos maneras de entender la cultura, que oponen a científicos y tecnólogos por un lado, humanistas y creadores artísticos por otro, se vuelve una tarea distinta en tiempos globalizados. Para saber qué se puede conocer y manejar, o qué tiene sentido modificar y crear, los científicos y los artistas no tienen que negociar sólo con mecenas, con políticos o con instituciones, sino también con un poder diseminado que se esconde bajo el nombre de globalización. Se dice que la globalización actúa a través de estructuras institucionales, organismos de toda escala y mercados de bienes materiales y simbólicos más difíciles de identificar y controlar que cuando las economías, las comunicaciones y las artes operaban sólo dentro de un horizonte nacional. David no sabe dónde está Goliat.

Para comprender esta complejidad, quienes estudiamos la creatividad, la circulación y el consumo culturales nos preocupamos cada vez más por entender los datos duros, los movimientos socioeconómicos "objetivos" que rigen con nuevas reglas los mercados científicos y artísticos, así como nuestra inestable vida cotidiana. Sin embargo, dado que la globalización se presenta como un objeto evasivo e inmanejable, quienes la gestionan la cuentan, también, con narraciones y metáforas. En consecuencia, desde una perspectiva socioantropológica de la cultura es preciso analizar tanto las estadísticas y los textos conceptuales como los relatos e imágenes que intentan nombrar sus designios. Además, las migraciones, las fronteras permeables y los viajes hablan en sus desgarramientos de lo que en la globalización hay de fracturas y segregaciones. También por eso en los relatos de migrantes y exiliados irrumpen narrativas y metáforas.

Una incertidumbre semejante desestabiliza a otros actores sociales que habitualmente no se interesaban por la cultura. Después de la euforia globalizadora de los años ochenta, los políticos, que no entienden bien cómo se está reestructurando su trabajo cuando los aparatos nacionales que ellos disputan controlan menos espacios de la economía y de la sociedad, se preguntan qué pueden hacer y en qué lugares. Empresarios desconcertados por el brusco pasaje de una economía productiva a una economía de especulación se formulan interrogantes parecidos. Unos y otros invocan la necesidad de crear una nueva cultura del trabajo, del consumo, de las inversiones, de la publicidad y en la gestión de los medios comunicacionales e informáticos. Al oírlos, se tiene la impresión de que se acuerdan de llamar a la cultura como recurso de emergencia, como si "crear una nueva cultura" pudiera ordenar mágicamente lo que a la economía se le escapa en el trabajo y en las inversiones, aquello que la competencia no resuelve en los medios ni en el consumo.

La apelación a construir una cultura con los movimientos globalizadores puede ser escuchada también como la necesidad de poner orden en los conflictos entre imaginarios. Veremos cómo varía el contenido de lo que cada uno imagina como globalización: para el gerente de una empresa transnacional, "globalización" abarca principalmente los países en que actúa su empresa, las actividades de las que se ocupa y la competencia con otras; para los gobernantes latinoamericanos que concentran su intercambio comercial con los Estados Unidos, globalización es casi sinónimo de "americanización"; en el discurso del Mercosur, la palabra envuelve también a naciones europeas y a veces se identifica con interacciones novedosas entre los países conosureños. Para una familia mexicana o colombiana que tiene varios miembros trabajando en Estados Unidos, globalización alude a los vínculos estrechos con lo que ocurre en la zona de ese país donde viven sus familiares, lo cual difiere de lo que imaginan artistas mexicanos o colombianos, digamos Salma Hayek o Carlos Vives, quienes encuentran en el mercado estadounidense una audiencia diseminada.

En rigor, sólo una franja de políticos, financistas y académicos piensan en todo el mundo, en una globalización *circular*, y ni siquiera son mayoría en sus campos profesionales. El resto imagina globalizaciones *tangenciales*. La amplitud o estrechez de los imaginarios sobre lo global muestra las desigualdades de acceso a lo que suele llamarse economía y cultura globales. En esa competencia inequitativa entre imaginarios se percibe que la globalización es y no es lo que promete. Muchos globalizadores andan por el mundo fingiendo la globalización.

Sin embargo, aun los pobres o marginados no pueden prescindir de lo global. Cuando los migrantes latinoamericanos llegan al norte de México o al sur de Estados Unidos descubren que la empresa donde consiguen trabajo es coreana o japonesa. Además, muchos de los que salieron de su país debieron llegar a esa decisión extrema porque "la globalización" cerró puestos de trabajo en Perú, Colombia o Centroamérica, o sus efectos –combinados con dramas locales– volvieron demasiado insegura la sociedad en la que siempre vivieron.

Un cineasta estadounidense que trabaja en Hollywood, esa "casa simbólica del sueño americano", ya no tiene la misma idea de la posición de su país en el mundo desde que sabe que los Estudios Universal fueron comprados por capitales japoneses. Luego de haber pensado tantos años que Occidente era moderno y Oriente tradicional, el avance japonés sobre Estados Unidos y otras regiones occidentales obliga a preguntarse, con David Morley, si ahora "el mundo será leído de derecha a izquierda, y no de izquierda a derecha" (Morley y Chen, 1996: 328).

El énfasis que damos a los procesos migratorios y las poblaciones expuestas a estos cambios apunta a comprender tanto los movimientos de capitales, bienes y comunicaciones como la confrontación entre estilos de vida y representaciones diferentes. El vértigo y la incertidumbre que produce tener que pensar a escala global lleva a atrincherarse en alianzas regionales entre países y a delimitar –en los mercados, en las sociedades y en sus imaginarios– territorios y circuitos que para cada uno serían la globalización digerible, con la que puedan tratar. Se debate si hay que crear nuevas barreras que pongan orden en las inversiones, o entre las etnias, las regiones y los grupos que se mezclan demasiado rápido o quedan amenazadoramente excluidos. ¿Podrán hacer algo en este sentido los procesos de integración supranacional? Aunque apenas desde principios de los años noventa se abren estas cuestiones en la Unión Europea, y más recientemente en el marco del Tratado de Libre Comercio de América del Norte (TLC) y en el Mercosur, la articulación entre globalización, integraciones regionales y culturas diversas está pasando a ser un asunto clave, tanto en las agendas de estudio como en las negociaciones.

Como introducción a este tipo de análisis, voy a abordar en el próximo capítulo tres problemas que aparecen en los últimos años al tratar de entender a dónde nos conduce la globalización. Uno es el que a veces se resume como la oposición entre lo global y lo local, y que a mi manera de ver conviene caracterizar como los diversos niveles de abstracción y concreción en que se reorganizan la economía, la política y la cultura en una época globalizada. La segunda cuestión, entretejida con la anterior, es si se puede revertir la sensación de impotencia política en que nos sumerge la experiencia cotidiana de que las decisiones principales son tomadas en lugares inaccesibles y hasta difíciles de identificar. En tercer término, exploro consecuencias teórico-metodológicas de estas dificultades para los estudios transdisciplinarios, que pueden resumirse en los desafíos de trabajar con los datos de la economía y la política de la cultura a la vez que con las narrativas y metáforas en que se imagina la globalización.

En el segundo capítulo analizaré qué consecuencias tiene que la globalización sea un "objeto cultural no identificado". Algo se aclara distinguiendo entre internacional, transnacional y global. Aun así, la globalización no es un objeto de estudio claramente delimitado, ni un paradigma científico ni económico, político ni cultural, que pueda postularse como modelo único de desarrollo. Debemos aceptar que existen múltiples narrativas sobre lo que significa globalizarse, pero en tanto su rasgo central es intensificar las interconexiones entre sociedades no podemos instalarnos en la variedad de relatos sin preocuparnos por su compatibilidad dentro de un saber relativamente universalizable. Esto supone discutir las teorías sociológicas y antropológicas, y también ocuparnos de las narrativas y metáforas que vienen construyéndose para abarcar lo que queda suelto en las grietas e insuficiencias de las teorías y las políticas. En los relatos e imágenes aparece lo que la globalización tiene de utopía y lo que no puede integrar, por ejemplo las diferencias entre anglos y latinos, los desgarramientos de la gente que migra o viaja, que no vive donde nació y se comunica con otros a los que no sabe cuándo volverá a ver. Las metáforas sirven para imaginar lo diferente y las narraciones ritualizadas para ordenarlo.

Luego, los capítulos tercero y cuarto intentan caracterizar la globalización posible en Occidente mediante interacciones entre Europa, América Latina y Estados Unidos. Trato de ver cómo las migraciones antiguas y las recientes configuran los modos de mirarnos. Las narrativas formadas en los intercambios mercantiles y simbólicos, desde el siglo XVI hasta mediados del XX, parecen reproducirse en los estereotipos de las últimas décadas globalizadoras: discriminación del norte hacia los latinoamericanos, admiración y recelo a la inversa. Sin embargo, la lectura puede ser más compleja si pasamos de leer la confrontación entre *identidades* a examinar los procesos *culturales* que nos vinculan o nos alejan. Las identidades parecen incompatibles, pero los negocios y los intercambios mediáticos crecen. A fin de comprender este desfase entre ideologías y prácticas, analizo cómo las políticas de ciudadanía trabajan con los imaginarios sobre lo semejante y lo diferente en Europa, Estados Unidos y tres países latinoamericanos: Argentina, Brasil y México. Sigo las críticas hechas en cada caso a las contradicciones de esos modelos, la dificultad de conciliarlos y, a la vez, la necesidad de lograr acuerdos en un tiempo en que la globalización acerca a naciones distantes. Me pregunto cómo construir una esfera pública transnacional donde las concepciones culturales, y las políticas consiguientes, no sean inconmensurables. Cuatro modelos entran en juego: el sistema republicano europeo de derechos universales, el separatismo multicultural de Estados Unidos, las integraciones multiétnicas bajo el Estado-nación en los países latinoamericanos, y –cruzando a todos– la integración multicultural auspiciada por los medios de comunicación.

En el capítulo quinto propongo un intermedio narrativo y semificcional. Así como en las historias de vida se construyen personajes-síntesis, aquí intenté imaginar los desencuentros de un antropólogo latinoamericano, un sociólogo europeo y una especialista estadounidense en estudios culturales. Dado que no se puede ahora problematizar la relación de las teorías con sus condiciones sociales de producción refiriéndolas sólo a la nación, la clase o la universidad en que son elaboradas, incorporo la vida cotidiana de investigadores que viajan y tienen acceso a experiencias transnacionales y flujos deslocalizados de información. Se trata de un relato construido con algunos datos biográficos, míos y de otros, pero eso importa poco porque la discusión sobre las ciencias sociales y los estudios culturales que recorre esas páginas está preocupada, más que por lo verdadero o lo falso, por dar una version verosímil de los dilemas en que hoy se mueve la investigación.

Las diferentes maneras de globalizarse, o de pasar de la hegemonía europea a la estadounidense, se aprecian en el sexto capítulo al comparar lo que sucede en las artes y las industrias culturales. La aplicación de formatos industriales y criterios transnacionales de competencia a las artes visuales y la literatura está modificando su producción y valoración, aunque la mayor parte de las obras artísticas siga expresando tradiciones nacionales y circule sólo dentro del propio país. La industria editorial está organizada por editoras transnacionales, que agrupan sus catálogos y la distribución en regiones lingüísticas. Donde se ve más efectiva la globalización es en el mundo audiovisual: música, cine, televisión e informática están siendo reordenados, desde unas pocas empresas, para ser difundidos a todo el planeta. El sistema multimedia que parcialmente integra estos cuatro campos ofrece posibilidades inéditas de expansión transnacional aun en las culturas periféricas. Pero también crea, en el caso latinoamericano, dependencias mayores de las que hemos tenido en las artes visuales con Francia y ahora con Estados Unidos, y de las que existen con España en el mundo editorial. Además de examinar diferencialmente los desafíos de la transnacionalización o la globalización en cada área de la cultura, voy a explorar las tensiones generadas entre la homogeneización y las diferencias en las relaciones asimétricas existentes entre países y regiones.

En el capítulo séptimo me ocuparé de las ciudades, porque desde ellas se imagina lo global. Sobre todo en las grandes urbes se articula lo local con lo nacional y con los movimientos globalizadores. Al analizar qué se necesita para ser una ciudad global y cómo se diferencian las del "primero" y "tercer" mundo, captamos problemas clave de la dualización y segregación provocados por los procesos globales. Veremos también las oportunidades ambivalentes de renacimiento urbano que brinda la integración a circuitos de comercio y consumo, de gestión e información transnacional. Cosmopolitismo cultural en el consumo con pérdida de empleos, aumento de la inseguridad y degradación ambiental.

Propongo en el octavo capítulo una agenda polémica de lo que podrían ser las políticas culturales en tiempos globalizados. Cómo reconstruir el espacio público, promover una ciudadanía supranacional, comunicar bienes y mensajes a audiencias diseminadas en muchos países, repensar la potencialidad de las culturas nacionales y de las instituciones regionales y mundiales, son algunos de los desafíos analizados. Discuto por qué las cuestiones estéticas tienen hoy interés central para la política y qué puede hacerse con esta preocupación en una economía cultural de mercado.

PRIMERAS CUESTIONES DE MÉTODO

Hay varios problemas difíciles de resolver al seleccionar narrativas y metáforas, al interpretarlas y vincularlas con datos duros. Los iré planteando, según la oportunidad, en diversos capítulos. Quiero ocuparme aquí de uno básico. ¿Por qué elegir los hechos, relatos y símbolos que aparecen en este libro sobre migrantes e interculturalidad, sobre las relaciones entre Europa, América Latina y Estados Unidos, cuando existen tantos otros?

Es obvio, al ver la cantidad de páginas de este volumen, que no traté de escribir una enciclopedia de los relatos y metáforas acumulados sobre tales temas. Digo cuáles fueron las reglas para seleccionar los que aquí están:

a) Elegí, después de varios años de lecturas de estudios etnográficos y crónicas, y decenas de entrevistas a informantes interculturales de varios países, un repertorio que me parecía representativo del universo existente, tratando de abarcar, más que la diversidad de situaciones, estructuras y transformaciones emblemáticas.

b) Me interesaron, sobre todo, los hechos, narrativas y metáforas que condensan aspectos centrales de las relaciones internacionales y los diversos modos de imaginar la globalización –o sus formas equivalentes en menor escala: confrontaciones y acuerdos internacionales o regionales– que ponen en crisis las maneras habituales de concebirlas.

c) Presenté esta selección y parte de las interpretaciones que aquí se leerán en conferencias en Estados Unidos, en América Latina (Buenos Aires, México, San Pablo) y en congresos internacionales de latinoamericanistas europeos (Halle, 1998), canadienses (Vancouver, 1997), de LASA (Latin American Studies Association) (Chicago, 1998), de estudios culturales (Pittsburgh, 1998), y en congresos de antropólogos de Estados Unidos (1996), del Mercosur (1997), de Colombia (1997), así como en un simposio sobre fronteras de varias regiones (Buenos Aires, 1999). En esas reuniones recogí relatos de otras investigaciones que desafiaban mi selección, y también críticas a mis interpretaciones. Quedan en este libro unos pocos fragmentos, reescritos, de aquellas conferencias. Sin duda, estas confrontaciones podrían multiplicarse, la selección y las interpretaciones podrían afinarse, refutarse y ser contrastadas en más escenarios, y hasta proponerse otras diferentes. Es claro que la muestra ofrecida en estas páginas configura un cierre transitorio para efectuar una "totalización" argumentativa, no enciclopédica, a fin de publicarla y difundirla para seguir discutiendo. De todas maneras, hay cierto esfuerzo por pensar en conjunto, ya que se trata de un libro y no de una colección de artículos y ponencias.

Como comprenderán por las reuniones en que debatí parte de este trabajo, sería demasiado extensa la lista de reconocimientos a quienes me ayudaron a pensar y repensar lo que aquí se dice. Se encontrarán menciones abundantes en la bibliografía utilizada a lo largo del texto. Quiero señalar, sin pretensión de ser exhaustivo, conversaciones con Hugo Achugar, Arturo Arias, Lourdes Arizpe, Lluis Bonet, Heloísa Buarque de Holanda, Ramón de la Campa, Eduard Delgado, Aníbal Ford, Juan Flores, Jean Franco, Alejandro Grimson, Fredric Jameson, Sandra Lorenzano, Mario Margulis, Jesús Martín Barbero, Daniel Mato, Walter Mignolo, Kathleen Newman, Renato Ortiz, Mary Pratt, Nelly Richard, Renato Rosaldo, Beatriz Sarlo, Amalia Signorelli, Saúl Sosnoski y George Yúdice.

Contribuyeron a la preparación de este libro las condiciones de investigación y docencia que me brindó la Universidad Autónoma Metropolitana de México, especialmente el Departamento de Antropología, y el diálogo con los compañeros del Programa de Estudios sobre Cultura Urbana, cuyos miembros y publicaciones conjuntas aparecen más adelante. El apoyo económico de la UAM en el año sabático 1996-1997, junto con el proporcionado por el Fideicomiso para la Cultura México-Estados Unidos, facilitaron búsquedas de campo y entrevistas, en ese período, en estos dos países. Para avanzar en cuestiones fronterizas, multinacionales y de política cultural fueron significativos los diálogos con Rainer Enrique Hamel, Eduardo Nivón, Ana Rosas Mantecón, Tomás Ybarra Frausto, José Manuel Valenzuela y Pablo Vila. El estudio de las experiencias artísticas de *inSITE* en la frontera mexicano-estadounidense, que me permitió elaborar buena parte de lo que expongo sobre imaginarios globales, debe mucho a las conversaciones con Carmen Cuenca y Michel Krichman, coordinadores de ese programa. André Dorcé y Luz María Vargas apoyaron con eficiencia la edición de este libro.

En tramos posteriores de este libro, y en el apéndice, analizaré otras justificaciones de esta selección de hechos, relatos y metáforas, y apuntaré más reconocimientos personales e institucionales. Se verá, entonces, que no es un dato secundario haber vivido en México los últimos veintitrés años, como extranjero más o menos mexicanizado, que no deja de ser argentino, y tiene "compatriotas" nacidos en México y en otros países, cuya cercanía impulsa a quitar a esa palabra las comillas.

Sería contradictorio con las tesis y la metodología de este libro desconocer esta heterogeneidad o pretender hablar desde uno solo de estos lugares. Por eso explicitaré en varios momentos, usando una expresión de Tzvetan Todorov, lo que yo supongo que significa "este encuentro de culturas en el interior de uno mismo" (Todorov, 1996: 23). Si es complicado situarse en la interacción entre diversos patrimonios simbólicos, aún más arduo sería pretender estudiar estos temas desde un único observatorio nacional o étnico. "Lo que hace que yo sea yo, y no otro –escribe Amin Maalouf al comienzo de su libro *Identidades asesinas*–, es ese estar en las lindes de dos países, de dos o tres idiomas, de varias tradiciones culturales" (Maalouf, 1999: 19). Como a él y a otros que comparten esta ubicación intercultural, a mí me han preguntado: "en el fondo, ¿qué es lo que te sientes?". El autor líbano-francés dice que durante mucho tiempo esa pregunta lo hacía sonreír. Ahora la considera peligrosa por la suposición de que cada persona o cada grupo tiene una "verdad profunda", una esencia, determinada desde el nacimiento o por una conversión religiosa, y que uno podría "afirmar esa identidad" como si los compatriotas fueran más importantes que los conciudadanos (que pueden ser de varios países), como si las determinaciones biológicas y las lealtades infantiles prevalecieran sobre las convicciones, preferencias y los gustos que uno fue aprendiendo en varias culturas.

Quienes son "personas fronterizas", dice Maalouf, pueden sentirse minoritarias y a menudo marginadas. Pero en un mundo globalizado todos somos minoritarios, incluso los angloparlantes, al menos cuando se aceptan los muchos componentes de la propia identidad e intentamos entendernos sin reduccionismos. Aunque algunos son más minoritarios que otros. En fin, se trata de pensar las paradojas de ser a la vez árabe y cristiano, argenmex o mexiconorteamericano, brasiguayo (los 500.000 brasileños que viven en Paraguay) o francoalemán. Y también las diferencias entre estas fusiones-desgarramientos. No se arreglan diciendo que dos más dos es esto o lo otro, ni por decisión de un tirano ni por heroísmo individual. Esas tensiones interculturales son hoy también uno de los objetos más fecundos de investigación y una oportunidad para construir sujetos colectivos, políticas abiertas y democráticas.

México, D. F., septiembre de 1999

I. NARRATIVAS, METÁFORAS Y TEORÍAS

Capítulo 1

GLOBALIZARNOS O DEFENDER LA IDENTIDAD: CÓMO SALIR DE ESTA OPCIÓN

Cuando escuchamos las distintas voces que hablan de globalización, se presentan "paradojas". Al mismo tiempo que se la concibe como expansión de los mercados y, por tanto, de la potencialidad económica de las sociedades, la globalización estrecha la capacidad de acción de los Estados nacionales, los partidos, los sindicatos y en general los actores políticos clásicos. Produce mayor intercambio transnacional y deja tambaleando las certezas que daba el pertenecer a una nación.

Se ha escrito profusamente sobre la crisis de la política por la corrupción y la pérdida de credibilidad de los partidos, su reemplazo por los medios de comunicación y por los tecnócratas. Quiero destacar que, además, transferir las instancias de decisión de la *política* nacional a una difusa *economía* transnacional está contribuyendo a reducir los gobiernos nacionales a administradores de decisiones ajenas, lleva a atrofiar su imaginación socioeconómica y a olvidar las políticas planificadoras de largo plazo. Este vaciamiento simbólico y material de los proyectos nacionales desalienta el interés por participar en la vida pública. Apenas se logra reactivarlo en períodos preelectorales mediante técnicas de *marketing*.

La cercanía con el poder en los regímenes democráticos de escala nacional se conseguía mediante interacciones entre organismos locales, regionales y nacionales. Las formas de representación entre los tres niveles no siempre fueron fieles ni transparentes, ni con adecuada rendición de cuentas de los organismos nacionales a los ciudadanos. Pero los simulacros y las traiciones eran más fáciles de identificar que en las relaciones lejanas existentes hoy entre ciudadanos y entidades supranacionales. Las encuestas hechas entre las poblaciones involucradas en la Unión Europea, el Tratado de Libre Comercio de América del Norte y el Mercosur revelan que la enorme mayoría no entiende cómo funcionan esos organismos, qué discuten ni por qué adoptan las decisiones. Ni siquiera muchos diputados de los parlamentos nacionales parecen captar qué está en juego en deliberaciones complejas, cuya información sólo es manejada por élites políticas transnacionalizadas, o por expertos, únicos poseedores de las competencias necesarias para "resolver" los problemas europeos, norteamericanos o latinoamericanos, y aun para establecer el orden de las agendas.

INTEGRACIÓN DE CIUDADANOS O *LOBBY* EMPRESARIAL

1. ¿Cómo reaccionan las sociedades latinoamericanas, que en los últimos cincuenta años mudaron la mayor parte de su población del campo a las ciudades, basándose en el desarrollo industrial sustitutivo y en espacios de intermediación modernos, al afrontar este súbito reordenamiento que en una o dos décadas desmonta esa historia de medio siglo? Se desindustrializan los países, las instancias democráticas nacionales se debilitan, se acentúa la dependencia económica y cultural respecto de los centros globalizadores. Pero a la vez las integraciones económicas y los convenios de libre comercio regionales generan signos de esperanza. Después de la fatigada historia de promesas sobre "la Patria grande" y los fracasos de tantas conferencias intergubernamentales, encuentros de presidentes, ministros de economía y cultura, la rapidez con que están avanzando el TLC, Mercosur y demás convenios regionales estimula expectativas.

A principios de la década de los noventa pudo pensarse que los Estados latinoamericanos estaban reordenando con rapidez las economías nacionales para atraer inversiones y volverlas más competitivas en el mercado global. Pero desde la crisis mexicana de 1994 hasta la ocurrida en 1998-1999 en Brasil, con efectos desestabilizadores que resuenan en toda la región, y aun en las metrópolis, queda a la vista la baja confiabilidad y el escaso poder de los gobiernos. Los acuerdos de integración intergubernamentales se revelan como apoyos a la convergencia monopólica de los sectores empresariales y financieros más concentrados. Las evaluaciones académicas de nuestras frágiles aptitudes para construir, mediante integraciones continentales, instancias que fortalezcan a las sociedades y culturas latinoamericanas (McAnany y Wilkinson, 1995; Recondo, 1997; Roncagliolo, 1996), no permiten ser optimistas. Tampoco los datos de estudios recientes que registran la suspicacia de trabajadores y consumidores cuando escuchan a los empresarios y gobernantes anunciar la nueva vía para modernizarse con la doble fórmula de "globalización e integración regional". Se observa un desencuentro entre lo que las élites económicas o políticas predican y lo que opina la mayoría de los ciudadanos.

En abril de 1998 se desarrolló en Santiago de Chile la II Cumbre de las Américas, en la cual Estados Unidos –en alianza con varios gobiernos latinoamericanos– impulsó la creación de un Área de Libre Comercio de las Américas para ir liberalizando los intercambios. Se proponía integrar para el año 2005 las economías nacionales de la región con el fin de favorecer las importaciones y exportaciones, y mejorar la posición del continente en las disputas globales.

Sin embargo, una gigantesca encuesta realizada en noviembre y diciembre de 1997 en diecisiete países de la región por la Corporación Latinobarómetro, aplicando 17.500 entrevistas, reveló que los ciudadanos no compartían ese optimismo. Los resultados de esta indagación, entregados a los gobernantes en esa Cumbre de Santiago, decían que apenas el 23 por ciento creía que su país estaba progresando, y en casi todas las naciones esa apreciación empeoró respecto de 1996. Las instituciones que los mismos encuestados consideraban con más poder (gobierno, grandes empresas, militares, bancos y partidos políticos) eran aquellas en las que menos se confiaba. Las crisis de gobernabilidad, las devaluaciones, junto al aumento del desempleo y la pobreza, fueron algunos de los hechos que condujeron a un número creciente a dudar de la democracia y pedir mano dura: el porcentaje fue menor en los países que habían salido pocos años antes de dictaduras militares (Argentina, Chile y Brasil), pero subía significativamente en otros, entre ellos Paraguay y México, con procesos de democratización incipiente. De 1996 a 1997 los paraguayos partidarios de una solución "autoritaria" pasaron del 26 al 42 por ciento, y los mexicanos del 23 al 31 por ciento. Salvo Costa Rica y Uruguay, donde la credibilidad en el sistema político seguía siendo alta, en el resto de América Latina el 65 por ciento se mostraba "poco o nada satisfecho" con el desempeño de la democracia (Moreno, 1998: 4).

Como revela la misma encuesta, el aumento del autoritarismo en la cultura política de los ciudadanos va asociado a la convicción de que sus gobiernos cada vez disponen de menos poder. De 1996 a 1997 el porcentaje de quienes creían que el gobierno era el actor más poderoso descendió del 60 al 48 por ciento. Aumentaron, en cambio, quienes sostuvieron que las decisiones para decidir el futuro van siendo adoptadas cada vez más por las empresas transnacionales, con aumento de participación militar.

Al ver que el alejamiento político y las desigualdades acentuadas no sólo engendran descreimiento, sino turbulencias en las cúpulas financieras y en las economías, alto abstencionismo electoral y estallidos erráticos de las bases sociales, hay que preguntarse si este modo injusto de globalizar es gobernable. O simplemente, si la globalización, hecha así, tiene futuro. Según el *Informe sobre Desarrollo Humano en Chile*, donde supuestamente la apertura económica habría sido más exitosa, las expectativas son que aumente la inseguridad por la delincuencia, las crisis de sociabilidad y la inestabilidad económica. El malestar aumenta también, como señala esa encuesta, por "el temor a sobrar" (PNUD, 1998: 115-126). En una interpretación de este informe, Norbert Lechner observa que el crecimiento económico del 7 por ciento anual y otras buenas cuentas macrosociales van acompañadas por un difuso malestar que se manifiesta como miedo al otro, a la exclusión y al sinsentido. Las estadísticas afirman que la modernización y la apertura del país amplió el acceso a empleos y educación, y mejoró los indicadores de salud. "Sin embargo, la gente desconfía... del futuro". La globalización es "vivida como una invasión extraterrestre" (Lechner, 1999: 187 y 192).

¿Qué se puede esperar de este debilitamiento de los Estados nacionales, de la impotencia ciudadana y de la recomposición globalizada del poder y de la riqueza? ¿Qué implica este proceso en la cultura, y sobre todo en su zona más dinámica e influyente: las comunicaciones? La globalización, que exacerba la competencia internacional y desestructura la producción cultural endógena, favorece la expansión de industrias culturales con capacidad a la vez de homogeneizar y atender en forma articulada las diversidades sectoriales y regionales. Destruye o debilita a los productores poco eficientes y concede a las culturas periféricas la posibilidad de encapsularse en sus tradiciones locales. En unos pocos casos, da a esas culturas la posibilidad de estilizarse y difundir su música, fiestas y gastronomía a través de empresas transnacionales.

La concentración en Estados Unidos, Europa y Japón de la investigación científica, y de las innovaciones en información y entretenimiento, acentúa la distancia entre el Primer Mundo y la producción raquítica y desactualizada de las naciones periféricas. Aun respecto de Europa, se agrava la desventaja de América Latina, como se aprecia en relación con el desarrollo demográfico: nuestro continente abarca el 0,8 por ciento de las exportaciones mundiales de bienes culturales teniendo el 9 por ciento de la población del planeta, en tanto que la Unión Europea, con el 7 por ciento de la población mundial, exporta el 37,5 por ciento e importa el 43,6 por ciento de todos los bienes culturales comercializados (Garretón, 1994).

2. ¿Tiene mayor consenso ciudadano la integración supranacional en las metrópolis? Los estudios sobre la Comunidad Europea muestran dificultades para construir una esfera pública, con deliberaciones democráticas, debido a que en los acuerdos y organismos supranacionales –más aún en los de cada país– la negociación prevalece sobre los mandatos de los representantes, los compromisos entre grupos empresariales sobre los intereses públicos mayoritarios, y el cabildeo (o "lobbysmo") sobre las instancias de gobierno regional o continental. ¿En qué se convierte la política, pregunta Marc Abélès, cuando en Bruselas, alrededor de los organismos comunitarios, florecen más de diez mil consultores, abogados y expertos, a veces representando a grupos territoriales, en otros casos como técnicos agrícolas, financieros o jurídicos dispuestos a vender sus servicios a embajadores, ministros, sindicatos, periodistas, empresarios, e incluso a varios a la vez? "La política se identifica cada vez más con una práctica de *lobby*" (Abélès, 1996: 102).

En la Unión Europea se ha intentado reducir la opacidad de los acuerdos supranacionales y acercarlos a la comprensión ciudadana. Al establecer, junto a los arreglos comerciales, programas educativos y culturales que abarcan a los quince países miembros, se busca integrar a las sociedades. La formación de "un espacio audiovisual europeo" ha sido sustentada con marcos normativos comunes y programas como Media, Euroimages y Eureka que favorecen las coproducciones de las industrias culturales en esa región y su circulación en los países que la componen, o sea mucho más que la defensa retórica de la identidad. En la misma línea, los ciudadanos de los quince países comparten un pasaporte europeo, se crearon una bandera y un himno de Europa, se fijaron énfasis anuales compartidos (el año europeo del cine, de la seguridad en los caminos) y se efectúan estudios periódicos para identificar una "opinión pública europea" (Moragas, 1996). La instalación del euro como moneda única a partir de 1999, proceso que culminará en el 2002 con la desaparición de las monedas nacionales, afianza la unificación económica y tiene fuertes consecuencias para la comunidad simbólica identitaria. Estos cambios son ampliamente difundidos y explicados con ilustraciones didácticas para todos los electores. Sin embargo, los periodistas conceden poco espacio a la mayoría de estos acontecimientos y confiesan su dificultad para traducirlos al lenguaje de los diarios. Analistas preocupados por la participación social se preguntan si la complejidad técnica de la europeización de la política "no es contradictoria con el ideal de una democracia fundada en la transparencia y en la capacidad de cada uno de acceder sin dificultad a lo que está en juego en el debate" (Abélès, 1996: 110).

De estudios antropológicos y sociopolíticos sobre la integración europea surge que los programas destinados a construir proyectos comunes no son suficientes para superar la distancia entre la Europa de los mercaderes o de los gobernantes y la de los ciudadanos. Pese a que en ese continente se viene reconociendo el papel de la cultura y de la dimensión imaginaria en las integraciones supranacionales más que en otros acuerdos regionales, la formación de elementos de identificación compartida no basta para que la mayoría interiorice esta nueva escala de lo social. Una explicación posible es que no logran mucho estos programas voluntaristas de integración si no se sabe qué hacer con la heterogeneidad, o sea, con las diferencias y los conflictos que no son reductibles a una identidad homogénea.

Muchos intelectuales y científicos sociales, por ejemplo quienes se reúnen en torno de la revista *Liber*, editada por Pierre Bourdieu en diez lenguas europeas, señalan como clave explicativa del bajo consenso social el predominio de la integración monetaria, de "la Europa de los banqueros", sobre la integración social. Cuestionan la capacidad de crear lazos sociales a partir de una teoría globalizadora que no toma en cuenta en los cálculos económicos los costos sociales, los costos en enfermedades y sufrimientos, suicidios, alcoholismo y drogadicción. Aun en sentido estrictamente económico, es una política errada, "no necesariamente económica", la que no considera los costos de sus acciones en "inseguridad de las personas y de los bienes, por tanto en policía", la que tiene una definición abstracta y estrecha de eficiencia –la rentabilidad financiera de los inversores– y descuida la atención de los clientes y usuarios (Bourdieu, 1998: 45-46).

Las once lenguas que se hablan en el Parlamento Europeo corresponden a diferencias culturales que no se disuelven con los acuerdos económicos de integración. Algo semejante ocurre con la diversidad de idiomas y los antagonismos culturales y políticos entre estadounidenses y latinoamericanos (protestantes *vs.* católicos, blancos *vs.* "hispánicos" e indios). Asimismo, con las marcadas diferencias entre latinoamericanos que se hacen presentes en las negociaciones económicas y se vuelven más rotundas en cuanto se quieren aplicar las decisiones tomadas por las cúpulas de gobernantes y expertos. Los pocos estudios etnográficos y comunicacionales realizados hasta ahora sobre procesos de libre comercio e integración, que retomaré en los capítulos siguientes, muestran cuántos intereses económicos, étnicos, políticos y culturales se cruzan al construir esferas públicas supranacionales: demasiado a menudo los intentos de construir ágoras desembocan en torres de Babel.

Cuando David no sabe dónde está Goliat

Un obstáculo clave para que los ciudadanos podamos creer en los proyectos de integración supranacional son los efectos negativos que tienen tales transformaciones en las sociedades nacionales y locales. Es difícil obtener consenso popular para cambios en la relaciones de producción, intercambio y consumo que suelen desvalorizar los vínculos de las personas con su territorio nativo, suprimen puestos de trabajo y rebajan los precios de lo que se sigue produciendo en el propio lugar. El imaginario de un futuro *económico* próspero que pueden suscitar los procesos de globalización e integración regional es demasiado frágil si no toma en cuenta la unidad o diversidad de lenguas, comportamientos y bienes *culturales* que dan significado a la continuidad de las relaciones sociales. Pero los procesos de integración más avanzados en la actualidad se realizan entre países que no cuentan con estas coincidencias culturales.

Si esto es así por la distancia que un obrero español, francés o griego siente respecto de Bruselas, o los chilenos, argentinos o mexicanos en relación con lo que se decide en Brasilia o Cartagena, aún mayor es la impotencia cuando el referente de poder es una transnacional que fabrica partes de cada automóvil o cada televisor en cuatro países, las ensambla en otro y tiene sus oficinas de dirección en dos o tres más. Es equivalente, a veces, la distancia que experimentamos con los mensajes que nos trae el televisor, el cine o los discos, desde lugares no identificables. La pregunta que surge es si, ante esos poderes anónimos y translocalizados, puede haber sujetos en la producción y en el consumo. Los trabajos se hacen cada vez más para otros, ni siquiera para patrones o jefes identificables, sino para empresas transnacionales, fantasmáticas sociedades anónimas que dictan desde lugares poco conocidos reglas indiscutibles e inapelables.

Cada vez está más limitado lo que los sindicatos pueden negociar, y a eso las empresas sin rostro, con marca pero sin nombre, le llaman "flexibilizar el trabajo". En verdad, lo que se vuelve –más que flexible– inestable es la condición laboral; el trabajo es rígido porque es inseguro, hay que cumplir estrictamente los horarios, los rituales de sometimiento, la adhesión a un orden ajeno que el trabajador acaba interiorizando para no quedarse sin salario. Recuerdo, entre muchos ejemplos recogidos en la literatura sobre globalización, este que cita Ulrich Beck: "Son las veintiuna diez; en el aeropuerto berlinés de Tegel una rutinaria y amable voz comunica a los fatigados pasajeros que pueden finalmente embarcarse con destino a Hamburgo. La voz pertenece a Angelika B., que está sentada ante su tablero electrónico de California. Después de las dieciséis, hora local, la megafonía del aeropuerto berlinés es operada desde Califorina, por unos motivos tan sencillos como inteligentes. En primer lugar, allí no hay que pagar ningún suplemento por servicios en horas extracomerciales; en segundo lugar, los costes salariales (adicionales) para la misma actividad son considerablemente mucho más bajos que en Alemania" (Beck, 1998: 38-39).

De modo análogo, los entretenimientos son producidos por otros lejanos, también sin nombre, como marcas de fábrica –CNN, Televisa, MTV–, cuyo título completo a menudo la mayoría desconoce. ¿En qué lugar se producen esos *thrillers*, telenovelas, noticieros y noches de entretenimiento? ¿En Los Ángeles, México, Buenos Aires, Nueva York o quizás en estudios disimulados en una bahía de Estados Unidos? ¿No era Sony japonesa? ¿Qué hace entonces transmitiendo desde Miami? Que los conductores del programa hablen español o inglés, un español argentino o mexicano, como hace MTV para sugerir identificación con países específicos, significa poco. Al fin de cuentas, es más verosímil, más coincidente con esta desterritorialización y esa lejanía imprecisa, cuando se nos habla el inglés deslocalizado de la CNN, en el español desteñido de los lectores de noticias de Televisa o de las series dobladas.

Durante la época del imperialismo se podía experimentar el síndrome de David frente a Goliat, pero se sabía que el Goliat político estaba en parte en la capital del propio país y en parte en Washington o en Londres, el Goliat comunicacional en Hollywood, y así con los otros. Hoy cada uno se disemina en treinta escenarios, con ágil ductilidad para deslizarse de un país a otro, de una cultura a muchas, entre las redes de un mercado polimorfo.

Pocas veces podemos imaginar un lugar preciso desde el cual nos hablan. Eso condiciona la sensación de que es difícil modificar algo, que en vez de ese programa de televisión o de ese régimen político podría haber otro. Algunos espectadores intervendrán en esos simulacros de participación en radios y en las televisoras que son el teléfono abierto o la asistencia a los estudios, o serán entrevistados para una encuesta de *rating*. Esos acercamientos excepcionales al poder, la sensación de ser consultado, no modifican para la mayoría, como se ve por ejemplo en las investigaciones recientes de Ángela Giglia y Rosalía Winocur, la percepción de que los medios hablan desde posiciones inabordables. Sus diseños y sus decisiones se hacen en lugares inaccesibles, por estructuras organizacionales y no por personas.

En otro tiempo, algunos pensamos que los estudios sobre hábitos de consumo podrían contribuir a conocer lo que efectivamente quieren los receptores. Aun estas indagaciones pueden servir para democratizar las políticas culturales en ciudades, radios o centros culturales independientes, en la esfera de lo micropúblico. Pero la mayor parte de las encuestas de audiencia no busca conocer los hábitos de consumo, sino confirmar o desconfirmar las preferencias puntuales, ese día y en ese horario. No estudian necesidades de receptores particulares, sino "públicos" o "audiencias" en varios países a la vez. No importa saber algo de su vida cotidiana, de sus gustos desatendidos, sino de cómo hacerlos sintonizar con lo que se programa en escritorios y estudios de grabación ignotos y estandarizados.

Una discusión de fondo sobre el tipo de sociedad al que nos llevan las comunicaciones masivas no puede basarse en estadísticas de *rating*. Necesitamos estudiar el consumo como manifestación de sujetos, donde se favorece su emergencia y su interpelación, se propicia o se obstruye su interacción con otros sujetos. Quizá la fascinación de las telenovelas, del cine melodramático o heroico, y de los noticieros de información que convierten los acontecimientos estructurales en dramas personales o familiares, se asiente no sólo en su espectacularidad morbosa, como suele decirse, sino en que mantienen la ilusión de que hay sujetos que importan, que sufren o realizan actos extraordinarios.

Pero la reestructuración reciente de las relaciones de poder, tanto en el trabajo como en el entretenimiento, está reduciendo cada vez más esta posibilidad de ser sujetos a una ficción mediática. Es sabido que esto no ocurre del mismo modo en todos los sectores sociales. Sin negarlo, quiero proponer que estudiemos por qué los actores populares y también los hegemónicos, los de la política como los de la economía, están siendo inmovilizados por lo que podríamos llamar la atrofia de la acción conflictiva y de la deliberación democrática. No se trata sólo de que las grandes decisiones sobre los conflictos y sobre el futuro no sean tomadas por gobernantes u organismos electos, sino que ni siquiera son plenamente asumidas por "los que tienen agarrado al mercado". John Berger usa esta expresión en vez de "controlan", "porque el azar tiene aquí un papel significativo" (Berger, 1995: 13).

Ningún siglo tuvo tantos investigadores de economía e historia, antropología de todas las épocas y sociedades, así como congresos, bibliotecas, revistas y redes informáticas para conectar esos saberes, para poner en relación lo que sucede en otros lugares de entretenimiento y trabajo del mundo. ¿Qué se puede cambiar, o al menos controlar, gracias a esta proliferación multidireccional de informaciones? ¿Adónde nos conducen la expansión de las empresas transnacionales, de los mercados y pensamientos únicos, y, del otro lado, la proliferación de las disidencias y sus movimientos sociales, las solidaridades heterodoxas de las ONG y sus imaginarios alternativos? Se duda de que puedan ser en verdad alternativas al comprobar cuántas veces acaban subordinadas al orden totalizador. Al final del siglo más productivo en innovaciones políticas, tecnológicas y artísticas, todo parece institucionalizarse precariamente bajo reglas de una reproducción a corto plazo, desvalida de proyectos, consagrada a la especulación económica o la acumulación de poderes inestables.

Tal vez podemos explicar este achicamiento del horizonte social saliendo de la oposición frecuente entre lo global y lo local. Hay que reelaborar entonces, de un modo más complejo, las articulaciones entre lo concreto y lo abstracto, lo inmediato y lo intercultural. Es necesario trabajar con las metáforas a las que se acude para designar los cambios en las maneras de hacer cultura, comunicarnos con los diferentes o que imaginamos semejantes, y construir conceptos que permitan analizar la redistribución que en este tiempo globalizado está ocurriendo entre lo propio y lo ajeno.

Como una primera vía para organizar esta diversidad de situaciones, y repensar la impotencia que induce la lejanía o la abstracción de los vínculos, propongo tomar en cuenta el esquema con que Craig Calhoun, y luego Ulf Hannerz (1998), reformulan la antigua oposición entre *Gemeinshaft* y *Gesellschaft*, entre comunidad y sociedad. La globalización ha complejizado la distinción entre *relaciones primarias*, donde se establecen vínculos directos entre personas, y *relaciones secundarias*, que ocurren entre funciones o papeles desempeñados en la vida social. El carácter indirecto de muchos intercambios actuales lleva a identificar *relaciones terciarias*, mediadas por tecnologías y grandes organizaciones: escribimos a una institución o llamamos a una oficina y obtenemos respuestas despersonalizadas, del mismo modo que cuando escuchamos a un político o recibimos información sobre bienes de consumo en radio o televisión.

Me interesa, sobre todo, el último tipo diferenciado por Calhoun, las *relaciones cuaternarias*, en las que una de las partes no es consciente de la existencia de la relación: acciones de vigilancia, espionaje telefónico, archivos de información que saben mucho de los individuos al reunir datos censales, de tarjetas de crédito y otros tipos de información. A veces se busca "analizar" estas interacciones y se nos trata como "clientelas imaginadas" (Calhoun, 1992; Hannerz, 1998), por ejemplo cuando nos envía propaganda basura una empresa a la que no sabemos quién le dio nuestra dirección y procura ocultar esta intromisión en la privacidad imitando el lenguaje de las relaciones primarias: "Querido Néstor: teniendo en cuenta la frecuencia con la que viajas, tu estilo de vida y el de tu familia, hemos decidido proponerte...". Los datos acumulados con cada uso de la tarjeta de crédito constituyen un superpanóptico, pero con la peculiaridad de que "al proporcionar datos para su almacenamiento, el vigilado se convierte en una factor importante y *complaciente* de la vigilancia" (Bauman, 1999: 68).

¿Qué podemos hacer con este mundo en que pocos observan a muchos? ¿Es posible organizar de otro modo los vínculos mediatizados, sus astucias de simulación para personalizarlos, despegarnos de sus procedimientos de selección y segregación, de exclusión y vigilancia, en breve, reconvertirnos en sujetos del trabajo y el consumo?

Una reacción posible es evocar con nostalgia la época en que la política se presentaba como el combate militante entre concepciones del mundo entendidas como antagónicas. Otra es replegarse en unidades territoriales, étnicas o religiosas con la esperanza de que se acorte la distancia entre quienes toman las decisiones y quienes reciben sus efectos: escaparse por la tangente. Comparto la hipótesis de que ambas posturas pueden desarrollar tareas productivas para mejorar la calidad de la política (en el primer caso) y para mejorar la convivencia en ámbitos restringidos (en el segundo). Pero la viabilidad de esos intentos depende de que trasciendan su carácter reactivo y elaboren proyectos que interactúen con las nuevas condiciones fijadas por la globalización.

Para decirlo rápido: no pienso que la opción central sea hoy defender la identidad o globalizarnos. Los estudios más esclarecedores del proceso globalizador no son los que conducen a revisar cuestiones identitarias aisladas, sino a entender las oportunidades de saber qué podemos hacer y ser con los otros, cómo encarar la heterogeneidad, la diferencia y la desigualdad. Un mundo donde las certezas locales pierden su exclusividad y pueden por eso ser menos mezquinas, donde los estereotipos con los que nos representábamos a los lejanos se descomponen en la medida en que nos cruzamos con ellos a menudo, presenta la ocasión (sin muchas garantías) de que la convivencia global sea menos incomprensiva, con menores malentendidos, que en los tiempos de la colonización y el imperialismo. Para ello es necesario que la globalización se haga cargo de los imaginarios con que trabaja y de la interculturalidad que moviliza.

Al desplazar el debate sobre la globalización de la cuestión de la identidad a los desencuentros entre políticas de integración supranacional y comportamientos ciudadanos, nos negamos a reducirlo a la oposición global/local. Buscamos situarlo en la recomposición general de lo abstracto y lo concreto en la vida contemporánea, y en la formación de nuevas mediaciones entre ambos extremos. Más que enfrentar identidades esencializadas a la globalización, se trata de indagar si es posible instituir sujetos en estructuras sociales ampliadas. Es cierto que la mayor parte de la producción y del consumo actuales son organizados en escenarios que no controlamos, y a menudo ni siquiera entendemos, pero en medio de las tendencias globalizadoras los actores sociales pueden abrir nuevas interconexiones entre culturas y circuitos que potencien las iniciativas sociales.

La pregunta por los sujetos que puedan transformar la actual estructuración globalizada nos llevará a prestar atención a los nuevos espacios de *intermediación* cultural y sociopolítica. Además de las formas de mediación indicadas –organismos transnacionales, consultoras, oficinas financieras y sistemas de vigilancia– existen circuitos internacionales de agencias noticiosas, de galerías y museos, editoriales que actúan en varios continentes, ONG que comunican movimientos locales distantes. Entre los organismos internacionales y los ciudadanos, las empresas y sus clientelas, hay instituciones flexibles que se manejan en varias lenguas, expertos formados en códigos de diferentes etnias y naciones, funcionarios, promotores culturales y activistas políticos entrenados para desempeñarse en diversos contextos. Para no fetichizar lo global y, por tanto, polarizar excesivamente sus relaciones con lo local, un principio metodológico fecundo es considerar, entre centro y periferia, norte y sur, la proliferación de redes dedicadas a la "negociación de la diversidad". George Yúdice emplea esta expresión para describir cómo los curadores de exposiciones y las revistas de arte estadounidenses influyen en la imagen del arte latinoamericano en Estados Unidos, en la autopercepción de los artistas, así como en los criterios de los públicos latinoamericanos y estadounidenses, aun en cuestiones que trascienden lo artístico (Yúdice, 1996). Daniel Mato muestra de qué modo la acción del Instituto Smithsoniano ha contribuido a reconceptualizar el significado de los pueblos indígenas de América Latina, las representaciones de etnicidad, género y las relaciones transculturales entre las Américas, y también cómo las representaciones de los países centrales sobre los grupos periféricos son reformuladas por organizaciones no gubernamentales que proyectan las perspectivas periféricas a escala transnacional (Mato, 1998a y 1999b).

Modos de imaginar lo global

La globalización puede ser vista como un conjunto de estrategias para realizar la hegemonía de macroempresas industriales, corporaciones financieras, *majors* del cine, la televisión, la música y la informática, para apropiarse de los recursos naturales y culturales, del trabajo, el ocio y el dinero de los países pobres, subordinándolos a la explotación concentrada con que esos actores reordenaron el mundo en la segunda mitad del siglo XX.

Pero la globalización es también el horizonte imaginado por sujetos colectivos e individuales, o sea por gobiernos y empresas de los países dependientes, por realizadores de cine y televisión, artistas e intelectuales, a fin de reinsertar sus productos en mercados más amplios. Las políticas globalizadoras logran consenso, en parte, porque excitan la imaginación de millones de personas al prometer que los dos más dos que hasta ahora sumaban cuatro pueden extenderse hasta cinco o seis. Muchos relatos de lo que les ha sucedido a quienes supieron adaptar sus bienes, sus mensajes y sus operaciones financieras para reubicarse en un territorio expandido indican que el realismo de lo local, de quienes se conforman con sumar cifras nacionales, se habría vuelto una visión miope.

Vamos a tratar de distinguir en varios procesos culturales qué hay de real y cuánto de imaginario en esta ampliación del horizonte local y nacional. Habrá que diferenciar quiénes se benefician con el ensanchamiento de los mercados, quiénes pueden participar en él desde las economías y culturas periféricas, y cuántos quedan descolgados de los circuitos globales. Las nuevas fronteras de la desigualdad separan cada vez más a quienes son capaces de conectarse a redes supranacionales de quienes quedan arrinconados en sus reductos locales.

Si hablo de globalizaciones imaginadas no es sólo porque la integración abarca a algunos países más que a otros. O porque beneficia a sectores minoritarios de esos países y para la mayoría queda como fantasía. También porque el discurso globalizador recubre fusiones que en verdad suceden, como dije, entre pocas naciones. Lo que se anuncia como globalización está generando, en la mayoría de los casos, interrelaciones regionales, alianzas de empresarios, circuitos comunicacionales y consumidores de los países europeos o los de América del Norte o los de una zona asiática. No de todos con todos. Luego de décadas en que acuerdos de libre comercio muestran hasta dónde puede llegar la apertura de cada economía y cultura nacional, estamos en condiciones de diferenciar las narrativas globalizadoras de las acciones y políticas de alcance medio en que esos imaginarios se concretan. Un ejemplo: las cifras de ganancias del sector audiovisual dicen que los países iberoamericanos obtienen el 5 por ciento de lo que se factura en el mercado mundial, pero sabemos que si sumamos los habitantes latinoamericanos, los españoles y los hispanohablantes de Estados Unidos somos más de 550 millones. Pensar en la globalización significa explicarnos por qué tenemos un porcentaje tan bajo en la facturación y, al mismo tiempo, imaginar cómo podríamos aprovechar el ser uno de los conjuntos lingüísticos con mayor nivel de alfabetización y de consumo cultural.

No estoy identificando imaginario con falso. Así como se estableció que las construcciones imaginarias hacen posible la existencia de las sociedades locales y nacionales, también contribuyen a la arquitectura de la globalización. Las sociedades se abren para la importación y exportación de bienes materiales que van de un país a otro, y también para que circulen mensajes coproducidos desde varios países, que expresan en lo simbólico procesos de cooperación e intercambio, por ejemplo músicas que fusionan tradiciones antes alejadas y películas filmadas con capitales, actores y escenarios multinacionales. Esta transnacionalización libera a muchos bienes materiales y simbólicos de rígidas adscripciones nacionales (un automóvil Ford no expresa sólo la cultura norteamericana, ni un film de Spielberg lo hace únicamente respecto de Hollywood). Los convierte en emblemas de un imaginario supranacional. Aun lo que persista de la cultura brasileña o mexicana en una telenovela, de la francesa en un perfume, de la japonesa en un televisor, son integrados en relatos y prácticas que podemos ver multiplicados en sesenta o cien sociedades. La época globalizada es esta en que, además de relacionarnos efectivamente con muchas sociedades, podemos situar nuestra fantasía en múltiples escenarios a la vez. Así desplegamos, según Arjun Appadurai, "vidas imaginadas" (Appadurai, 1996). Lo imaginado puede ser el campo de lo ilusorio, pero asimismo es el lugar, dice Etienne Balibar, donde "uno se cuenta historias, lo cual quiere decir que se tiene la potencia de inventar historias".

Con la expansión global de los imaginarios se han incorporado a nuestro horizonte culturas que sentíamos hasta hace pocas décadas ajenas a nuestra existencia. En Occidente, unos pocos comerciantes, artistas y religiosos, investigadores y aventureros se habían interesado hasta mediados del siglo XX por los modos de vida del lejano oriente. Ahora la India, Japón, Hong Kong –los ejemplos podrían multiplicarse– se volvieron destinos turísticos, de inversiones y de viajes comerciales para millones de occidentales. Durante los años ochenta y hasta la crisis de mediados de los noventa, los tigres asiáticos funcionaron como modelos de desarrollo económico y suscitaron curiosidad en las élites del Tercer Mundo occidental por su manera de relacionar innovación industrial, culturas antiguas y hábitos de trabajo. Por no hablar de la expansión de religiones orientales en Europa, Estados Unidos y América Latina, ni de otros intercambios que instalan en nuestra vida cotidiana –junto con artefactos japoneses o de Taiwan– resonancias culturales de esas sociedades.

Hay mucho más que expansión hacia territorios antes ignorados. La intensificación de los intercambios, sobre todo con países de regiones vecinas, replantea los estereotipos que teníamos acerca de ellos. Entender la globalización requiere, decíamos, explorar cómo están cambiando en América Latina los imaginarios respecto de Europa y Estados Unidos. ¿En verdad están cambiando? Vamos a ir examinando qué relatos sobre los otros persisten (obstaculizando nuevas oportunidades de integración) y cuáles nuevos se van formando en los intercambios migratorios, comerciales y turísticos recientes. También habrá que ver cómo se modifica la manera de mirar la integración si la narran empresarios, ciudadanos o indocumentados.

En la medida en que llegar a la globalización significa para la mayoría aumentar el intercambio con los otros más o menos cercanos, sirve para renovar la comprensión que teníamos de sus vidas. De ahí que las fronteras se vuelvan laboratorios de lo global. Por eso buscaremos comprender cómo se modula lo global en las fronteras, en la multiculturalidad de las ciudades y en la segmentación de públicos mediáticos.

ESPECTÁCULOS DE LA GLOBALIZACIÓN Y MELODRAMAS DE LA INTERCULTURALIDAD

Una de las consecuencias que podemos extraer de esta aproximación diferencial combinada con materiales tan heterogéneos es la necesidad de ocuparnos a un mismo tiempo de la globalización y la interculturalidad. Quienes hablan de cómo nuestro tiempo se globaliza narran procesos de intercambios fluidos y homogeneización, naciones que abren sus fronteras y pueblos que se comunican. Sus argumentos se apoyan en las cifras del incremento de transacciones y la rapidez o simultaneidad con que ahora se realizan: volumen y velocidad. Entre tanto, los estudios sobre migraciones, transculturación y otras experiencias interculturales están llenos de relatos de desgarramientos y conflictos, fronteras que se renuevan y anhelos de restaurar unidades nacionales, étnicas o familiares perdidas: intensidad y memoria.

Por tanto, las tensiones entre globalización e interculturalidad pueden ser concebidas como una relación entre épica y melodrama. Las escisiones que hoy separan a las ciencias sociales ocurren, en gran medida, entre quienes buscan armar relatos épicos con los logros de la globalización (la economía, cierta parte de la sociología y la comunicación) y los que construyen narraciones melodramáticas con las fisuras, las violencias y los dolores de la interculturalidad (la antropología, el psicoanálisis, la estética). Cuando los primeros admiten, en los márgenes de su relato, los dramas interculturales, como si fueran resistencias a la globalización, aseguran en seguida que el avance de la historia y el paso de las generaciones las irá eliminando. Para los segundos, las tenaces diferencias y las incompatibilidades entre culturas mostrarían el carácter parcial de los procesos globalizadores, o su fracaso, o los nuevos desplazamientos que engendra su unificación apurada del mundo, poco atenta a lo que distingue y separa. En años recientes algunos narradores de la globalización y algunos defensores de las diferencias locales y subjetivas empiezan a escuchar a los otros: más allá de la preocupación por contar una épica o un drama interesa entender qué acontece cuando ambos movimientos coexisten.

La hipótesis es que las cifras de los censos migratorios, de la circulación planetaria de inversiones y las estadísticas del consumo adquieren más sentido cuando se cargan con las narrativas de la heterogeneidad. En las estructuras, reaparecen los sujetos. A la inversa, los relatos enunciados por actores locales dicen más si nos preguntamos cómo hablan, a través de los dramas particulares, los grandes movimientos de la globalización y los discursos colectivos que establecen las reglas actuales de la producción y las modas del consumo. No es fácil juntar ambas perspectivas en esta época en que cada vez se cree menos en la capacidad explicativa de un paradigma. Pero al mismo tiempo es imposible entender convivencias tan intensas y frecuentes como exige nuestro mundo si compartimentamos a las sociedades, como lo hizo el relativismo cultural que imaginaba a cada cultura separada y autosuficiente. ¿Qué relatos –ni simplemente épicos, ni melodramáticos– pueden dar cuenta de las recomposiciones que se van produciendo entre lo local y lo global?

Cuando el 1 de enero de 1994 estalló una subversión neozapatista en el sur de México, escuché que un economista y un antropólogo mexicanos se asombraban de distintas maneras ante la noticia. El economista comentó que era difícil que eso tuviera mucha repercusión en la sociedad nacional porque el estado de Chiapas representaba algo así como el 1,5 por ciento de la economía mexicana. Los tropismos del antropólogo lo llevaron a que éste le contestara que esa región tenía aproximadamente un 30 por ciento de población indígena, uno de los porcentajes más altos de México, que es importante en la historia y la cultura de este país, y como frontera con América Central. Varios meses después se vio que entender lo que en el movimiento zapatista había de prolongación de un largo pasado y de innovación político-comunicacional requería trascender el paralelismo de la explicación económica y la antropológica, sus maneras desvinculadas de contar lo que integra y lo que distingue o margina.

No logramos deshacernos del asombro que generan estos hechos regresando a los relatos (económicos o antropológicos) que dieron consistencia a organizaciones sesgadas de los datos: es necesario mantener la sorpresa y admitir la multiplicidad de narraciones. Pero si no es cuestión de escribir una novela un poco más compleja sino de elaborar explicaciones e interpretaciones de lo que construimos como real, necesitamos preguntarnos si son o no compatibles estas distintas narraciones y aspirar a descripciones densas que articulen las estructuras más o menos objetivas y los niveles de significación más o menos subjetivos. Hay que elaborar construcciones lógicamente consistentes, que puedan contrastarse con las maneras en que lo global "se estaciona" en cada cultura y los modos en que lo local se reestructura para sobrevivir, y quizás obtener algunas ventajas, en los intercambios que se globalizan.

Por más que se quiera circunscribir las investigaciones a un barrio o a una ciudad, o a los extranjeros radicados en un país particular, llega un momento en que –si uno trabaja en Occidente– tiene que hacerse preguntas sobre cómo están cambiando las estructuras globalizantes y los procesos de integración supranacional. Por ejemplo, las relaciones entre Europa, América Latina y Estados Unidos. Es posible responder que un universo tan extendido es inabarcable y dejar la cuestión. Pero las interrogantes siguen ahí, condicionan lo que uno está estudiando, y aun cuando decida no hacer generalizaciones sobre el desarrollo de Occidente los viejos supuestos de la filosofía y la epistemología occidentales permanecen como hipótesis. Lo malo es que esas hipótesis corresponden a una etapa preglobal, cuando las naciones eran unidades en apariencia más cohesionadas, que parecían contener la mayoría de las relaciones interculturales. O sea, cuando era posible distinguir con nitidez lo local y lo universal.

No conozco mejor manera de encarar estos riesgos que trabajando con cifras y otros datos duros, macrosociales, donde se aprecian las grandes tendencias de la globalización, y a la vez, con descripciones socioculturales que captan procesos específicos, tanto en su estructura objetiva como en los imaginarios que expresan el modo en que sujetos individuales y colectivos se representan su lugar y sus posibilidades de acción en dichos procesos. Se trata de reunir lo que tantas veces fue escindido en las ciencias sociales: explicación y comprensión. O sea, articular las observaciones telescópicas de las estructuras sociales y las miradas que hablan de la intimidad de las relaciones entre culturas. Me parece que en esta tarea tenemos un recurso clave para que el futuro de la globalización lo decidan ciudadanos multiculturales.

Yukinori Yanagi
América, inSITE 94
Installation Gallery y Museo de Arte Contemporáneo
San Diego, Cal. E.U.A.

Treinta y seis banderas hechas con cajas de plástico
llenas de arena coloreada. Las banderas fueron conectadas
por tubos dentro de los cuales viajaban hormigas
que iban corroyéndolas y confundiéndolas.

Migrantes esperando la noche para cruzar la barda que separa a México de Estados Unidos,

Foto: Alejandro Huidobro

construida con planchas de acero que se usaron para pistas de aterrizaje en el desierto durante la Guerra del Golfo.

De Tijuana a San Diego

Foto: Alejandro Huidobro

¿O de San Diego a Tijuana?

Marcos Ramírez Erre, *Toy and Horse*, inSITE 97. Puerta de entrada de Tijuana a San Diego. Foto: Jimmy Pluker

Capítulo 2

LA GLOBALIZACIÓN: OBJETO CULTURAL
NO IDENTIFICADO

No es cierto mucho de lo que se dice sobre la globalización. Por ejemplo, que uniforma a todo el mundo. Ni siquiera ha conseguido que exista una sola definición de lo que significa globalizarse, ni que nos pongamos de acuerdo sobre el momento histórico en que comenzó, ni sobre su capacidad de reorganizar o descomponer el orden social.

Acerca de la fecha en que habría comenzado la globalización, varios autores la sitúan en el siglo XVI, al iniciarse la expansión capitalista y de la modernidad occidental (Chesnaux, 1989; Wallerstein, 1989). Otros colocan el origen a mediados del siglo XX, cuando las innovaciones tecnológicas y comunicacionales articulan los mercados a escala mundial. Esta conjunción de cambios tecnológicos y mercantiles sólo adopta formas globales cuando se establecen mercados planetarios de las comunicaciones y del dinero, y se consolida al desaparecer la Unión Soviética y agotarse la división bipolar del mundo (Albrow, 1997; Giddens, 1997; Ortiz, 1997).

Tales discrepancias se relacionan con maneras diversas de definir lo que se entiende por globalización. Quienes le atribuyen un origen más remoto privilegian el aspecto económico, mientras los que argumentan la aparición reciente de este proceso conceden más peso a sus dimensiones políticas, culturales y comunicacionales. Por mi parte, entiendo que hay buenas razones para sostener, de acuerdo con la expresión de Giddens, que "somos la primera generación que tiene acceso a una era global" (Giddens, 1997).

INTERNACIONALIZACIÓN, TRANSNACIONALIZACIÓN, GLOBALIZACIÓN

Situar la globalización en la segunda mitad del siglo XX es el resultado de la diferencia que ésta tiene con la internacionalización y la transnacionalización. La *internacionalización* de la economía y la cultura se inicia con las navegaciones transoceánicas, la apertura comercial de las sociedades europeas hacia el Lejano Oriente y América Latina, y la consiguiente colonización. Los barcos llevaron a los países centrales objetos y noticias desconocidos en España, Portugal, Italia e Inglaterra. Desde las narraciones de Marco Polo y Alexander von Humboldt hasta los relatos de los migrantes y comerciantes del siglo XIX y comienzos del XX fueron integrando parte de lo que hoy llamamos el mercado mundial. Pero la mayoría de los mensajes y bienes consumidos en cada país se producían allí mismo, el tumulto de información y objetos externos que enriquecía la vida cotidiana debía pasar por aduanas, someterse a leyes y controles que protegían la producción propia. "Cualquiera que sea la comarca que mis palabras evoquen en torno a ti, la verás desde un observatorio situado", desde las escalinatas de tu palacio, le dice Marco Polo al Gran Kan (Calvino, 1985: 37). Verás las sociedades diferentes desde tu barrio, tu ciudad o tu nación, podrían haber dicho un antropólogo o un periodista que contaban a sus compatriotas lo que sucedía lejos de ellos cuando las sociedades nacionales y las etnias eran observatorios bien delimitados.

La *transnacionalización* es un proceso que se va formando a través de la internacionalización de la economía y la cultura, pero da algunos pasos más desde la primera mitad del siglo XX al engendrar organismos, empresas y movimientos cuya sede no está exclusiva ni principalmente en una nación. Phillips, Ford y Peugeot abarcan varios países y se mueven con bastante independencia respecto de los Estados y las poblaciones con los que se vinculan. No obstante, en este segundo movimiento las interconexiones llevan la marca de las naciones originarias. Las películas de Hollywood transmitieron al mundo la visión estadounidense de las guerras y la vida cotidiana, las telenovelas mexicanas y brasileñas emocionaron a italianos, chinos y muchos otros con la manera en que las naciones productoras concebían la cohesión y las rupturas familiares.

La *globalización* se fue preparando en estos dos procesos previos a través de una intensificación de dependencias recíprocas (Beck, 1998), el crecimiento y la aceleración de redes económicas y culturales que operan en una escala mundial y sobre una base mundial. Sin embargo, fueron necesarios los satélites y el desarrollo de sistemas de información, manufactura y procesamiento de bienes con recursos electrónicos, transporte aéreo, trenes de alta velocidad y servicios distribuidos en todo el planeta para construir un mercado mundial donde el dinero, la producción de bienes y mensajes, se desterritorialicen, las fronteras geográficas se vuelvan porosas y las aduanas a menudo se tornen inoperantes. Ocurre entonces una interacción más compleja e interdependiente entre focos dispersos de producción, circulación y consumo (Castells, 1995; Ortiz, 1997; Singer, 1997). No quiero sugerir un determinismo tecnológico, sino sólo su papel facilitador. En verdad, los nuevos flujos comunicacionales e informatizados engendraron procesos globales en tanto se asociaron a fuertes concentraciones de capitales industriales y financieros, a la desregulación y la eliminación de restricciones y controles nacionales que sujetaban las transacciones internacionales. También se requirió que los movimientos transfronterizos de las tecnologías, los bienes y las finanzas fueran acompañados por una intensificación de flujos migratorios y turísticos que favorecen la adquisición de lenguas e imaginarios multiculturales. En estas condiciones es posible, además de exportar películas y programas televisivos de un país a otro, construir productos simbólicos globales, sin anclajes nacionales específicos, o con varios a la vez, como las películas de Steven Spielberg, los videojuegos y la música-mundo. Estas dimensiones económicas, financieras, migratorias y comunicacionales de la globalización son reunidas por varios autores (Appadurai, 1996; Giddens, 1999; Sassen, en prensa) al afirmar que la globalización es un nuevo régimen de producción del espacio y el tiempo.

Si bien esta distinción conceptual e histórica me parece convincente, sabemos que no hay total consenso internacional ni transdisciplinario sobre este asunto. También se discute si este proceso debe denominarse globalización o mundialización, diferencia que separa a quienes escriben en inglés o francés pero que se vincula además con divergencias conceptuales (Ortiz, 1997).

Menos claro aún es si el balance de la globalización resulta negativo o positivo. Ya es difícil sostener que toda apertura e integración internacional sea beneficiosa para todos. El agravamiento de problemas y conflictos −desempleo, contaminación, violencia, narcotráfico−, cuando la liberalización global se subordina a intereses privados, lleva a pensar en la necesidad de que la globalización sea políticamente conducida y que la disputa entre los grandes capitales sea regulada mediante integraciones regionales (Unión Europea, Mercosur). A esta altura se discute si la globalización es inevitable, y en qué grado, e incluso si es deseable en todos los aspectos de la producción, la circulación y el consumo (Singer, 1997).

Estas divergencias respecto del significado y el alcance de la globalización permiten extraer algunas conclusiones elementales pero con fuertes consecuencias teóricas y metodológicas: a) la globalización no es un *paradigma* científico, ni económico, en el sentido de que no cuenta con un objeto de estudio claramente delimitado ni ofrece un conjunto coherente y consistente de saberes, consensados intersubjetivamente por especialistas y contrastables con referentes empíricos (Passeron, 1991: 37-48 y 362-363); b) tampoco puede considerarse a la globalización un paradigma político ni cultural, en tanto no constituye el único modo posible de desarrollo. La globalización, más que un orden social o un único proceso, es resultado de múltiples movimientos, en parte contradictorios, con resultados abiertos, que implican diversas conexiones "local-global y local-local" (Mato, 1996). Los conocimientos disponibles sobre globalización constituyen un conjunto de *narrativas*, obtenidas mediante aproximaciones parciales, en muchos puntos divergentes.

Observamos que esta precariedad suele ocultarse en un sector de la bibliografía reciente con dos operaciones. Una consiste en reducir la globalización casi a sinónimo de neoliberalismo y, por tanto, punto de partida que se pretende indudable, "pensamiento único" más allá de las luchas ideológicas. La globalización a la neoliberal intentó establecer un solo modelo para países desarrollados y subdesarrollados que no quieran quedar fuera de la economía mundial. De este modo, aparece en algunos autores como lo que en otro tiempo fue la teoría de los modos de producción en el marxismo (el intento de pensar con un solo paradigma la totalidad del desarrollo mundial y cada uno de los procesos que ocurren en cualquier sociedad). Los ingredientes nucleares de este "paradigma" o narrativa son la economía de mercado, el multipartidismo, la apertura de las economías nacionales al exterior, la libre circulación de capitales, la protección de inversiones extranjeras y de la propiedad intelectual, el equilibrio fiscal y la libertad de prensa. Quienes se escapan de este modelo, como Irak, Irán, Libia o Albania, serían exiliados de la historia. Otros países que lo intentaron estarían confirmando con su readaptación (China, Cuba y Vietnam) la validez universal del paradigma. Ésta es la visión de algunos intelectuales (Fukuyama, Huntington) y, por supuesto, del Grupo de los Siete, de empresas y bancos del Primer Mundo que están conduciendo la política económica. Las crisis de este modelo en México y otros países latinoamericanos a partir de diciembre de 1994, en Rusia y el sudeste asiático desde 1997, en Brasil en 1998, y los conflictos sociales agravados en todas partes, generan dudas sobre su consistencia y beneficios.

La otra posición que oculta las deficiencias de nuestro saber sobre la globalización es la de quienes se despreocupan de que no constituya un paradigma o modelo científico, de acuerdo con el principio posmoderno que acepta la reducción del saber a la coexistencia de narrativas múltiples. No estoy proponiendo regresar al positivismo que postulaba un saber de validez universal, cuya formalización abstracta lo volvería aplicable a cualquier sociedad. Pero tampoco me parece plausible, en un mundo tan interconectado, que renunciemos a plantear los problemas de la universalidad del conocimiento, o sea, buscar una racionalidad interculturalmente compartida que organice con coherencia los enunciados básicos. Más aún cuando se trata de teorizar la globalización.

Pensar sobre lo global exige trascender estas dos posturas: la que hace de la globalización un paradigma único e irreversible, y la que dice que no importa que no sea coherente ni integre a todos. Más bien parece metodológicamente necesario, ante las tendencias que homogeneizan *partes* de los mercados materiales y simbólicos, averiguar qué representa lo que la globalización excluye para constituirse.

La hipótesis que quiero trabajar, en consecuencia, es que si no contamos con una teoría unitaria de la globalización no es sólo por deficiencias en el estado actual del conocimiento sino también porque lo fragmentario es un rasgo estructural de los procesos globalizadores. Para decirlo más claro, lo que suele llamarse globalización se presenta como un conjunto de procesos de homogeneización y, a la vez, de fraccionamiento articulado del mundo, que reordenan las diferencias y las desigualdades sin suprimirlas. Encuentro que esto comienza a ser reconocido en unas pocas narrativas artísticas y científicas.

¿Cómo situarse respecto de las discrepantes teorías de la globalización? A la desconfianza ya mencionada hacia las teorías generalistas y a la inexistencia de consenso universal respecto de cualquiera de ellas, se añade la dificultad de incluir en un solo sistema explicativo las variadas dimensiones que intervienen en estos procesos. Aun los economistas, empresarios y políticos que tratan de tener un discurso más duro y preciso sobre la globalización, se ven en la necesidad de usar metáforas para describirla. Ya Renato Ortiz (1997: 14) llamó la atención hacia unas cuantas imágenes que desempeñaban el papel de conceptos: "sociedad amébica" (Kenichi Ohmae), "aldea global" (McLuhan), "tercera ola" (Alvin Toffler). Octavio Ianni amplió la lista: "Disneylandia global", "tecnocosmo", "nueva Babel", "*shopping center* global" (Ianni, 1995: 15-16). Una de las metáforas más elocuentes es la empleada por George Soros cuando escribe que los participantes en el mercado, "si son nacionales", reconocerán que, más que apuntar a un futuro equilibrio, "están disparando contra un blanco en movimiento" (Soros, 1997: 15).

Los acuerdos de libre comercio y las integraciones regionales desempeñan, según explica Marc Abélès respecto de la Unión Europea, el papel de un síntoma en el cual proyectamos nuestras decepciones de las aventuras modernas y las esperanzas de lo que podríamos encontrar en eso que se da en llamar globalización. Ni siquiera en los acuerdos más integrales y planificados de unificación, como el europeo, se resuelven efectos negativos (el desempleo), ni se llega a arreglos duraderos en cuestiones sociales y de mercado. Aún más difícil es organizar zonas de libre comercio donde se hace como que no es necesario armonizar las políticas de empleo, migratorias, y las relaciones interculturales (TLC) o se apresura la negociación económica sin tiempo para compatibilizar los sistemas sociales y políticos (Mercosur).

En las fallas de las cifras y los pronósticos, en las vacilaciones e insuficiencias de las políticas, se instalan los relatos y las metáforas: durante la etapa eufórica de las negociaciones, con la urgencia de no perder la oportunidad de volverse más competitivos, los funcionarios descalifican las quejas y las protestas aduciendo que "se conduce sin retrovisor" (Abélès, 1994: 101). Otra metáfora oída por el mismo autor mientras estudiaba la vida cotidiana en el Parlamento Europeo fue que los funcionarios, apresados en el engranaje de las decisiones supranacionales, alejados de las sociedades que representan en Bruselas, se sentían "ángeles sin cuerpo". Sin embargo, el estudio de la cotidianidad de las negociaciones hace visibles los cuerpos culturales que diferencian, por ejemplo, a anglosajones y latinos, la distinta valoración de la ecología y de los medios de comunicación entre europeos del norte y del sur (Abélès, 1994: 102). Por eso, dedicaremos un buen sector de este libro a examinar cómo evolucionan y cómo se reiteran estas divergencias entre anglos y latinos; entre europeos, estadounidenses y latinoamericanos.

Si este trabajo va a conceder amplio espacio a las narrativas y metáforas es no sólo por este carácter huidizo, como blanco en movimiento, de la globalización. Además, porque para ocuparse de los procesos globalizadores hay que hablar, sobre todo, de gente que migra o viaja, que no vive donde nació, que intercambia bienes y mensajes con personas lejanas, mira cine y televisión de otros países, o se cuenta historias en grupo sobre el país que dejó. Se reúne para celebrar algo lejano o se comunica por correo electrónico con otros a los que no sabe cuándo volverá a ver. En cierto modo, su vida está en otra parte. Quiero pensar la globalización desde los relatos que muestran, junto con su existencia pública, la intimidad de los contactos interculturales sin los que no sería lo que es. En tanto la globalización no sólo homogeneiza y nos vuelve más próximos, sino que multiplica las diferencias y engendra nuevas desigualdades, no se puede valorar la versión oficial de las finanzas y de los medios de comunicación globalizados que nos prometen estar en todas partes sin comprender al mismo tiempo la seducción y el pánico de llegar fácilmente a ciertos lugares y acercarnos a seres diferentes. También el riesgo de ser excluidos o de sentirse condenados a convivir con los que no buscábamos. Como la globalización no consiste en que todos estemos disponibles para todos, ni en que podamos entrar en todos los sitios, ésta no se entiende sin los dramas de la interculturalidad y la exclusión, las agresiones o autodefensas crueles del racismo y las disputas amplificadas a escala del mundo por diferenciar los otros que elegimos de los vecinos por obligación. La globalización sin la interculturalidad es un OCNI, un objeto cultural no identificado.

Hablar de "objeto cultural no identificado" no significa que los gestores de la globalización y sus analistas no se den cuenta de que existen procesos interculturales, modos diversos de comunicación, ciudades con perfiles distintos y movimientos artísticos divergentes. Pero la estrategia hegemónica de la globalización suele atender sólo a lo que en estos procesos es reductible al mercado, o sea, lo que cabe en sus políticas clientelares. Cuando se considera lo diferente, se le pide que se desidentifique o se descaracterice, no necesariamente que se extinga.

QUÉ HAY ENTRE MCDONALD'S Y MACONDO

Hay que cuidar que la crítica a las integraciones aplanadas no nos arroje, por el efecto de péndulo, al extremo opuesto: suponer que todo lo que no se deja encerrar bajo la pretendida homogeneidad de la globalización es resistencia. Se pierde mucho de la versatilidad de los procesos culturales cuando, para celebrar aquello que los globalizadores no logran devorar, olvidamos el deseo de participar en la globalización. Migrantes multiculturales, comunicadores masivos y artistas quieren aprovechar los beneficios de otras audiencias, conocer y apropiarse de lo diverso que puede enriquecerlos. Críticos del globalismo mercantil, como Greenpeace y *Le Monde Diplomatique*, aprovechan las oportunidades de la globalización ecológica, informativa y política para expandir su influencia en más países y lenguas. Su acción no se extiende como simple resistencia en oposición a los movimientos globales, sino montándose sobre sus ambivalencias y contradicciones para proliferar junto con ellos. Las paradojas no se encuentran sólo en la globalización o las culturas locales, sino en la "glocalización", ese neologismo proliferante ante la necesidad de designar la interdependencia e interpenetración de lo global y lo local (Beck, 1998; Mattelart, 1996; Robertson, 1996).

Si se atiende a lo que sucede en los intercambios entre lo global y lo local, la investigación no puede ser ni un listado de los triunfos globalizadores, ni la recolección de resistencias que limitaría su éxito o anunciaría su fracaso. De acuerdo con lo que ahora sabemos de la globalización, parece mejor concebirla como un proceso con varias agendas, reales y virtuales, que se estaciona en fronteras o en situaciones translocales, y trabaja con su diversidad. Coca-Cola y Sony "están convencidas de que la globalización no significa construir fábricas por todo el mundo, sino conseguir convertirse en parte viva de cada cultura", dice Beck. No comparto su siguiente afirmación: que "una cultura mundial universalizada", que anulara las diversas formas de comer, vestirse y razonar, "sería el final del mercado, el final de los beneficios" (Beck, 1998: 16). Aparte de que habría razones antropológicas para dudar de que las culturas locales puedan evaporarse, el problema principal es que el capitalismo desarrolla sus tendencias expansivas necesitando *a la vez* homogeneizar y aprovechar la multiplicidad. En ese sentido, sí acompaño la última declaración de Beck, en esta parte de su razonamiento, cuando sostiene que la re-localización posterior a la deslocalización no significa automáticamente "el renacimiento de lo local". La celebración de las salchichas bávaras, citadas por Beck, o de las músicas *reggae* y del tango, o de diseños nórdicos, no evita ingresar en el orden global. La afirmación de tradiciones particulares conduce a insertarse en lo global o en sus márgenes, de modos diversos que en la simple "macdonaldización", pero no de una sola manera, ni como simple oposición. Podremos tratar con más prolijidad este asunto cuando nos ocupemos de las opciones de política cultural que tienen los países latinoamericanos para situarse competitivamente en los mercados culturales: exportar melodramas y músicas folclóricas, someterse a la ecualización de sus diferencias, fortalecer la producción endógena y la circulación intrarregional, desarrollar nuevos programas e instituciones culturales regionales que acompañen la integración comercial entre naciones. Hay muchas más oportunidades en nuestro futuro que optar entre McDonald's y Macondo.

Existen razones socioeconómicas por las cuales lo global no puede prescindir de lo local, ni lo local o nacional puede expandirse, o aun sobrevivir, desconectado de los movimientos globalizadores (Robertson, 1996). Aquí me detendré en los argumentos culturales que incitan a pensarlos juntos. Uno de ellos es que narrar historias en tiempos globalizados, aunque sea la propia, la del lugar en que se nació o se vive, es hablar para otros, no sólo contar lo que existe sino imaginarlo fuera de sí. También por esto se vuelven importantes las metáforas, que explican el significado de algo por comparación con lo diferente. Contamos historias y empleamos metáforas porque al hablar de lo que tenemos queremos referirnos a otra cosa, porque participar en cualquier mercado –de alimentos, de dinero, de imágenes– es como disparar a un blanco que se mueve.

Las narraciones de lo que está lejano pero se siente como propio, las metáforas que comparan esto con aquello, se intensificaron desde que Europa inició su expansión moderna. América Latina fue uno de los desencadenantes de este juego metafórico. Pero relatos y metáforas se vuelven aún más protagónicos en este siglo de masivas migraciones laborales y exilios políticos y económicos, cuando se huye de guerras y de gobiernos dedicados a globalizar la macroeconomía de tal modo que deja fuera a quienes no pertenecen a las élites. Si bien el proceso comenzó antes de lo que en rigor puede llamarse globalización, es con estos movimientos de la segunda mitad del siglo XX que se llega al punto en que, por ejemplo, una quinta parte de los mexicanos y una cuarta parte de los cubanos vive en Estados Unidos. Los Ángeles se volvió la tercera ciudad mexicana, Miami la segunda concentración de cubanos, Buenos Aires la tercera urbe boliviana. ¿Cómo pensar una nación que en gran medida está en otra parte? ¿Cómo se forma el imaginario de una ciudad o de un país cuando un alto número de quienes lo habitan no son de aquí, cuando los libros, las películas y los programas de televisión que nos nombran se producen desde observatorios lejanos?

POSTALES PARA UN BESTIARIO DE LA GLOBALIZACIÓN

Si sobre cualquier aspecto de la vida social conviene informarse con esos expertos en relatos y metáforas que son los artistas y escritores, más pertinente resulta cuando el fenómeno que tratamos de describir es esquivo, remite a otros lugares y a otras gentes. Como ocurrió a menudo en la historia, la metaforización de lo inaprehensible, cuando alude a alteraciones demasiado rápidas y violentas de las identidades habituales, a veces construye imágenes conciliadoras. En otros casos, piensa en monstruos.

1. Treinta y seis banderas de diferentes países, hechas con cajitas de plástico llenas de arena coloreada. Las banderas están interconectadas por tubos dentro de los cuales viajan hormigas que van corroyéndolas y confundiéndolas. Yukinori Yanagi realizó una primera versión de esta obra en 1993 para la Bienal de Venecia. En 1994 la reprodujo en San Diego, en el contexto de la muestra de arte multinacional *inSITE*, con las banderas de países de las tres Américas. Después de unas semanas, los emblemas se volvían irreconocibles. Puede interpretarse la obra de Yanagi como metáfora de los trabajadores que, al migrar por el mundo, van descomponiendo los nacionalismos e imperialismos. Pero no todos los receptores se fijaron en eso. Cuando el artista presentó esta obra en la Bienal de Venecia, la Sociedad Protectora de Animales logró clausurarla por unos días para que Yanagi no continuara con la "explotación de las hormigas". Otras reacciones se debían a que los espectadores no aceptaban ver desestabilizadas las diferencias entre naciones. El artista, en cambio, intentaba llevar su experiencia hasta la disolución de las marcas identitarias: la especie de hormiga conseguida en Brasil para la Bienal de San Pablo de 1996 le pareció a Yanagi demasiado lenta, y él manifestó al comienzo de la exhibición su temor de que no llegara a trastornar suficientemente las banderas.

La metáfora sugiere que las migraciones masivas y la globalización convertirían el mundo actual en un sistema de flujos e interactividad donde se disolverían las diferencias entre las naciones. Los datos demográficos no avalan esta imagen de fluidez total, ni de una movilidad transnacional generalizada. El número total de personas que deja su país para establecerse en otro por más de un año oscila entre 130 y 150 millones, o sea un 2,3 por ciento de la población mundial. "El 'planeta nómada', en el cual uno se desplaza y circula efectivamente cada vez más rápido –aclara Gilda Simon– a un costo globalmente decreciente, está, de hecho, poblado de sedentarios, y la imagen de un mundo recorrido por olas migratorias incontrolables es propio de la gran tienda de los clichés" (Simon, 1999: 43).

Ni siquiera dentro de la economía puede generalizarse la idea de que la globalización sustituya a las naciones y vivamos en un mundo sin fronteras. Los mercados financieros están plenamente globalizados, y el hecho de que se hayan quintuplicado sus transacciones en los últimos quince años les confiere un peso importante en el conjunto de la economía. Pero gran parte del comercio es todavía nacional o intrarregional, y las presiones globalizadoras fomentan agrupamientos regionales de las economías, con lo cual se refuerzan las capacidades de decisión de algunos Estados, notoriamente en Europa (Giddens, 1999: 40-46). En cuanto a la cultura, como analizaré en próximos capítulos, existen tendencias globalizadoras, especialmente en las industrias culturales, pero no corresponde hablar de una cultura global que reemplazaría a las culturas nacionales cuando sólo una fracción pequeña de los productos cinematográficos, musicales e internéticos son generados sin rasgos locales.

Algunos antropólogos adoptan la narrativa del "flujorama cultural global", según la expresión de Ulf Hannerz, con la advertencia de que la interacción no es indiscriminada. Este especialista en "conexiones transnacionales" aclara que "los flujos tienen direcciones" y escenarios preponderantes. ¿Cuáles son los escenarios que prevalecen? Él cita a "Nueva York, Hollywood y la sede del Banco Mundial" (Hannerz, 1997: 13). Podríamos ampliar la lista, pero seguiríamos comprobando que los símbolos mayores de la globalización se encuentran casi todos en Estados Unidos y Japón, algunos todavía en Europa y casi ninguno en América Latina. Hannerz señaló también ejemplos de contraflujos, exposiciones de artistas africanos en Londres y grupos terapéuticos de Oslo que se basan en técnicas malayas de interpretación de los sueños. Pero estos y otros reconocimientos a las artesanías, la literatura y los saberes periféricos no permiten olvidar las "asimetrías de los flujos", manifestadas en la diseminación desigual de habilidades fundamentales y formas institucionales modernas, de la educación básica y superior de tipo occidental, de prácticas administrativas y saberes biomédicos. Por eso, Hannerz sostiene que la fluidez con que circulan y contracirculan los bienes y mensajes no clausura la distinción entre centros y periferias.

Los movimientos globalizadores a veces se condensan en metáforas artísticas o literarias, que sirven para hacer visibles las nuevas condiciones de interacción en la diversidad cultural del mundo. Sin embargo, necesitamos situar estas imágenes en relación con datos duros, macrosociales, para saber cuál es el horizonte de inteligibilidad de la metáfora y dónde su potencial imaginativo pierde valor heurístico.

2. La comunicación con lo que está más allá de lo local puede hacer imaginar que las identidades se disuelven o puede llevar a buscar referentes globales indefinidos. Un director de teatro vuelve a las calles de Montevideo donde jugaba fútbol cuando era niño y recuerda que cuando ese deporte era juego y no negocio también las relaciones entre los niños eran diferentes. Cada vez que alguien hacía un gol, era festejado por todos en abrazo grupal: "era la posibilidad no sólo de ponernos cara a cara, sino cuerpo a cuerpo, manifestando una especie de unidad" dentro del barrio o de la calle cerrada para jugar. Hoy el que hace el gol, y los demás atrás, salen a festejar, pero "saludando a un público imaginario, a una audiencia, como si la tuvieran enfrente". Ya no hacen el círculo, sino que –como ven

en el deporte transmitido por televisión– saludan a "un público planetario" (Galli, 1991). Esta relación más "abstracta" con la virtual tribuna mediática, que encontramos en otras ciudades, incorpora gestos de jugadores famosos de diversas naciones. En las calles de México he visto a niños corriendo, luego del gol, al borde de la cancha, frente a la platea inexistente pero imaginada, y repetir uno las acrobacias de Hugo Sánchez, otro el acunamiento de un niño que inició Bebeto luego de ser padre, otro los saltos arrastrándose del "gusano Nápoles".

3. Más allá de las paredes de las comunidades nacionales se dispersan bienes, personas y mensajes. El rechazo a los que viven de otro modo o a los compatriotas que se fueron a otro país, induce a usar nombres de animales para marcar su diferencia. Los cubanos de Miami, llamados *gusanos* desde la isla, se convirtieron en *mariposas* cuando se comenzó a aceptarlos como turistas que llevaban dólares a Cuba y restablecían las relaciones con los que viven adentro. Los acercamientos entre cubanos de dentro y de fuera, así como la intensificación de intercambios entre mexicanos, colombianos y argentinos que viven en sus países y los connacionales residentes en Estados Unidos, muestra que la separación engendra descalificaciones y atractivos, o sea comunidades transnacionales ambivalentes. Se forman nuevos circuitos y redes que enlazan a los que habitan en territorios lejanos. Los envíos constantes de dinero de mexicanos residentes en Estados Unidos a sus familiares en México suman unos 7.000 millones de dólares por año. Los miembros ausentes regresan a las comunidades de origen para fiestas o simples visitas. La comunicación se sostiene y renueva cada semana por teléfono, fax, correo electrónico, mensajes radiales y escritos. ¿Cuánto gastan en comunicaciones telefónicas a sus países de origen los latinoamericanos que viven en Estados Unidos? El estudio de Maxine L. Margolis, realizado a principios de los años noventa, antes de que se generalizara el uso de Internet, encontró que el 95 por ciento de los brasileños residentes en Nueva York llamaba habitualmente por teléfono a Brasil, gastando entre 85 y 200 dólares por mes.

Este tráfico globalizado puede ser tan significativo en las sociedades periféricas como lo muestran los envíos en dólares de migrantes que son la tercera fuente de ingresos externos en la economía mexicana y la primera en la salvadoreña. Pero además se envían relatos de un país a otro, se amplía el horizonte de cada cultura nacional y se construyen rituales compartidos que ablandan las fronteras. Casi suprimen la distancia. Una radio boliviana en Buenos Aires, además de transmitir melodías y noticias que generan nostalgia, propone ritos para encuentros imaginarios: "Nuestra música. A tomarse las manos, compadres. A cerrar los ojos y pensar que estamos en nuestra tierra". Como dice el antropólogo que estudió a este grupo, la comunicación ya no se produce "alrededor del fuego de la aldea sino frente a la aldea construida por la radio". En ese espacio mediático la nación se recompone fuera de las relaciones con el territorio específico llamado Bolivia (Grimson, 1999).

4. Otros movimientos expresivos de esta permeabilidad transnacional están representados en el caballo de Troya instalado por Marcos Ramírez Erre en la última edición del programa de arte urbano *inSITE*, realizado en 1997, entre Tijuana y San Diego. Ese artista tijuanense colocó a pocos metros de las casetas de la frontera un caballo de madera, de 25 metros de altura, con dos cabezas, una hacia Estados Unidos, otra hacia México. Evita así el estereotipo de la penetración unidireccional del norte al sur. También se aleja de las ilusiones opuestas de quienes afirman que las migraciones del sur están contrabandeando lo que en Estados Unidos no aceptan, sin que se den cuenta. Me decía el artista que este "antimonumento" frágil y efímero es "translúcido porque ya sabemos todas las intenciones de ellos hacia nosotros, y ellos las de nosotros hacia ellos". En medio de los vendedores mexicanos circulando entre autos aglomerados frente a las casetas, que antes ofrecían calendarios aztecas o artesanías mexicanas y ahora agregan "al hombre araña y los monitos del Walt Disney", Ramírez Erre no presenta una obra de afirmación nacionalista sino un símbolo universal modificado. La alteración de ese lugar común de la iconografía histórica que es el caballo de Troya busca indicar la multidireccionalidad de los mensajes y las ambigüedades que provoca su utilización mediática. El artista reprodujo el caballo en camisetas y postales para que se vendan junto a los calendarios aztecas y "los monitos de Disney". También disponía de cuatro trajes de troyano a fin de que se los pusieran quienes deseaban fotografiarse al lado del "monumento", como alusión irónica a los registros fotográficos que se hacen los turistas junto a los símbolos de la mexicanidad y del *american way of life*.

En estos cuatro casos se trasciende la comunidad local. Pero su articulación con lo global es imaginada de diversas maneras. Las hormigas de Yanagi que desconstruyen las banderas sugieren una interacción generalizada en la cual se disolverían las marcas identitarias. En el segundo ejemplo, cuando los niños saludan a un público planetario, los referentes particulares, tomados de jugadores mexicanos y brasileños, no se pierden totalmente sino que se subordinan a un imaginario global: los actores celebran un acontecimiento tan local como lo que ocurre sólo para quienes lo ven en esa calle, pero pensando en signos transnacionales. En el relato sobre los bolivianos que viven en Buenos Aires se imagina una comunidad con los que habitan en Bolivia, con lo cual se afirma la nacionalidad pese a la dispersión y la distancia: el ritual de tomarse las manos con los que están aquí y escuchar la música producida por los que están allá enlaza a grupos que intentan borrar la distancia sin olvidar su diferencia étnico-na-

cional. En el último caso, donde el caballo bicéfalo representa la bidireccio-
nalidad y reciprocidad de las interacciones, el carácter traslúcido del animal sugiere que ya no puede ocultarse lo que "ellos quieren hacer con nosotros y nosotros con ellos"; se hace explícito el conflicto, pero no se lo
representa con imágenes nacionalistas sino con un símbolo multinacional
que, releído, invita a reflexionar sobre una frontera específica. Mientras la
obra de Yanagi, situada en la misma frontera estadounidense-mexicana,
celebraba la disolución de las barreras nacionales, el caballo bicéfalo de
Ramírez y el conjunto de su instalación-*performance* (camisetas y trajes tro-
yanos para travestirse y fotografiarse, *souvenirs* que parodian las neoarte-
sanías para consumo turístico) señalan cómo ocurren en una frontera particular los malentendidos interculturales.

Estos cuatro ejemplos representan modos actuales de reelaborar los enlaces y quiebres entre lo concreto y lo abstracto, lo inmediato y lo intercultural. La dificultad de denominar estos cambios y comunicarnos con los
diferentes induce a imaginarlos con metáforas y ordenarlos con rituales.
Diferentes imágenes muestran distintos modos de concebir la redistribución que en este tiempo está ocurriendo entre lo propio y lo ajeno. Necesitamos discutir con los datos más objetivos que nos sea posible obtener si
estas recomposiciones deben nombrarse como internacionalización, transnacionalización o globalización. ¿Multiculturalidad, racismo, desigualdad
norte-sur, choque de civilizaciones o zonas de contacto? Sugerí al comienzo de este capítulo por qué unas u otras palabras designan con mayor per-
tinencia diferentes procesos, cuáles dejan fuera demasiadas novedades o
tradiciones persistentes y cuáles quedaron ancladas en otras épocas. Pero
al mismo tiempo las narrativas y metáforas sugieren la coexistencia de
épocas diferentes en las tensiones entre lo local y lo global, y vivencias contradictorias de los actores, cuya intensidad y polivalencia es difícil encerrar en conceptos.

¿Es el uso de metáforas un recurso deficiente, provisional, del pensamiento social, apenas admisible mientras vamos configurando conceptos
científicos, o es una necesidad para comprender mejor cómo funciona la
sociedad y cómo actuar en ella? La primera posición, de corte positivista,
no es compatible con las teorías más consideradas sobre lo metafórico, por
ejemplo las de Jacques Derrida y Paul Ricoeur, aunque sobrevive en el empirismo rústico con que muchos economistas miran las ambigüedades de
los estudios sobre cultura. Pero como, de hecho, las metáforas pululan en
los discursos duros sobre globalización conviene tomarlas en serio y como
recurso nada transitorio. Desborda los objetivos de este libro ocuparme del
debate sobre la metáfora, por ejemplo entre la desconstrucción derrideana
y la hermenéutica de Ricoeur. Déjenme decir, al menos, que incorporo las
metáforas empleadas por quienes hablan de globalización no con la intención de poner en evidencia la precariedad de esos discursos sino porque

en lo que se dice sobre lo global se manifiestan, de manera extrema, las indeterminaciones de lo social. Las operaciones metafóricas pueden ser leídas como alusiones a lo que no se deja atrapar por conceptos unívocos, a lo que vivimos y está en tensión con lo que podríamos vivir, entre lo estructurado y lo desestructurante.

Por razones análogas, la narración es mucho más que un recurso para hablar en la cultura. Todo discurso socioeconómico puede ser leído como narrativa (en oposición a paradigma, según decía antes), y más aún cuando se refiere a los movimientos globalizadores, donde lo que el discurso tiene como portador de sentido y referencia está indeciso. ¿Adónde nos conducen los movimientos financieros? ¿Qué tipo de sociedad se está formando con la acumulación de migrantes? Lo imaginario es una dimensión de su "realidad". Esos trabajos con lo imaginario, que son las metáforas y narrativas, son productores de conocimiento en tanto intentan captar lo que se vuelve fugitivo en el desorden global, lo que no se deja delimitar por las fronteras sino que las atraviesa, o cree que las atraviesa y las ve reaparecer un poco más adelante, en las barreras de la discriminación. Las metáforas tienden a figurar, a hacer visible, lo que se mueve, se combina o se mezcla. Las narraciones buscan trazar un orden en la profusión de los viajes y las comunicaciones, en la diversidad de "otros".

Las metáforas, además, tienen particular importancia cuando hablamos de interculturalidad, porque su vocación comparativa, al jugar con lo diferente y lo parecido, construye el sentido no como algo en sí, que se posee en forma autosuficiente, sino tomando en cuenta lo que es de los demás. La sociedad entendida bajo el modo metafórico "no tiene existencia sino por el desvío de otros fenómenos", de otros modos de ser. Esta remisión a lo diverso puede hacerse mediante rodeos por el mundo animal, como vimos en las metáforas traídas a este capítulo (que no necesariamente son despectivas). Puede servir, asimismo, para hacer presente la multiplicidad de sentidos de lo humano. Si bien para conocer necesitamos el rigor y la fijeza de los conceptos, la metáfora entrega el sentido "de perfil, por alusiones o asociaciones, por una *inteligencia del pasaje*" (Mons, 1994: 216).

Un asunto arduo para las ciencias sociales es cómo intersectar narración y explicación, metáforas y teoría. En lo que sigue se verá que he tratado de evitar dos modos de hacerlo: a) los relatos o metáforas como casos cuya acumulación permita generalizaciones (empirismo inductivista); b) como ilustraciones utilitarias para ejemplificar principios teóricos construidos a priori (teoricismo deductivista). Intento, más bien, que los casos ejemplares o estratégicos lo sean por su capacidad de desafiar las conceptualizaciones preconstruidas sobre la globalización y la interculturalidad, tanto los esquemas teóricos y abstractos como los del sentido común "empirista". Me importan los estudios de caso porque ayudan a recrear esos modos de pensar y a la vez permiten configurar nuevas lecturas –desde el trabajo teórico– sobre los materiales empíricos.

HACER TRABAJO DE CAMPO SOBRE MÉXICO EN EDIMBURGO

En esta articulación de lo objetivo y lo subjetivo no se trata sólo de la subjetividad de los informantes. Como se volvió frecuente en estudios culturales y antropológicos, es útil que el investigador explicite en qué condiciones contextuales e, incluso, con qué ubicación personal o grupal, selecciona los datos y construye las preguntas, a fin de controlar en lo posible esos condicionamientos.

Intentaré explicitar en varios tramos cómo enfrenta estos asuntos un argentino exiliado en México, que estudió en Francia y en los últimos años se ve exigido, como cualquier mexicano, a preguntarse si habitar este país es ser latinoamericano o norteamericano. Por ahora quiero traer el relato de otro hecho que me hizo evidente la urgencia de renovar la capacidad de las ciencias sociales para reflexionar sobre universos tan vastos y diversificados: ocurrió cuando me descubrí, en octubre de 1996, haciendo antropología sobre México en Edimburgo.

Nos había invitado el Centro de Estudios Latinoamericanos de la Universidad de Stirling a hablar sobre "las fronteras entre culturas" a varios especialistas de Europa y de América Latina. Me preguntaba dónde están ahora las fronteras interculturales al contrastar este interés creciente por América Latina en el mundo angloparlante con el escaso diálogo que tenemos con países latinos de Europa, como Francia e Italia, que han aportado grandes contingentes migratorios, y que tuvieron y tienen vigorosa influencia en nuestro continente. ¿Por qué los intercambios académicos y las traducciones de autores latinoamericanos se expanden más en Estados Unidos que en las sociedades latinas europeas?

Pensaba en estas "paradojas", que trabajé en la reunión de Stirling y desarrollo aquí más adelante, mientras cenaba en un restaurante italiano de Edimburgo. Después de ser obligado a hablar en mi inglés de emergencia por un mesero locuaz, descubrí que él era mexicano. Ahí comenzó una de esas experiencias no previstas de trabajo de campo: él me contó que le resultaba difícil decir de qué parte de México era, pues su padre –como funcionario de gobierno– había sido enviado a dirigir obras en Querétaro, luego en San Miguel de Allende, en el Distrito Federal y en otras ciudades. En los intervalos de sus viajes de una mesa a otra, me iba relatando que había estudiado ingeniería en Querétaro y que tuvo una beca para trabajar "en cuestiones de biología marina" en Guaymas, pero prefirió irse a Los Ángeles siguiendo a un amigo. "Me interesaba conocer a gente de otros países más que a los mismos de siempre." También había vivido en San Francisco, Canadá y París, y había ido combinando lo que escuchó en esas sociedades heterogéneas con visiones propias sobre la multiculturalidad. Me dijo que en Los Ángeles "son cosmopolitas, pero no tanto porque muchos grupos sólo se ven entre ellos. Se encuentran en los lugares de trabajo, pero luego cada uno regresa a su casa, a su barrio". Y concluía que "el capitalismo trae segregación". A cada rato decía que "los judíos son los más poderosos en Estados Unidos". De "los negros" afirmaba que "creen mucho en sus héroes, pero los debilita sentirse tan discriminados. Son fuertes sólo en la música". "Y a los mexicanos lo que nos pierde es que para hacer negocios necesitamos tomar." Sus juicios mostraban que la simple acumulación multicultural de experiencias no genera automáticamente hibridación, ni comprensión democrática de las diferencias.

Al cerrar el restaurante, fuimos a tomar un trago a mi hotel, y allí me explicó que "las cosas funcionan más en Estados Unidos que en el Reino Unido. Los escoceses tienen orgullo, pero pasivo. Los americanos lo tienen activo: se identifican en todo el mundo, se hacen notar en los negocios y porque nunca quieren perder". Hablaba con tal admiración de su vida en Los Ángeles que le pregunté por qué había dejado esa ciudad. "Porque cuando entiendo algo y me doy cuenta cómo se hace, es como cambiar un vídeo, y entonces me aburro." Su ductilidad multicultural se apreciaba, asimismo, cuando hablaba italiano casi tan bien como inglés, pese a no haber estado nunca en Italia, sólo a fuerza de interactuar con los compañeros y representar cada día la italianidad entre *agnellottis*, *carpaccios* y vinos Chianti.

Cuando quise saber cómo había decidido ir a vivir a Edimburgo, me dijo que su esposa era escocesa, y me sorprendió –él, que había transitado por muchas partes de México, Estados Unidos y Canadá– afirmando que le gustaban los escoceses porque "no son cosmopolitas. Son gente conservadora, que cree en la familia y están orgullosos de lo que tienen. Viajan como turistas, pero están tranquilos y se sienten contentos con la seguridad que hay en esta ciudad de 400.000 habitantes".

Al final me dijo que quería poner un restaurante mexicano de calidad, pero no le gustaban las tortillas que llegan a Edimburgo para venderse en los restaurantes *tex-mex* porque las traen de Dinamarca. (Me hizo recordar las fiestas en la Embajada de México en Buenos Aires, cuando el 15 de septiembre, para celebrar la independencia mexicana, se reúnen los pocos mexicanos que viven ahí con centenares de argentinos que estuvieron exiliados en México, y el embajador contrata al único grupo de mariachis que puede conseguirse en Argentina, formado por paraguayos residentes en Buenos Aires.)

Entonces, el mesero mexicano en Edimburgo me pidió que al volver a México le mandara la receta de las tortillas. Me lo pidió a mí, que soy argentino, llegué hace dos décadas a México como un filósofo exiliado y me quedé porque aprendí antropología y me dejé fascinar por muchas costumbres mexicanas, aunque una de mis dificultades de adaptación la encuentro en la comida picante, y por eso cuando elijo un restaurante mi primera preferencia va hacia los italianos. Esa inclinación procede de que ese sistema precario que se llama la comida argentina se formó con la enérgica presencia de migrantes italianos, que se mezclaron con españoles, judíos, árabes y gauchos para formar una nacionalidad. Pertenecer a una identidad de fusión, de desplazados, ayudó a este filósofo convertido en antropólogo a representar la identidad mexicana ante un mexicano casado con una escocesa, que representaba la italianidad en un restaurante de Edimburgo.

Sé que entre los millones de mexicanos residentes en Estados Unidos, o que han pasado por este país, pueden encontrarse historias semejantes que vuelven problemático saber quiénes y cómo representan hoy la nacionalidad. No sólo los que habitan el territorio de la nación. No era el lugar de residencia lo que definía nuestras pertenencias en esa noche de Edimburgo. Tampoco la lengua ni la comida constituían marcas identitarias que nos inscribieran rígidamente en una sola nacionalidad. Él y yo habíamos tomado de varios repertorios hábitos y pensamientos, signos heterogéneos de identidad, que nos permitían desempeñar roles diversos e incluso fuera de contexto.

Me pareció evidente que ya no es posible entender estas paradojas con una antropología para la cual el objeto de estudio sean las culturas locales, tradicionales y estables. Y que, por tanto, el futuro de los antropólogos (y de otros científicos sociales) depende de que reasumamos esa otra parte de la disciplina que nos ha entrenado para examinar la alteridad y la interculturalidad, las tensiones entre lo local y lo global. James Clifford escribe que el objeto de investigación deben ser las "culturas translocales", las mediaciones entre los espacios donde se habita y los itinerarios: es preciso "repensar las culturas como sitios de residencia y de viaje" (Clifford, 1999: 46).

DE LAS NARRATIVAS A LA TEORÍA CULTURAL DE LA GLOBALIZACIÓN

Retomo el problema que colocaba hace un momento. ¿Qué hacer con estos relatos y metáforas para ir construyendo una visión conceptual capaz de ordenar las perspectivas divergentes, los imaginarios sobre la globalización, en una definición y un conjunto de procedimientos metodológicos que estudien razonadamente sus ambivalencias? Voy a señalar algunos cambios teóricos necesarios en las nociones habituales de *cultura* y *globalización*.

La cultura redefinida. Los cambios globalizadores han modificado la manera de concebir la cultura. Entre los años sesenta y ochenta de este siglo los estudios sociosemióticos, y con ellos la antropología, la sociología y otras disciplinas, fueron estableciendo que la cultura designaba los procesos de producción, circulación y consumo de la significación en la vida social. Esta definición sigue siendo útil para resolver las tentaciones de restaurar algún dualismo (entre lo material y lo espiritual, entre lo económico y lo simbólico, o lo individual y lo colectivo). También tiene la virtud de mostrar la cultura como un proceso en el cual los significados pueden variar.

Sin embargo, esa definición –concebida para cada sociedad y con pretensiones de validez universal– no incluye lo que constituye a cada cultura por su diferencia con otras. Llama la atención que varios autores propongan en los años noventa reconceptualizar este término para poder hablar de la interculturalidad. Arjun Appadurai prefiere considerar la cultura no como un sustantivo, como si fuera algún tipo de objeto o cosa, sino como adjetivo. *Lo cultural* facilita hablar de la cultura como una dimensión que refiere a "diferencias, contrastes y comparaciones", permite pensarla "menos como una propiedad de los individuos y de los grupos, y más como un recurso heurístico que podemos usar para hablar de la diferencia" (Appadurai, 1996: 12-13).

Fredric Jameson ha sido más radical al redefinir la cultura como "el conjunto de estigmas que un grupo porta ante los ojos de otro (y viceversa)". También afirma que la cultura "no es una sustancia o un fenómeno por derecho propio, es un espejismo objetivo que emerge al menos entre la relación de dos grupos". "La cultura debe, así, ser apreciada como un vehículo o medio por el que la relación entre los grupos es llevada a cabo" (Jameson, 1993: 104).

Es evidente, en esta perspectiva, el papel clave que juega en lo cultural lo imaginario. Pero lo imaginario intercultural, no como mero suplemento de lo que cada cultura local representa de lo vivido en esa sociedad. En primer lugar, las imágenes *representan e instituyen lo social*, como tantas veces se ha demostrado al examinar el papel de los imaginarios urbanos y mediáticos. En segundo término, hoy es evidente que representamos e instituimos en imágenes lo que a nuestra sociedad le sucede en *relación con otras*, porque las relaciones territoriales con lo propio están habitadas por los vínculos con los que residen en otros territorios, nos hablan y envían mensajes que dejan de ser ajenos en la medida en que muchos de los nuestros viven allá, muchos de ellos llegan hasta aquí. Esas formas de organización de lo imaginario que son las metáforas y narrativas tratan de ordenar lo que el imaginar tiene de dispersión de sentido, rasgo que se acentúa en un mundo globalizado. Y, por último, ese ordenamiento es siempre una "delimitación fluctuante" (Mons, 1994: 252): instrumento para hacer funcionar con sentido a la sociedad y deriva poética hacia lo no visible. En suma: lo cultural abarca el conjunto de procesos a través de los cuales representamos e instituimos imaginariamente lo social, concebimos y gestionamos las relaciones con los otros, o sea las diferencias, ordenamos su dispersión y su inconmesurabilidad mediante una delimitación que fluctúa entre el orden que hace posible el funcionamiento de la sociedad (local y global) y los actores que la abren a lo posible.

La globalización haciéndose cargo de la cultura. Según comenzamos a ver en este capítulo, los datos macrosociales muestran la globalización como una etapa histórica configurada en la segunda etapa del siglo XX, en la cual la convergencia de procesos económicos, financieros, comunicacionales y migratorios acentúa la interdependencia entre vastos sectores de muchas sociedades y genera nuevos flujos y estructuras de interconexión supranacional.

Analicemos los tramos de esta definición. Al caracterizar la globalización *como un fenómeno iniciado en la segunda mitad del siglo XX*, no olvido, como dije, que las transformaciones ocurridas desde el comienzo del capitalismo y de la modernidad fueron preparando el período global. Pero tampoco puedo desconocer las diferencias cualitativas y cuantitativas en la interrelación entre naciones engendradas por la conjunción de cambios económicos, financieros, comunicacionales y migratorios, que distinguen a este período de lo que ocurrió en las etapas colonialista, imperialista y de internacionalización de la economía y de la cultura.

La segunda observación que quiero hacer es que la definición no sólo señala los tres factores más elaborados en las teorías de la globalización: económicos, financieros y comunicacionales. Los procesos globales –y las imágenes que los representan– se vienen constituyendo por la circulación más fluida de *capitales*, *bienes* y *mensajes*, pero también de *personas* que se trasladan entre países y culturas como migrantes, turistas, ejecutivos, estudiantes, profesionales, con frecuentes idas y vueltas, manteniendo vínculos asiduos entre sociedades de origen y de itinerancia, que no eran posibles hasta mediados del siglo XX. Incorporar este aspecto a la teoría de la globalización, como lo hacen varios antropólogos (Appadurai, Hannerz, Ortiz, entre otros) y algunos sociólogos (Beck, Giddens), es reconocer, por así decir, el soporte humano de este proceso, sin el cual se cae en la reducción de los movimientos económicos a flujos anónimos. Registrar lo global con una visión despersonalizada puede colaborar con la doctrina neoliberal que afirma a la vez la libertad y la fatalidad de los mercados, pero con el costo de aislar a la economía al imposibilitarle diálogos consistentes con las teorías sociológicas y antropológicas que se niegan a prescindir de las personas cuando se preguntan por el lugar donde se juegan la libertad y las decisiones.

En esta dirección anticipo que incluir el papel de las personas y, por tanto, la dimensión cultural de la globalización, permite tomar en cuenta tres aspectos sobre los cuales volveremos: *el drama, la responsabilidad* y *la posibilidad de reorientar el itinerario*. Al decir que no se trata sólo de movimientos de capitales, bienes y mensajes, pienso en el desarraigo de los migrantes, el dolor de los exiliados, la tensión entre los bienes que se tienen y lo que prometen los mensajes que los publicitan; en suma, las escisiones dramáticas de la gente que no vive donde nació.

Luego, hablar de las personas que hacen, reproducen y padecen la globalización –y aun de las que son excluidas de ella– vuelve posible encontrar responsables de esos procesos. Por más que los actores sociales parezcan evaporarse en esa figura jurídico-económica sintomática de la globalización (aunque la preceda) que son las *sociedades anónimas*, la teoría social no puede desentenderse con tanta facilidad de los sujetos de las acciones. Necesita identificar a los grupos responsables y a los destinatarios de los cambios, a quienes mueven los capitales y los bienes, emiten, circulan y reciben mensajes.

En la medida en que encontramos actores que eligen, toman decisiones y provocan efectos (que podrían haber sido otros), la globalización deja de ser un juego anónimo de fuerzas del mercado sólo regidas por la exigencia de lograr todo el tiempo el mayor lucro en la competencia supranacional. "Las leyes del mercado" es una fórmula demasiado racional y teleológica en vista del zigzagueo errático con que se desplazan, crecen o se pierden los capitales y los bienes en los últimos años. Pero el argumento que más interesa es que la reaparición de las personas y los grupos en la teoría social permite concebir a la globalización de otras maneras.

La reorganización mundializada de las sociedades parece ser un proceso irreversible y que deja pocas posibilidades de éxito a quienes buscan regresar a épocas previas o construir sociedades alternativas desenchufadas de lo global. En este sentido, la metáfora de las hormigas que disuelven banderas es pertinente. Pero este realismo económico, político y comunicacional no implica admitir con fatalismo el modo unidimensional en que vienen globalizándonos los economistas y empresarios con la aceptación complaciente o malhumorada de gran parte de los consumidores. Pensar la globalización como una consecuencia lógica de la convergencia de cambios económicos, comunicacionales y migratorios no impide concebirla a la vez como un proceso abierto que puede desarrollarse en varias direcciones. Esto se insinúa en la comparación de los imaginarios de niños jugando fútbol en la calle, de los bolivianos transterrados, el caballo bicéfalo en la frontera México-Estados Unidos y el mexicano actuando la italianidad en Edimburgo.

Dejar hablar a los actores desde sus peculiares experiencias de la interculturalidad transnacional puede contribuir a reconquistar poder frente al fatalismo predominante de los economistas. Los consumidores podemos expandir el lado activo de nuestros comportamientos hasta llegar a reinventar la manera de ser ciudadanos. Por esto, el análisis crítico de la globalización irá asociado una y otra vez a las maneras en que podría revertirse la impotencia política con que acabó este siglo que había sido pródigo en revoluciones, vanguardias políticas, artísticas y otros imaginarios transformadores. El problema del sentido (abierto) de la globalización hace entrar en su teoría conjuntamente las cuestiones culturales y políticas.

De todas maneras, no es por voluntarismo que incluyo lo imaginario en la definición de lo global. Más bien, por rigor descriptivo. Por una parte, la definición propuesta indica convergencia de *procesos empíricamente observables* –económicos, financieros, comunicacionales y migratorios– que acentuaron la interdependencia a escala mundial. Al mismo tiempo, la intensificación de vínculos antiguos y la construcción de nuevos flujos y estructuras de intercambios no coloca a todos los habitantes del planeta en situación de copresencia e interacción. Sólo algunos sectores producen, venden y consumen bienes y mensajes globalizados. Si Benedict Anderson llamó a las naciones "comunidades imaginadas" porque "aun los miembros de la nación más pequeña no conocerán jamás a la mayoría de sus compatriotas, no los verán ni oirán siquiera hablar de ellos" (Anderson, 1997: 23), es todavía más pertinente llamar imaginada a la globalización. Recordaba Anderson en el mismo texto la frase de Ernest Renan según la cual "la esencia de una nación es que todos los individuos tengan muchas cosas en común, y también hayan olvidado muchas cosas"; por ejemplo, los franceses, decía Renan, para afirmar lo que los une suelen olvidar la noche de San Bartolomé y las masacres del Mediodía en el siglo XIII.

En cuanto a la globalización, no serían tan persuasivos quienes la propagan si la precaria integración mundial lograda en la economía y las comunicaciones no se acompañara con el imaginario de que todos los miembros de todas las sociedades podemos llegar a conocer, ver y oír a los otros, y con el olvido de quienes nunca podrán incorporarse a las redes globales. Por eso, lo imaginario se impone como un componente de la globalización. La segregación es el reverso "necesario" de las integraciones, y la desigualdad limita las promesas de la comunicación.

El Pabellón de Chile, Huracanes y maravillas en una Exposición Universal, Santiago, La Máquina del Arte, edición de Guillermo Tejeda, 1992. Foto: Luis Poirot.

Captura de un iceberg en la Antártida

Foto: Luis Poirot.

para trasladarlo a Sevilla y exhibirlo

Foto: Luis Poirot.

en el Pabellón chileno de la Feria de 1992

Lejos del tropicalismo, mostrarse como un país frío. ¿O reminiscencia del descubrimiento del hielo por José Arcadio Buendía en *Cien años de soledad*? Un objeto "virgen, blanco, natural, sin antecedentes", "purificado por la larga travesía del mar". "Era como si Chile acabara de nacer."

Foto: Alejandro Barruel.

Set para el Titanic, Popotla (díptico), inSITE 97
Foto: Allan Sekula

El hundimiento del Titanic fue filmado en los Estudios Universal, en Popotla, una playa al sur de Tijuana, para aprovechar los salarios diez veces menores en México que en Estados Unidos. Sekula ve en esta "intervención" la continuidad de lo hecho desde 1840 por los "aventureros de raza blanca", que llegaban a Baja California, "un espacio inferior, una utopía de libertades infantiles, donde las langostas pueden ser devoradas con voracidad, donde los coches se manejan con imprudente abandono". "Y ahora, Hollywood mismo huye, cruza la triple barda para exponer su propia y muy cara visión de la historia de una modernidad que tropieza con el abismo primordial."

"Los extras flotan y tiemblan entre maniquíes de cadáveres, gesticulando y atragantándose según las órdenes, un verdadero ejército de ahogados... la frontera industrial norte de México es el prototipo de un sombrío futuro taylorista". Titanic, dice Sekula, "es el vetusto precursor de una maquiladora incógnita. Una reserva de mano de obra barata es contenida y dirigida por la acción hidráulica de la maquinaria del *apartheid*. La máquina es cada vez más indiferente a la democracia, en ambos lados de la línea, pero no es indiferente a la cultura, aceite derramado sobre aguas turbias".

Capítulo 3

MERCADO E INTERCULTURALIDAD: AMÉRICA LATINA ENTRE EUROPA Y ESTADOS UNIDOS

¿Quiénes son nuestros otros? Esta pregunta se está reformulando en tiempos de globalización. Además, no es posible responderla del mismo modo si hablamos de finanzas, donde vemos a todos los gobiernos y empresas interactuar cada día, con fragilidad, o de otros intercambios económicos, comunicacionales y migratorios más durables, en los que nos vinculamos con ciertas sociedades y con algunos sectores de ellas. Los movimientos globalizadores adoptan formatos particulares en distintas integraciones regionales, y éstas operan a veces como defensa, otras como filtro, de los intercambios globales. Voy a detenerme aquí en cómo se fueron formando los modos particulares en que se gestionan, bajo un régimen global, las relaciones culturales entre América Latina, Europa y Estados Unidos.

La interacción histórica entre estas regiones se fue recomponiendo en las dos últimas décadas a través de los acuerdos de libre comercio que vinculan a Estados Unidos, Canadá y México, o los que avanzan en el Mercosur, y los de éstos y otros países de América Latina con la Unión Europea. Sin embargo, escasean los estudios sobre cómo se están modificando las culturas latinoamericanas al desplazarse de la relación histórica con Europa hacia Estados Unidos. Así como la globalización lleva escondidos sus objetos culturales, estos procesos de integración regional avanzan con apuro sus acuerdos económicos deteniéndose poco en los radicales cambios simbólicos que están generando, tanto en las sociedades y los sistemas de comunicación como en las representaciones que cada nación tiene de sí misma y de las otras.

Me propongo reunir aquí algunos análisis históricos y antropológicos de estos cambios, y sugerir líneas de trabajo para correlacionar y contrastar hechos, datos y narrativas del pasado con la situación actual. Se trata de explorar qué queda de la conquista y la colonización de América, de las relaciones modernas entre las naciones latinoamericanas y las europeas luego de las independencias del siglo XIX, de los intercambios durante el siglo XX, y de la sustitución parcial de estos vínculos económicos y culturales por la nueva dependencia de Estados Unidos. ¿Qué permanece del redescubrimiento europeo de América propiciado por el quinto centenario (1992) y del intento de los países latinos de Europa, especialmente España, de disputar a los norteamericanos una parte de América Latina como mercado y utilizar su mediación con los 480 millones de consumidores que lo componen para afirmarse ante los demás países europeos?

Quedan muchos más libros y revistas dedicados a estos temas que los publicados en los quinientos años previos, centenares de congresos y seminarios, algunas exposiciones internacionales, nuevos centros de cultura y fortalecimiento de los ya instalados por Alemania, España y Francia en países latinoamericanos. Hay que agregar las adquisiciones de bancos e industrias en varios países de América Latina, y de editoriales argentinas y mexicanas, por empresas europeas y, recientemente, la compra de varias empresas telefónicas latinoamericanas, inversiones en televisión y prensa destinadas a ocupar un espacio significativo en la recomposición multimedia de América Latina.

Si a esta lista incompleta de los vínculos históricos entre Europa y América añadimos las peripecias de la interculturalidad, la modificación de los intercambios se vuelve más compleja. Las sociedades latinoamericanas, formadas por la colonización española, portuguesa, francesa, inglesa y holandesa, que recibieron durante el siglo XX vastas migraciones de países europeos y asiáticos, expulsaron a millones de hijos y nietos de aquellos migrantes hacia Europa durante las dictaduras militares de los años setenta y ochenta, y también por el empobrecimiento económico y la desocupación.

Estas idas y vueltas entre europeos y latinoamericanos se vuelven aún más intrincadas cuando reconocemos que en el medio se encuentra Estados Unidos. Varias editoriales europeas y empresas de telecomunicación, fabricantes de autos, alimentos y ropa que invierten en América Latina, también miran hacia el mercado estadounidense por los casi treinta millones de hispanohablantes que residen allí. En tanto, los gobiernos latinoamericanos que en los años noventa firmaron acuerdos de libre comercio con países europeos buscan con esta diversificación de su economía no quedar atrapados en una relación demasiado exclusiva con Estados Unidos.

Tales oscilaciones vienen siendo estudiadas más por las universidades norteamericanas que por las de Europa y América Latina. Algunas instituciones investigan pragmáticamente los mercados latinoamericanos, estadounidenses y europeos, y las alianzas económicas entre estas regiones; otros grupos se dedican a desconstruir y criticar lo que consideran la condición poscolonial de las sociedades latinoamericanas. Un catedrático cubano de la Universidad de Stony Brook estima que "hay más profesores de literatura latinoamericana en los estados de Nueva York y California –que se dedican mayormente a la investigación (con seis horas de clase por semestre) y son remunerados en términos de clase media– que en toda Latinoamérica. Si la nación es una comunidad imaginada –se pregunta– ¿qué será la nación enseñada desde otra?" (De la Campa, 1995: 139).

La disputa por cómo se integran y cómo compiten económicamente América Latina, Europa y Estados Unidos es también una disputa por cómo se narran las convergencias y los conflictos. ¿Pueden los viejos relatos que organizaron las expectativas de los migrantes y los acuerdos que en otra etapa de la división internacional del trabajo rigieron los intercambios incluir ahora nuevos procesos: los exilios políticos y las migraciones de la globalización, el imaginario de los turistas, las recientes formas de discriminación, la recomposición de las tradiciones locales y regionales, de lo latino y lo anglo, bajo las estrategias mediáticas transnacionales? No sólo ha cambiado lo que hay que narrar sino quienes lo hacen. Aunque la escuela, los museos y los libros siguen conformando la mirada sobre los otros, los actores de la cultura letrada son desplazados por la comunicación audiovisual y electrónica, los organismos públicos de cada nación por empresas transnacionales.

Voy a seleccionar cuatro núcleos de la interacción entre europeos, latinoamericanos y estadounidenses: el sentido sociocultural de las migraciones, las concepciones del mercado y la interculturalidad, las identidades en medio de la globalización y las políticas culturales. No me propongo trazar la historia de estos procesos, que parcialmente se ha realizado y en gran parte aún queda por estudiar. Quiero confrontar cómo están estructuradas algunas narrativas sobre ellos y confrontarlas con datos duros que las desafían. A diferencia de otros trabajos, me interesa menos destruir "mitos" transmitidos por esos relatos que identificar zonas de desencuentro entre narraciones y prácticas. Se tratará, en alguna medida, de entender cómo esas narrativas condicionan las prácticas, facilitan alianzas o las entorpecen.

MIGRACIONES DE ANTES Y DE AHORA

Una de las zonas donde las narraciones no coinciden con los hechos históricos es la de los desplazamientos poblacionales. Ya señalé que la importancia adquirida por las migraciones y otros viajes en la segunda mitad del siglo XX indujo en el pensamiento posmoderno a hacer del nomadismo una clave de nuestra contemporaneidad. En rigor, las migraciones masivas no comenzaron en este siglo. Se calcula que entre 1846 y 1930 dejaron Europa unos 52 millones de personas, de las cuales el 72 por ciento viajó a Estados Unidos, el 21 por ciento a América Latina y el 1 por ciento a Australia. Quienes más contribuyeron a esos movimientos fueron las Islas Británicas (18.020.000 migrantes). De los europeos que en ese período llegaron a América Latina, el 38 por ciento eran italianos, el 28 por ciento españoles y el 11 por ciento portugueses. La mayoría de los migrantes latinos eligió Argentina como destino, luego Brasil, Cuba y las Antillas, Uruguay y México. Si consideramos que a principios del siglo XX la población total de Europa era de 200 millones de personas, fue una cuarta parte la que se marchó. Respecto de América, la llegada de los migrantes durante el período 1840-1940 incrementó un 40 por ciento la población de Argentina, un 30 por ciento la de Estados Unidos y aproximadamente un 15 por ciento las de Canadá y Brasil (González Martínez, 1996).

Como se señala habitualmente en la literatura sobre migraciones, en este período es necesario distinguir entre migraciones voluntarias, casi siempre por razones económicas, y las que suceden por violencia, persecución política o guerras. No es lo mismo, escribe Clara E. Lida, cruzar el Atlántico "en busca de pan o de paz" (Lida, 1997: 17). También corresponde diferenciar el impacto de cada conjunto migratorio, que se deriva del volumen de desplazados, de su capacidad económica y nivel educativo que les facilitan o dificultan influir en el desarrollo del país receptor. Grupos como los españoles, italianos y judíos potenciaron su incidencia en varias sociedades americanas debido a su fuerza en los tres campos. Aunque no pueden establecerse relaciones rígidas ni siquiera respecto del volumen y el impacto de la presencia española, en 1914 había en Argentina 830.000 españoles (el 11 por ciento de la población), mientras que en México residían 30.000 (el 0,2 por ciento), pero hay que recordar que habían construido en este país la Nueva España en los siglos precedentes. En las diferencias entre estas etapas y motivaciones migratorias fue modulándose la percepción mutua de europeos y americanos. En la medida en que esos migrantes no sólo hicieron la América sino que hicieron *a* América, como explica la misma autora, los choques con los indios, luego con los criollos y los modernizadores posindependencia no pueden ser analizados únicamente con la clave del conflicto y el desencuentro; también debemos interrogarnos por la asimilación y la reconfiguración de lo local que se entrelazan con los desacuerdos.

Retomaré en este capítulo y en los siguientes algunas de estas diferencias históricas para entender diversos modos de interculturalidad. Me interesa indagar, sobre todo, cómo el sueño americano de los europeos fue corriéndose al *American dream*, qué les está pasando a los imaginarios interculturales cuando cambian de referente y se modifican sus condiciones de interacción.

Más que por una diferencia cuantitativa, los actuales movimientos de población se distinguen por otros rasgos. Las migraciones del siglo XIX y la primera mitad del XX eran casi siempre definitivas y desconectaban a los que se iban de los que se quedaban, en tanto los desplazamientos actuales combinan traslados definitivos, temporales, de turismo y viajes breves de trabajo.

Se distinguen en la actualidad tres sistemas migratorios: la migración de instalación definitiva o de poblamiento, la migración temporal por razones laborales y la migración de instalación variable, intermedia entre las dos precedentes. Son las dos últimas las que crecieron en las décadas recientes (Garson y Thoreau, 1999). Sus flujos son controlados y sometidos a duración y condiciones restringidas. A diferencia de las migraciones definitivas ligadas a políticas de poblamiento, como ocurrió en el pasado entre otros países, en Argentina, Australia, Canadá y Estados Unidos, en los últimos años, y aun en esas naciones, los permisos de residencia son periódicos, discriminan según la nacionalidad y las necesidades económicas del país receptor. La autorización para permanecer puede renovarse, pero los países más atractivos y con mayor afluencia de migrantes (suele identificárselos como los de la OCDE) conceden la nacionalidad sólo a una pequeña minoría y limitan los derechos, la estabilidad y la integración de los extranjeros en el país. Si bien los migrantes son aceptados porque sus intereses laborales convergen con las necesidades de la economía que los adopta, en el contexto sociocultural se producen cortocircuitos que conducen a la segregación en barrios, escuelas, servicios de salud, así como en la valoración de creencias y costumbres, y pueden llevar a la agresión y la expulsión.

Estas tendencias varían en países con políticas diversas y también según la calificación de los migrantes: los profesionales, técnicos, intelectuales y trabajadores especializados son mejor recibidos. Rara vez se pone en cuestión el derecho de los ricos o los bien educados a viajar. Los que tienen una nutrida cuenta de cheques, los traficantes de armas y de drogas, así como los banqueros que les lavan el dinero, observa Hans Magnus Enzensberger, "no conocen prejuicios" y "están por encima de cualquier nacionalismo" (Enzensberger, 1992: 42). Pero en general la inestabilidad hoy común a todos los mercados de trabajo, como consecuencia de la competencia globalizada, acentúa la incertidumbre de la condición de los extranjeros y dificulta su integración a la nueva sociedad (Garson y Thoreau, 1999).

En contraste, para los migrantes actuales aumentó la posibilidad de mantener una comunicación fluida con sus lugares de origen. Los españoles, y cualquier residente en México, pueden comprar el diario *El País* del mismo día en la capital, un argentino los diarios de su nación en Río de Janeiro o Madrid. *The New York Times* y *Le Monde* llegan diariamente a grandes ciudades de varios continentes, y la televisión gratuita y por cable da acceso en hoteles y hogares a canales de Estados Unidos y de varios países europeos en América Latina. Los medios audiovisuales, el correo electrónico y las redes familiares o de amigos volvieron incesantes los contactos intercontinentales que en el pasado llevaban semanas o meses. No es lo mismo el desembarco que el aterrizaje, ni el viaje físico que la navegación electrónica. La interculturalidad se produce hoy más a través de comunicaciones mediáticas que por movimientos migratorios.

Para ver mejor lo que ha cambiado en las migraciones, hay que recordar también que en la segunda mitad del siglo XX la dirección de los viajes se invirtió. Si bien todavía entre los años 1960 y 1965, Argentina, Venezuela, Brasil y Uruguay recibieron a 105.783 españoles, en las dos décadas siguientes más de un millón de españoles prefirió desplazarse a otros países europeos (González Martínez, 1996). Al mismo tiempo, se inició un nuevo ciclo de migración de América Latina a España, Italia, Alemania y en menor cantidad a otros países europeos formado por millones de perseguidos políticos y desempleados, o gente cansada del estrecho horizonte que ofrecían las naciones del cono sur y América Central. Acabó la época de "hacer la América" para los europeos y llegó el tiempo en que los "sudacas" imaginaron posible participar en el auge económico de Europa. Hasta países alejados por la lengua y el estilo cultural de los latinoamericanos, como Suecia y algunos de Europa oriental, vieron aparecer colonias de chilenos, uruguayos y otros grupos que en parte aún siguen viviendo allí. Un caso particular es el de México, que desde mediados del siglo XIX recibió poca inmigración, y desde esa época vivió éxodos de mano de obra campesina hacia Estados Unidos y en menor número a Guatemala (Lida, 1997: 35).

Sin detenernos en los muchos aspectos psicosociales e interculturales que complejizaron los vínculos entre Europa y América durante estos movimientos migratorios, conviene destacar, en relación con nuestro tema, que a través de toda la historia esta interacción no fue únicamente un proceso intercultural sino también mercantil. Puede parecer obvio marcar esto, pero no siempre tiene adecuado peso en los análisis que la circulación de personas y mensajes tuvo que ver, desde 1492 y a través de todos los flujos migratorios, en las dos direcciones, con capitales, mercancías y empleos.

No es ajeno a este carácter *a la vez* económico y cultural de la interrelación que el eje de los intercambios se haya desplazado hacia Estados Unidos. En el imaginario de muchos escritores y artistas, y también de migrantes "comunes", aún suele concebirse la relación entre América Latina y Europa como una coincidencia identitaria, en tanto la vinculación con Estados Unidos es vista predominantemente como atracción mercantil. ¿Nos importa menos ahora la identidad latina o se nos ha vuelto menos valiosa la influencia "civilizatoria" de los europeos, sus leyes y su desarrollo cultural, en favor de intereses económicos? Es difícil sostener esta interpretación sobre el pasado si leemos los relatos acerca de las motivaciones económicas que había en los europeos que llegaron a "hacer la América", los costos y dolores que estuvieron en el origen del bienestar buscado por los migrantes.

Podría pensarse que los intercambios ocurridos en los siglos XIX y XX debieran haber modificado la polaridad construida entre Europa y América durante la conquista y la colonia. Más bien se observa la perseverancia de los estereotipos: discriminación de los europeos hacia los latinoamericanos, admiración y recelo a la inversa. La transformación de los vínculos reprodujo una estructura asimétrica duradera. Lo comprobamos en las limitaciones o facilidades al ingreso de los otros. Para dar una imagen súbita de cómo persisten y hasta empeoran las trabas, evoco lo que decía la Constitución Argentina de 1853 acerca de uno de los temas que más se debaten hoy en los acuerdos de libre comercio y de integración regional: qué pueden hacer y qué les está prohibido a los extranjeros. En ese país, que recibió entre 1850 y 1930 a 5.500.000 migrantes, entre los cuales unos dos millones eran españoles, el artículo 20 de la Constitución declaraba: "Los extranjeros gozan en el territorio de la Nación de todos los derechos civiles del ciudadano; pueden ejercer su industria, comercio y profesión; poseer bienes raíces, comprarlos y enajenarlos; navegar los ríos y costas; ejercer libremente su culto; testar y casarse conforme las leyes. No están obligados a admitir la ciudadanía, ni pagar contribuciones forzosas extraordinarias. Obtienen nacionalización residiendo dos años continuos en la Nación; pero la autoridad puede acortar este término a favor del que lo solicite, alegando y probando servicios a la república".

¿Por qué se fue perdiendo esa liberalidad para la recepción de migrantes en la Argentina y en otros países latinoamericanos? ¿Por qué las leyes se volvieron tan restrictivas hacia los latinoamericanos en las naciones europeas y en los Estados Unidos? Cuando los movimientos de derechos humanos cuestionan estas limitaciones, se responde que no puede aceptarse hoy a los migrantes como cuando los países de América tenían un inmenso territorio por poblar, y veían en los recién llegados el impulso para desarrollar industrias, educación y servicios modernos. Del otro lado, se explica que en las sociedades europeas y en la estadounidense, donde ya existen millones de extranjeros, la desocupación creció en años recientes. Amplios sectores atribuyen a los migrantes ser responsables del aumento de la delincuencia y los conflictos sociales (Dewitte, 1999).

Si bien muchas condiciones han variado del siglo XIX al XX, un cambio decisivo en las interacciones es que hoy existen más facilidades para que pasen de un país a otro los capitales, las mercancías y los mensajes mediáticos que las personas. Es más sencillo hacer inversiones en un país extraño que volverse ciudadano. La globalización es imaginada con más facilidad para los mercados que para los seres humanos. Otra manera de decirlo es que hemos transitado de la modernidad ilustrada a la modernidad neoliberal.

La concepción de la modernidad desarrollada a partir del Iluminismo y la Revolución Francesa, que nutrió tanto las constituciones europeas como la estadounidense y las latinoamericanas, y reguló los vínculos poscoloniales entre los dos continentes, aspiraba a incorporar a todos. La educación generalizada y la extensión de beneficios modernos –entre ellos los derechos de la ciudadanía– eran recursos clave para lograrlo, y en su aplicación no se diferenciaba a países centrales y periféricos, elites y pueblo, al menos en los propósitos. Sabemos cuánta distancia hubo y sigue existiendo entre los discursos humanísticos y las prácticas políticas. Hoy, más que en el pasado, varios países europeos dan trato desigual a migrantes y turistas de diversas naciones de América Latina. Del lado latinoamericano tampoco hubo ni hay relaciones parejas con todos los europeos: para modernizar nuestros países se prefirió a menudo a los alemanes en vez de los portugueses, a los ingleses o franceses antes que a los españoles.

Pero el actual proyecto modernizador se caracteriza por no proponerse, ni siquiera en las declaraciones y los programas, abarcar a todos. Su selectividad se organiza según la capacidad de dar trabajo al menor costo y conquistar consumidores más que desarrollar la ciudadanía. La competencia y la discriminación en el mercado prevalecen sobre la universalidad de derechos políticos y culturales. Por tanto, aun cuando en estos días se habla mucho más de integración entre países latinoamericanos y europeos, y se realizan acuerdos más concretos que en cualquier época anterior, la apertura a los otros, la construcción de una interculturalidad democrática, está más subordinada al mercado que en cualquier tiempo previo.

Conflictos de narrativas sobre las identidades

En los últimos años el impacto del pensamiento poscolonial asiático en Estados Unidos ha llevado a que un sector de los latinoamericanistas que trabajan en universidades norteamericanas traslade al estudio de América Latina la caracterización de poscolonialidad para explicar la etapa actual. En consecuencia, redefinen conflictos de fin del siglo XX como si tuvieran una estructura y opciones políticas semejantes a las de la India o de países africanos. Esta transferencia teórica ha servido para producir reinterpretaciones atractivas de las etapas en que América fue colonia de España o Portugal, y de los períodos posteriores a la independencia, en la primera mitad del siglo XIX (Mignolo, 1995). Tales reinterpretaciones suelen plantear la cuestión poscolonial con más sofisticación que trabajos clásicos de historiadores latinoamericanos sobre el período, y también respecto de los debates ideológicos que en los años sesenta y setenta pretendieron trazar la lucha contra la dependencia latinoamericana como anticolonialismo o antimperialismo. Aunque hay que lamentar que el diálogo de los actuales poscolonialistas con los pensadores latinoamericanos de hace tres décadas sea casi inexistente.

Los problemas mayores, sin embargo, no residen allí. Surgen cuando las teorías poscoloniales aplican esta caracterización al presente período de interacciones entre América Latina, Europa y Estados Unidos. Si por *colonialismo* se entiende la ocupación político-militar del territorio de un pueblo subordinado, las sociedades latinoamericanas dejaron de ser colonias hace dos siglos, con excepción de Puerto Rico. La condición socioeconómica y cultural, desde entonces, debe ser explicada como parte de la *modernidad* y de nuestra posición subalterna dentro de las desigualdades del mundo moderno. Lo que nos está ocurriendo en esta última etapa moderna llamada globalización necesita comprenderse con datos que la caractericen de un modo preciso. Descartar los datos empíricos, que muestran a nuestro continente en una situación distinta que a África y Asia, es lo que ha llevado a la mayoría de los intérpretes poscolonialistas a que América Latina se vuelva "una comunidad discursiva que oscila principalmente entre la colonia y la posmodernidad" (De la Campa, 1996: 712).

No obstante, los autores que se ocupan de la crítica poscolonial tienen razón cuando señalan "legados coloniales", o sea la persistencia de narrativas formadas durante la época colonial en los discursos con que gobernantes, periodistas y escritores describen la situación actual. Por tanto, se vuelve necesario examinar esta inercia de los relatos interculturales, y su capacidad o incapacidad de explicar la recomposición globalizada de la interacción entre las sociedades latinoamericanas, europeas y la estadounidense.

Es cierto que con frecuencia las narrativas actuales conciben la relación del norte con el sur de modo semejante a como la literatura de viajes constituyó la relación entre Europa y América: a partir de la mirada de un sujeto blanco, "inocente" e imperial que recorre el nuevo continente como una ampliación de la historia natural, para recolectar ejemplares insólitos, construir colecciones y denominar especies desconocidas. Las expediciones de Carl Linneo eran, dice Daniel Boorstin, como las de un "superintendente pegando etiquetas" (Pratt, 1997: 65). Por supuesto, esta actividad clasificatoria y racionalizante acompañaba la apropiación militar del territorio y la dominación religiosa y política de las personas, la esclavitud y la extracción de las riquezas.

Esa mirada objetivadora, a veces estetizante (Alexander von Humboldt), asumió sus objetivos político-económicos capitalistas en forma explícita cuando llegaron los británicos. La naturaleza dejó de ser vista como espacio de conocimiento y contemplación; importaba ahora como proveedora de materias primas, y su estado primario fue visto como consecuencia de una falta de espíritu emprendedor de los nativos, "que legitimaba el intervencionismo europeo". Las sociedades americanas fueron acusadas de indiferencia, hábitos indolentes e incapacidad para salir del atraso. "El paradigma extractivo y maximizador del capitalismo se da por sentado, y las formas de vida de subsistencia y no acumulativas permanecen en la oscuridad y el misterio" (Pratt, 1997: 265).

Es sorprendente comprobar cómo se reproduce esta estructura dualizada en la mirada de los sujetos europeos y estadounidenses sobre los habitantes latinoamericanos a lo largo y hasta el final del siglo XX. La oposición se congela como enfrentamiento entre identidades inconciliables. Por eso no se puede desconstruir estas visiones estereotipadas si no se efectúa una ruptura entre las nociones de cultura e identidad. El trabajo de las ciencias sociales debe diferenciarse de gran parte de los debates políticos, donde se considera que la identidad es el núcleo de la cultura, o se usan ambos términos como sinónimos. En esta perspectiva, la cultura es asimilada a identidades locales y, por tanto, se la imagina como opuesta a la globalización. La opción que se instala entonces es, como veíamos antes, si debemos globalizarnos o defender la identidad.

Algunos autores demuestran que, desde un enfoque económico o político, esa opción está mal planteada (Beck, 1998; Giddens, 1999). Aquí deseo extender ese argumento apoyándome en los actuales estudios culturales y antropológicos. Con ese fin, es necesario distinguir entre los discursos que hoy existen sobre la cultura y los discursos sobre la identidad.

Retomo en este nuevo contexto lo que dije sobre la definición y el área de competencia de la cultura. En la segunda mitad del siglo XX la cultura se ha vuelto un objeto de estudio más consistente dentro de las ciencias sociales. Se la define de un modo preciso (conjunto de procesos de producción, circulación y consumo de las significaciones en la vida social) y se han establecido campos específicos de investigación, protocolos de observación y reglas para sistematizar los datos. Todo ello viene permitiendo desarrollar un conjunto de investigaciones empíricas en varias disciplinas. Es verdad que no existe un único paradigma para estudiar los procesos culturales y su inserción social, y los desacuerdos se manifiestan, por ejemplo, en estilos y énfasis de investigación diversos en cada ciencia social. Una de las discrepancias principales es cuánto puede ser medible y verificable en los procesos culturales, y cuánto queda librado a la interpretación por el carácter polisémico, abierto a varias líneas de sentido, en un mismo hecho u objeto. Sin embargo, no se puede afirmar cualquier cosa sobre una obra de arte o sobre un proceso comunicacional: aun la indeterminación del hecho estético y la variedad de sus recepciones suele moverse dentro de cierta lógica social y culturalmente cognoscible. Si bien es propio de muchos procesos culturales presentar excedentes de sentido, juegos innovadores y una cierta gratuidad, para usar esta expresión kantiana, que no permiten reducirlos a estadísticas y gráficas, como las que pueden construirse con movimientos demográficos o económicos, una parte de lo que llamamos cultura es explicada como comportamientos –de los productores, los intermediarios y los consumidores– que se desenvuelven con cierta regularidad.

Nada de esto puede hacerse con la identidad. Sobre las identidades existen narrativas en conflicto, pero pocas posibilidades de definirlas con rigor como objetos de estudio. Los trabajos recientes de antropólogos e historiadores reconocen la importancia de los procesos de identificación sociocultural para construir etnias, naciones y otro tipo de comunidades imaginadas (Anderson, 1997, Lomnitz, 1995). Estos modos de agrupación pueden cohesionar conjuntos sociales y alcanzar fuerza política. Tenemos que tomar en serio los relatos sobre identidades porque mucha gente los usa para guiar su conducta y hasta es capaz de morir por ellos. Pero lo que sabemos de las identidades indica que no tienen consistencia fuera de las construcciones históricas en que fueron inventadas y de los procesos en que se descomponen o se agotan. Algunos elementos que se utilizan para delimitar cada identidad, por ejemplo el uso de una lengua, son susceptibles de ser estudiados rigurosamente, pero otros componentes que suelen darse como definiciones identitarias (color de la piel, gustos, costumbres) oscilan entre determinaciones biologicistas y convicciones subjetivas inasibles.

Las investigaciones sobre las identidades no entregan un conjunto de rasgos que pueda afirmarse como la esencia de una etnia o una nación, sino una serie de operaciones de selección de elementos de distintas épocas articulados por los grupos hegemónicos en una narración que les da coherencia, dramaticidad y elocuencia. Los datos sobre acontecimientos fundadores, por ejemplo las batallas que dieron origen a una nación y permitieron fijar los límites de su territorio, han sido seleccionados y combinados por relatos que se enuncian desde posiciones particulares. Por eso, estas narrativas pueden ser más o menos verosímiles, pero ya no vistas como "expresiones" o "reflejos" de lo real (Appadurai, 1996; Rosaldo, 1997). Las investigaciones sociológicas que han intentado medir la identidad, por ejemplo si hay más mexicanidad en el norte o en el centro de México, imaginan un patrón identitario aplicable a distintos pobladores sin plantearse, casi nunca, la arbitrariedad constitutiva del repertorio de rasgos elegidos.

Quiero proponer un ejercicio para hacer visible cómo lo que suele llamarse identidad latinoamericana es imaginada desde diversas narrativas, contradictorias entre sí y difícilmente sostenibles al contrastarlas con datos empíricos. Es posible percibir la incompatibilidad entre relatos identitarios generados dentro de América Latina, pero como la identidad se define y redefine, una y otra vez, en interacción con otras sociedades, conviene también tener en cuenta cómo nos ven otros y cómo asimilamos nosotros esos modos de mirarnos.

Voy a seleccionar tres narrativas europeo-latinoamericanas que han sido y son influyentes en la autodefinición y la heterodefinición de lo que se designa como identidad latinoamericana: a) el binarismo maniqueo; b) el encuentro intercultural; c) la fascinación distante. Luego, revisaré tres relatos que han venido organizando la interacción entre los Estados Unidos y América Latina: d) la inconmensurabilidad entre las identidades anglo y

latina; e) la americanización de los latinoamericanos y la latinización de
Estados Unidos; f) la vecindad amistosa bajo la tutela estadounidense.

a) El binarismo maniqueo

La violencia de la conquista instaló una oposición simplificadora: civilización o barbarie. En la medida en que se escuchan los dos relatos, se
aprecia una estructura especular. Desde la perspectiva europea, los conquistadores representan el descubrimiento, la evangelización redentora o,
si se prefiere, la modernización civilizatoria. Si se mira desde los nativos
americanos, éstos serían los portadores de un sentido comunitario, un conjunto de saberes y una relación armónica con la naturaleza que los europeos vinieron a destruir. La tesis hispanista adjudica el bien a los colonizadores y la brutalidad a los indios, mientras que para la tesis indigenista o
etnicista los españoles y portugueses no pueden ser más que destructores.

Por supuesto, la asimetría de fuerzas en la conquista, y durante toda la
colonia, no permite leer esta oposición como una misma lógica simplemente invertida. Es necesario recordar, aun para explicar injusticias actuales, como lo hacen movimientos indígenas, su origen remoto en la desigualdad colonial. Pero la utilidad de esta explicación, como la de
cualquiera, es inseparable de la conciencia de sus límites. La dominación
de unos grupos sobre otros no empezó en América con la llegada de los
europeos, del mismo modo, observa François Laplantine, que entre los españoles no hubo sólo hidalgos, ni entre los indígenas únicamente nobles
aztecas. Sorprende la persistencia de oposiciones maniqueas cuando en cada siglo, desde el XV, es posible hacer largas listas de hechos que las con-
tradicen. ¿Dónde colocar a los españoles que lucharon para que se respe-
tara a los indios (Las Casas, Sahagún), a los hijos de españoles que
encabezaron las rebeliones contra España (Bolívar, San Martín)? (Laplantine, 1994). ¿Qué decir de la contribución de los exiliados republicanos españoles a las editoriales y las artes, a la industria y el comercio americano?
¿Y de las ONG europeas dedicadas a corregir las injusticias y defender los
derechos humanos frente a los gobernantes americanos?

Más forzado se vuelve reducir todo a la polaridad Europa-América
cuando la oposición civilización/barbarie se reproduce en el interior de
cada país como enfrentamiento entre la capital y el interior (Argentina),
entre las ciudades modernas y el *sertão* (Brasil), entre la costa y la sierra
(Perú). El maniqueísmo no se acabó con las independencias nacionales.
Reaparece periódicamente, y en su última resurrección –cuando se desa-
creditaron los partidos políticos, los sindicatos y otras instituciones modernas– asume la forma más extrema de la oposición entre lo propio y lo
ajeno: indígenas contra la globalización.

Si esta última polaridad logra adhesiones es, en parte, porque en algunos países o regiones (entre otros, el sur de México, la Amazonia, las sierras peruanas) los agravios mayores siguen siendo recibidos por los indios y porque en algunas de sus tierras, sus bosques y sus riquezas se realizan las operaciones más crueles del capital transnacional. Pero por mucha fuerza y verosimilitud que esta narrativa pueda lograr en ciertas zonas, su pretensión de convertirse en explicación del continente tiene que ubicarse en relación con otros dos hechos tan verificables como la opresión a los indígenas: la hibridación multicultural, que lleva cinco siglos, y la complejidad estructural de la modernidad latinoamericana. Pongamos estos desafíos bajo la forma de preguntas: ¿cuánto nos sirve plantear los problemas de América Latina como oposición binaria entre identidades cuando una parte importante de las formas identitarias (étnicas, nacionales y de clase) se reordenan en conjuntos interétnicos, transnacionales y transclasistas? ¿Cuál es el papel de las identidades indígenas en un continente donde las culturas originarias se han mestizado mayoritariamente y los grupos indios abarcan unos 40 millones de personas, menos del 10 por ciento de los habitantes de América Latina, 30 millones de los cuales se concentran en cuatro países, Bolivia, Guatemala, México y Perú?

Las filosofías binarias de la historia, que oponen naciones profundas y países imaginarios, no ayudan a responder a estas preguntas. Tampoco las metafísicas identitarias, que enfrentan identidades esenciales y ahistóricas a modernizadores y globalizadores omnipresentes, pueblos puros a dominaciones absolutas. Ni los grupos hegemónicos se dedican exclusivamente a dominar y destruir, ni los oprimidos a resistir y enfrentar. Las narrativas más fecundas, las que vuelven más inteligible la complejidad multideterminada de la globalización, son las que incluyen lo imaginario como parte de la cultura y las transacciones como un recurso de poder y sobrevivencia. Aunque ciertas confrontaciones tengan el aspecto de simple oposición y la globalización exaspere desigualdades (y cree otras), ningún grupo actúa todo el tiempo como si la vida social se redujera a una guerra incesante.

b) El encuentro intercultural

Después de un largo ocultamiento del significado de la irrupción europea en América, en que la violencia fue disimulada con eufemismos: "descubrimiento", "evangelización", "tarea civilizatoria", aparecieron reconocimientos parciales y narrativas reconciliadoras. Cuando se celebró el V Centenario, en 1992, aquellas fórmulas habían sido suficientemente desmitificadas y se inventó otra más cordial: "encuentro de dos mundos". Son conocidas las críticas que muchos historiadores le hicieron y las razones por las cuales se sigue prefiriendo, aun en la academia europea, hablar de conquista. No fue un encuentro, como si dos sociedades se hubieran reunido en medio del Atlántico para una amable feria de intercambios, sino una historia de combates e imposiciones.

La crítica desconstructiva sigue siendo necesaria en tanto las imágenes destinadas a enmascarar la violencia y la dominación persisten en ferias internacionales, en libros escolares y en discursos de reuniones gubernamentales iberoamericanas donde el entusiasmo por negocios "comunes" despoja de conflicto a los imaginarios de la memoria. Como otras "ferias universales", la efectuada en 1992 en Sevilla reunió bienes exóticos y productos industriales bajo reglas de exhibición y espectacularización que aparentaban promover conocimientos recíprocos e intercambios benéficos para todos. Los organizadores utilizaron esta ideología conciliadora para legitimar la expansión económica española en América Latina, intensificada en esos años (compra de empresas telefónicas, de aerolíneas y bancos), y resignificar a una ciudad clave del pasado colonizador, Sevilla, colocándola como avanzada de los aportes modernizadores de Europa. La temática general elegida, "La era de los descubrimientos", enlazaba la alusión a la conquista con los avances tecnológicos y la proyección al nuevo siglo. Varios países latinoamericanos correspondieron a esa intención alejándose en sus pabellones de los estereotipos históricos. Perú incluyó muy pocos materiales incas tratando de mostrar un país moderno e internacionalmente competitivo (Harvey, 1996).

Un caso notable fue el de Chile, que se presentó con un iceberg de 68 toneladas de hielo capturado en la Antártida y cuya travesía duró casi un mes. Los diseñadores del pabellón, que incluía también obras artísticas y variados productos y servicios de exportación expresivos de la productividad moderna del país, explican que trataron de responder a quienes en Europa veían a los chilenos como "encargados de aportar malas noticias y sucias imágenes a los noticiarios de televisión o a los periódicos": querían diferenciarse de la imagen histórica reciente. Buscaban alejarse, además, del tropicalismo y mostrarse como un "país frío" generador del éxito económico, distante de la calidez irracional que el norte suele imaginar como característica de América Latina. No obstante, Nelly Richard vio en ese gesto de "hipercontemporaneidad de su hallazgo publicitario" "reminiscencias premodernas" de la escena de José Arcadio Buendía cuando descubre el hielo en *Cien años de soledad*, la novela más emblemática del llamado realismo mágico latinoamericano. Se buscaba situar la representación del país "fuera del tiempo y el espacio sociales", anular toda referencia al Chile histórico de la revolución socialista (Richard, 1998: 163-177). Ese objeto "virgen, blanco, natural, sin antecedentes" (según el catálogo) representaba un país "sanitizado, purificado por la larga travesía del mar. Era como si Chile acabara de nacer. El iceberg fue un exitoso signo, arquitectu-

ra de la transparencia y de la limpieza, donde lo dañado se había transfigu-
rado" (Moulian, en Richard, 1998: 163). (Hay que reconocer que, si bien la
presentación chilena en Sevilla tuvo esa intención de mejorar la imagen internacional del país, el libro publicado sobre la Expo, *El pabellón de Chile*, do-
cumentó los debates previos y posteriores de periodistas, artistas e intelectuales sobre el significado de esa exhibición.)

Estas operaciones mercantiles y publicitarias suelen ser incompletas y
de alcance limitado. El discurso del gobierno chileno sobre España recupe-
ró el estereotipo de la dominación colonial cuando seis años más tarde, en
1998, el juez Baltazar Garzón logró la detención de Pinochet en Londres y
el gobierno de Eduardo Frei pretendió que el núcleo del conflicto era la invasión sobre la jurisdicción chilena por parte de un país, España, que había sido "incapaz de juzgar los crímenes del franquismo". Los organismos
de derechos humanos nacionales e internacionales, y muchos gobiernos
fuera de Chile, leyeron este hecho como el proceso necesario a atrocidades
no juzgadas del dictador, de acuerdo con una época globalizada en que la
justicia debiera tener competencia supranacional.

Las narrativas maniqueas reinstalan sus oposiciones binarias entre norte y sur, entre Europa y América, o las hacen coexistir con las ferias y los
acuerdos comerciales, con la diplomacia gubernamental y publicitaria.
Además de las críticas que cada uno de estos relatos merece, es posible
cuestionarlos por lo que la suma de los dos deja afuera. Las relaciones entre América Latina y Europa son mucho más que un juego pendular entre
la oposición maniquea y el encuentro identitario-mercantil. Hay que considerar cómo ambas partes se seducen y ejercen la sospecha.

c) La fascinación distante

Los europeos han visto en América Latina lo que el racionalismo occidental ha reprimido, placeres sin culpabilidad, relaciones fluidas con la
naturaleza que la intensiva urbanización europea habría sofocado, la exu-
berancia de la naturaleza que envuelve la historia y nutre la corriente de la
vida, como imaginaron Gaugin cuando huyó a Tahití, Segal a Brasil, Artaud a México. Palmeras, papayas y pirámides, tapiocas, tucanes y turbas,
el cóndor pasa y en cualquier momento vamos a la Selva Lacandona a responder personalmente los *e-mails* de los zapatistas. "Narrativas edénicas":
en su versión disneylandesca ("la jungla amazónica"), ecológica (la biodi-
versidad debe preservarse) o antropológica (la desnudez de los indígenas
que sedujo a Lévi-Strauss y a tantos otros), esas romantizaciones simplifican "en exceso el complejo pastiche regional de bosques, matorrales, cié-
negas y sabanas" y convierten a los grupos variados y contradictorios que
los habitan en "especies en peligro o guardianes infieles" (Slater, 1997).

Siempre llega un momento, como en todo relato edénico, en que el conocimiento directo conduce a la caída: el infierno verde y el trópico triste. ¿Son sociedades latinoamericanas más libres y transgresoras que las europeas o más ceremoniales y jerarquizadas, rituales hasta la rigidez? No es fácil optar por una sola línea interpretativa cuando se recorren los contradictorios intentos por realizar en América las utopías que en Europa se volvieron inverosímiles o dudosas, el romanticismo y el marxismo, el socialismo y las autonomías de las culturas regionales. ¿Cómo distinguir entre el insistente apuro por hacer revoluciones y la costumbre latinoamericana de llegar tarde? ¿Qué se puede hacer para no invertir en empresas sin futuro, como la de Fitzcarraldo? ¿Cómo articular a la vez el interés europeo por el petróleo mexicano y venezolano, los consumidores del Mercosur, la guerra en Colombia, el carnaval en Río y los golpes de Estado y las críticas a las intromisiones norteamericanas?

Los latinoamericanos, entre tanto, nos hemos narrado la relación con Europa como el vínculo necesario para mejorar nuestras razas, poblar territorios cuyo peor problema, decía Sarmiento, es la extensión. Seguimos viendo a "la civilización europea" como fuente de racionalidad y de confrontación tolerante de las ideas. Las universidades y la democracia, el desarrollo económico y la educación al servicio del bienestar generalizado, la innovación para mejorar y expandirse, en suma, la modernidad. Aunque en respuesta encontremos que los europeos se interesan sólo en nuestros escritores y artistas por lo que creamos, casi nunca considerando lo que en América Latina se investiga y se piensa. Al francés y al italiano están traducidos Borges, Bioy Casares, García Márquez, Fuentes, Cortázar, Carpentier, Neruda y decenas de escritores más, pero ¿cuántos científicos sociales hay en lenguas europeas?

Esta fascinación recíproca se juega en la distancia. América Latina fue un lugar tan lejano que muchos europeos situaron en ella sus utopías: Tomás Moro, Campanella, el positivismo. Comte consiguió inspirar constituciones latinoamericanas como no lo había logrado en Francia, ciudades cartesianas como La Plata y Belo Horizonte, comunidades religiosas y enriquecimientos súbitos, múltiples formas de hacer fortuna o hacer la revolución, en suma, de "hacer la América", impracticables en Europa. Las migraciones españolas e italianas, rusas, alemanas y holandesas, fueron abriendo la mirada europea hacia el nuevo continente, pero transmitieron –junto con las narraciones de un lugar donde es posible lo que Europa no permite– un desorden remoto. Aun cuando la recepción de los europeos fue tan hospitalaria como ocurrió con los refugiados españoles en México, éstos se sentían –describe Clara E. Lida– como "espectadores retraídos" (Lida, 1997: 117).

Dice Laplantine, antropólogo que interpreta esta tensión transatlántica con sensibilidad para colocarse en la mirada de ambos continentes y en sus intersecciones: "América es el sueño grandioso del Renacimiento. Se quiere cumplir allá lo que había fracasado pero se había pensado aquí" (Laplantine, 1994: 81). Al mismo tiempo, los europeos sienten extraño el desbordamiento de la naturaleza sobre la sociedad, los excesos no racionalizables, las ciudades que irrumpen en el desierto o en la selva –como Brasilia, como ciudades precolombinas que persisten en México, en Guatemala, en Perú– y se desconciertan ante esas confusiones entre naturaleza y cultura. Recuerdo una frase de un presidente brasileño, de la época de la fundación de Brasilia, que leí como epígrafe en el libro de un viajero inglés sobre América Latina, cuyo nombre no conservo: "Brasil es el país del mañana, pero mañana es feriado".

Laplantine evoca la desilusión de Antonin Artaud ante los frescos "materialistas" de Diego Rivera y el suicidio de Stefan Zweig en Brasil. Considera vigente la obra del "escritor europeo por excelencia", Franz Kafka, quien en *América* describe esta sociedad como "una gigantesca alucinación, laberintos que no conducen a ninguna parte, individuos que ignoran el delito por el cual son acusados" (Laplantine, 1994: 86). El distanciamiento más reciente se produjo cuando el desarrollo económico de la posguerra en Europa y la modernización industrial, incluso la de los países mediterráneos más vinculados a América Latina (Italia, España y Francia), fue contrastando con el estancamiento latinoamericano, las regresiones dictatoriales y la inestabilidad socioeconómica, que disminuyeron el atractivo de América Latina como lugar donde conseguir buen trabajo o realizar inversiones prósperas. A partir de los años ochenta, cuando se fue afianzando la integración europea, aun España sintió más inclinación a integrarse al "milagro económico" del viejo continente que a profundizar sus cinco siglos de vínculos con América.

Catherine David, que fue curadora de la X Documenta de Kassel y conoce ampliamente lo más avanzado del arte latinoamericano, me decía en marzo de 1999 algo que no comparte, pero registra a cada paso: "en Europa, América Latina es África, un continente al que hay que dejar librado a su suerte". Diría que esta opinión, o displicencia, que a menudo encontramos en el norte, se matiza por el aumento de inversiones españolas, italianas, alemanas y francesas en áreas estratégicas de la economía latinoamericana. Si bien la información política, social y cultural de América Latina está ausente durante semanas en los diarios europeos, en las secciones económicas, sobre todo de diarios españoles, suelen hallarse noticias y artículos preocupados cuando caen las bolsas latinoamericanas o hay incertidumbre en los países en que los europeos compraron bancos, aerolíneas y sistemas de telecomunicación.

También la seducción experimentada por los latinoamericanos hacia Europa oscila entre acercamientos y rechazos. A unos les atrajo la racionalidad europea moderna, a otros el autoritarismo y el racismo. Cuando los modelos democráticos basados en la responsabilidad individual no han

sabido qué hacer con las tradiciones americanas comunitarias y jerárquicas, varios gobiernos de América Latina oscilaron entre reproducir lo más
avanzado de Europa o sus experiencias bárbaras. Al lado de la adhesión al
liberalismo ilustrado, la admiración de otros hacia el nazismo y el fascis-
mo. La ambivalencia con Europa se ha visto favorecida por la complacencia latinoamericana con la "irracionalidad" de nuestro realismo mágico, y
el atractivo que de allí podría derivar para los europeos, y luego los estadounidenses. La fascinación, basada en malentendidos, prolonga hasta
hoy el papel equívoco de los imaginarios en los intercambios económicos
y sociales, ya ironizados por Laplantine: los indios creían contentar a Cortés ofreciéndole carne humana y tampoco los españoles de aquella época
entendían que los sacrificados a las divinidades aztecas no eran considerados como víctimas, porque no habían leído a Jaques Soustelle, ni Christian
Duverger había publicado aún sus libros en Éditions du Seuil.

Los actuales negociadores latinoamericanos, europeos y estadounidenses de acuerdos de libre comercio, que invocan nuestras pirámides, nuestros poetas y artistas clásicos para embellecer sus propósitos, no se han
molestado en leer la producción de ciencias sociales, sobre comunicación
y cultura, por ejemplo a Jesús Martín Barbero, Renato Ortiz, Beatriz Sarlo
y Roger Bartra. Sus políticas culturales están detenidas, como luego anali-
zaremos, en una etapa de América Latina, aristocrática y/o populista, de
la que sólo quedan retazos. El desinterés de los políticos y empresarios respecto de la educación avanzada, la investigación científica y tecnológica,
es resultado del desconocimiento de las relaciones efectivas entre la cultura y el conocimiento modernos, globalizado, de los latinoamericanos.

En síntesis, la atracción y la suspicacia fundadas en equívocos. Desde
Colón confundiendo con Japón lo que sería Haití y llamando China a Cuba, y los aztecas creyendo que Hernán Cortés reencarnaba la serpiente emplumada. Hasta los inversores europeos de las últimas décadas del siglo
XX que compran empresas telefónicas y editoriales, líneas aéreas y bancos,
y siguen asombrándose de que las relaciones laborales y políticas latinoamericanas, tan imprevisibles, con mezclas exóticas de orden moderno e informalidad, perturben sus negocios. Uno de los libros más recomendables
sobre la globalización, el de Ulrich Beck, usa una metáfora latinoamericana para advertir, en el capítulo final, adónde puede conducir a los europeos destruir la alianza entre mercado, Estado asistencial y democracia establecida por la modernidad. Dice que la violenta pérdida de fronteras de
la globalización nos conmina a saber cómo es posible la justicia social en
"espacios transnacionales" y a prestar atención a lo que sucede en sociedades muy diferentes. Pero es curioso cómo ve este autor al país más diná-
mico de América Latina. Si no resolvemos la cuestión de la justicia social,
dice Beck, el Brasil de hoy será el futuro de Europa. Si siguen ganando los
neoliberales, el Estado social quedará en ruinas, las ciudades serán sitios

peligrosos vigilados por cámaras de video, divididas entre los que van en limusina y los que viajan en bicicleta: a esto le llama "la brasileñización de Europa" (Beck, 1998: 219-220).

La historia social y cultural, concebida como tráfico de identidades, es un laberinto de confusiones. Cada lado selecciona los rasgos que se le antoja en aquello que el otro teatraliza como su identidad, los combina desde sus categorías y actúa como puede. Hay que seguir tratando con esas narrativas y metáforas identitarias porque son recursos internos de cohesión en cada grupo, en cada nación, y sirven para comunicarse con los demás. Pero el mundo globalizado no es sólo este teatro de actuaciones desencontradas, que de vez en cuando hacen sinergia; es también un espacio organizado por estructuras transnacionales de poder y comunicación, por industrias culturales y acuerdos económicos, jurídicos, todavía precarios, aunque cognoscibles y susceptibles de recibir intervenciones políticas en varios sentidos. Antes de examinar esta recomposición industrial y transnacional de la cultura, hay que detenerse un poco más en el otro tríptico narrativo: el que relata cómo se observa e interpretan estadounidenses y latinoamericanos.

d) Las identidades inconmensurables

Así como la incompatibilidad entre latinoamericanos y europeos es repetida desde la conquista, el desencuentro entre latinoamericanos y estadounidenses es el núcleo de un relato por lo menos tan antiguo como las invasiones de tropas estadounidenses a México y otros países de América Latina. Se nos cuenta que quienes colonizaron el sur del territorio estadounidense eran blancos de ascendencia inglesa que conquistaron esa región con su ética puritana y la religiosidad protestante, de manera que el trabajo, la frugalidad, el servicio y la honradez fueron sus valores básicos. Se enfrentaron con mexicanos descendientes de españoles e indígenas, y supusieron que de esa mezcla provenía su gusto por el relajo, la sensualidad perezosa y violenta. Como explica Arnaldo de León, el riesgo de "ser dominados por criaturas indómitas, bárbaras y desordenadas hacía casi inevitable una lucha por la hegemonía nacional" (De León, 1983: 13). La consiguiente certeza de la superioridad de los blancos estadounidenses sobre los mestizos latinoamericanos ha servido, como sabemos, para justificar las invasiones e imaginar los sometimientos como empresas civilizatorias. También para "legitimar" la discriminación a los casi 30 millones de latinoamericanos residentes en Estados Unidos. ·

Pero la confrontación entre esos modos de vida también fue y sigue siendo útil para dinamizar narraciones literarias, fílmicas y televisivas que exaltan el orden "americano" con el complemento antagónico de bandidos violentos, apasionados amantes latinos y mujeres provocativas (*"Mexican spitfire"*). Paul Theroux, en *Old Patagonia Express,* afirma que "Laredo necesita la perversidad de su ciudad hermana para mantener llenas sus iglesias. Laredo tenía el aeropuerto y las iglesias; Nuevo Laredo, los burdeles y las fábricas de canastas. Cada nacionalidad parece orientarse hacia su propio nivel de competencia" (Theroux, 1979: 40-41). Aun los escritores disidentes, transgresores del orden estadounidense, conciben el cruce de la frontera bajo esta oposición dualista. William Bourroughs y otros autores ven a México como el paraíso de los viajes alucinógenos, sin la condena que reciben en Estados Unidos. Jack Kerouac siente el tránsito a México "como si acabaras de escabullirte de la escuela, después de decirle a la maestra que te sientes mal", y entonces se abren "las puertas giratorias de una cantina y pides una cerveza en la barra, y volteas y hay tipos jugando al billar, preparando tacos, sombrerudos, algunos llevan armas en el cinturón de ranchero, y grupos de hombres de negocios cantando", se experimenta "lo que sienten los campesinos por la vida, la alegría intemporal de quienes no se preocupan por los grandes problemas culturales y de la civilización" (Kerouac, 1960: 21-22).

Como anota Norma Klahn, que ha recopilado estas referencias, la admiración distante de esos autores hacia México, así como los estereotipos difundidos por Hollywood y las series norteamericanas, hallan su "confirmación" en las novelas, telenovelas, y películas latinoamericanas donde "se desentierra" a dioses precolombinos y se piensan los conflictos contemporáneos en términos sacrificiales. La vida es interpretada con claves mágicas, jugada en rituales intensos, desde las corridas de toros a las persecuciones policiales en los mercados. *La serpiente emplumada,* de D. H. Lawrence, encuentra ecos en *Cambio de piel* de Carlos Fuentes. La literatura y la plástica chicanas dialogan con Laura Esquivel y Frida Kahlo. La traducción al inglés de estos escritores y las megaexposiciones de arte latinoamericano en museos estadounidenses, con la debida consagración en cursos de literatura, historia del arte y estudios culturales, completan el ciclo de esta interacción organizada como contraste, aventuras signadas por el desafío de lo otro. Estas aventuras se acaban cuando el viajero cruza de nuevo la frontera, sale del museo, abandona la novela de realismo mágico y regresa a casa. "Mañana –dice la esposa, en el cuento *An Old Dance* de Eugene Garber– de vuelta a nuestro buen y viejo USA."

Del lado latinoamericano, el contraste de identidades fue imaginado entre la espiritualidad latinoamericana de origen europeo y el materialismo pragmático de los estadounidenses. La admiración de José Enrique Rodó y Rubén Darío hacia Estados Unidos estuvo limitada por la crítica a "las asperezas del tumulto utilitario" que veían en ese país. Esa reserva no ha cambiado en buena parte de la literatura reciente, según documentan Fernando Reati y Gilberto Gómez Ocampo en un estudio sobre narrativa, pese a la intensificación de visitas académicas, artísticas y turísticas de la-tinoamericanos a Norteamérica. Muchos escritores y pensadores latinoa-mericanos siguen hablando de la pobreza espiritual y el pragmatismo "gringo". Este "neoarielismo" está menos preocupado por la explotación económica de recursos latinoamericanos que por el "robo de reservas inte-lectuales y espirituales", que escasearían en Estados Unidos (Reati y Gó-mez Ocampo, 1998: 589).

El protagonista de *El pasajero*, novela de Rodolfo Rabanal, describe el "programa" internacional para escritores en la ciudad de New Caen, en el que participa, como "un infierno hipócrita donde se confina la inteligencia creadora del mundo entero para nutrir luego a los flacos talentos america-nos incapaces de hallar ideas originales en su medio", "un laboratorio en el que la superpotencia investigaría el ritmo, la conducta y la modalidad de la inteligencia en áreas del mundo que cada uno de nosotros represen-ta" (Reati y Gómez Ocampo, 1998: 88 y 162). En *Donde van a morir los ele-fantes*, de José Donoso, se presenta un país "donde todo el mundo era rico a una escala que ignoraba el ser humano y constituía una antesala para transformarlo todo en desperdicio". Gustavo Zuleta, el protagonista, pro-fesor chileno contratado en Saint Jo University, imagina la venganza: "¿por qué no escribir, entonces, la novela de una invasión *nuestra* del territorio de *ellos*, salpicando nuestro texto de anglicismos, caricaturizando tan cruelmente el mundo norteamericano, que los personajes se transformen también en clichés? (citado en Reati y Gómez Ocampo, 1998).

Reati y Gómez Ocampo leen en otras tres novelas (*Ciudades desiertas*, de José Agustín; *Mujeres amadas*, de Marco Tulio Aguilera, y *El dios momentá-neo*, de Emilio Sosa López) oposiciones semejantes. La artificialidad de la vida universitaria estadounidense contra la vitalidad latinoamericana, el frío frente al calor, "la opaca melancolía de lo incompleto" (Sosa López), que acaba devolviendo a los cinco protagonistas a sus países latinoameri-canos. Como en el cuento de Garber, pero en dirección inversa: "la puerta entreabierta fugazmente a la cultura del otro vuelve a cerrarse". No hay in-tegración posible. Salvo que percibamos en la ironía de algunas novelas, sobre todo en la de Rabanal, la distancia que el autor toma del estereotipo insistente: "seríamos siempre víctimas: víctimas de nuestra sospecha, o víctimas de la realidad" (Reati y Gómez Ocampo, 1998: 168).

e) *Americanización de latinos, latinización de Estados Unidos*

Esta incompatibilidad entre los modos de vida estadounidense y lati-noamericano parece modificarse en la narrativa que trata de las interaccio-nes y fusiones entre ambas culturas. Sin negar la inconmensurabilidad ideológica entre pobladores de ambas regiones, se registra la creciente

"americanización" de la cultura en América Latina y, a la inversa, la latinización de algunas zonas de Estados Unidos, sobre todo en el sur de este
país. Carlos Monsiváis ha escrito que la preocupación por defender la especificidad de cada cultura es tardía porque América Latina viene ameri-
canizándose desde hace muchas décadas y esta americanización ha sido
"las más de las veces fallida y epidérmica" (Monsiváis, 1993). En una conferencia en Tijuana (septiembre de 1997), Monsiváis sugirió que tal vez,
más que americanización, lo que está sucediendo con los latinoamericanos
es una chicanización: se adoptan signos ostentarios del *american way of life*
exagerándolos con cierto fervor cursi.

Varios analistas observan que, si bien este proceso se acentúa con la dependencia tecnológica y económica, eso no elimina la conservación del español y el portugués como lenguas prevalecientes en América Latina –por
más palabras inglesas que se incorporen–, ni la fidelidad a tradiciones religiosas, gastronómicas y formas de organización familiar diferentes de las
que existen en Estados Unidos. Al mismo tiempo, debe tomarse en cuenta
que las crecientes migraciones de latinoamericanos a Estados Unidos influyen en la cultura política y jurídica, los hábitos de consumo y las estrategias educativas, artísticas y comunicacionales de estados como California, Arizona y Texas. Sin embargo, la discriminación, las deportaciones y
la exclusión cada vez más severa de migrantes latinos de los beneficios sociales desalientan la presencia "hispana". De los siete millones de mexicanos residentes en Estados Unidos, unos 2.400.000 son indocumentados, y
nada hace pensar que en los próximos años puedan legalizar su situación.
Aunque las cifras globales y de indocumentación no son tan altas en otros
grupos latinoamericanos, también sufren hostilidad y expulsiones periódicas una parte del millón de haitianos, el casi millón y medio de colombianos y otros caribeños y latinoamericanos que tratan de permanecer en Estados Unidos. Si bien la democratización y la disminución de la violencia
política en Centroamérica y en el cono sur permiten el regreso de exiliados
a sus naciones de origen, el deterioro económico y el agravamiento del desempleo en muchos países latinoamericanos sigue aumentando las migraciones a Estados Unidos.

Simultáneamente con la aplicación del TLC, en los últimos cinco años se
acentuaron barreras de todo tipo a la entrada de latinoamericanos. La Ley
187, aprobada en 1996 en California, quitó a los migrantes indocumentados derechos a usar servicios básicos, como los escolares y de salud, obli-
gó a los médicos y maestros a denunciar ante las autoridades migratorias
a solicitantes de servicios que no muestren documentos, y estableció la noción de "sospecha razonable" que hace vulnerables al conjunto de los extranjeros, sobre la base de dos signos: el color de la piel y la lengua (Valenzuela, 1999). El argumento principal para justificar la Ley 187 fue que los
migrantes indocumentados son una carga económica para la economía es-

tadounidense, pese a que varios estudios de la Comisión Nacional para la Reforma de la Inmigración de Estados Unidos muestran que las aportaciones de ellos (unos diez mil millones de dólares anuales) son mayores que los beneficios que reciben. La ley fue suspendida, pero los discursos xenófobos en la vida cotidiana y la prensa muestran que la narración que sostiene los prejuicios y la discriminación sigue imponiéndose sobre los datos objetivos.

Otro cambio significativo es que la "línea" de alambre que separaba al territorio de Estados Unidos de los países del sur ha sido sustituida por un símbolo rotundo: las planchas de acero que se usaron para pistas de aterrizaje en el desierto durante la Guerra del Golfo, reconvertidas ahora en kilómetros y kilómetros de un muro apenas un metro más bajo del que hubo en Berlín. Respaldado en los tramos más vulnerables por una segunda barrera de columnas de cemento, por coches de la *border patrol* y helicópteros, esa frontera aplaca cualquier ilusión de que latinoamericanos y estadounidenses podamos acabar integrándonos al modo, por ejemplo, de los ciudadanos de la Unión Europea.

Del lado mexicano, el endurecimiento del chovinismo y la discriminación estadounidense también fomenta reacciones nacionalistas. A veces, son intentos de defender la producción nacional y los derechos humanos en medio de las condiciones reales de interacción; en otros casos, no se acierta a imaginar qué actos pueden ser eficaces en las complejas encrucijadas de la frontera.

Un caso sintomático de esta dificultad para elaborar posiciones de "defensa de lo propio" en un contexto de globalización es el de Tijuana. Esta ciudad, concentrada en el turismo y la diversión desde los años veinte, en la época de la ley seca en Estados Unidos, dejó luego proliferar casas de juego, cabarets y otras actividades perseguidas en la sociedad estadounidense, con lo cual adquirió una "leyenda negra" que la hacía sinónimo de vicio, prostitución y narcotráfico. La imagen negativa se cargó también con la afluencia de migrantes de todo México que, si no podían pasar a Estados Unidos, iban formando barrios precarios en esta ciudad fronteriza. En las tres últimas décadas la instalación de industrias, sobre todo maquiladoras, generó un extraordinario desarrollo industrial: uno de los principales rubros es la producción de electrodomésticos y bienes audiovisuales, entre los que destaca la fabricación del 70 por ciento de los televisores producidos en el mundo. Se modernizaron el comercio y la urbanización de Tijuana, y se va uniendo a San Diego configurando una "metrópoli transfronteriza" (Herzog, 1990). Sin embargo, los 1.600 agentes de la patrulla de Estados Unidos que controlan los 65 millones de cruces de personas por año entre estas dos ciudades no confían que esas actividades "modernas" puedan distinguirse del narcotráfico y otras prácticas que hacen prevalecer la visión peyorativa en el imaginario estadounidense.

En vista de la cantidad de películas, relatos periodísticos y la posible fil-mación de una telenovela basada en los aspectos escandalosos de Tijuana, el Ayuntamiento conservador de esta ciudad consiguió en agosto de 1997 del Instituto Mexicano de la Propiedad Industrial el registro del "buen nombre de la ciudad" para protegerlo de quienes deseen usarlo en "publi-cidad y negocios, difusión de material publicitario, folletos, prospectos, impresos, muestras, películas, novelas, videograbaciones y documenta-les". No es difícil imaginar los trastornos que hubieran sufrido con políti-cas semejantes escritores como Shakespeare por situar sus crímenes en Di-namarca, o Bertold Brecht y tantos otros que también ubicaron historias espinosas en países que no eran el propio. La pretensión de controlar el uso del patrimonio simbólico de una ciudad fronteriza, apenas a dos ho-ras de Hollywood, se ha vuelto aún más extravagante en esta época globa-lizada, en que gran parte del patrimonio se forma y difunde más allá del territorio local, en las redes invisibles de los medios. Es una consecuencia paródica de plantear la interculturalidad como oposición identitaria en vez de analizarla de acuerdo con la estructura de las interacciones cultu-rales.

¿Qué contribución pueden dar para resolver estos enfrentamientos en-tre estadounidenses y latinoamericanos los acuerdos de libre comercio? Algunos economistas y políticos de México y Estados Unidos confían en que la compatibilidad de estilos culturales, necesaria para cualquier inte-gración multinacional, se desenvuelva con éxito gracias a "la similitud en las orientaciones hacia la democracia" y la coincidencia o convergencia de las modalidades de desarrollo económico, según dicen Inglehart, Basáñez y Nevitte. En el libro de estos autores se insiste en el desacuerdo entre la tradición protestante de Estados Unidos y Canadá, y la tradición católica de México y América Latina (la ética del trabajo frente a la moral de "la re-creación, la grandiosidad, la generosidad, la desigualdad y la hombría"). Pero también sostienen que quizá tales divergencias históricas no sean tan importantes si pensamos que el mismo proceso de integración transnacio-nal favorece la apertura de las sociedades y lleva a aceptar nuevos marcos conceptuales para transformarlas. En los países de América del Norte la convergencia se lograría al tener intereses compartidos por desarrollar economías de libre mercado y formas políticas democráticas, y reducir el peso de las instituciones nacionales en beneficio de la globalización. Sabe-mos, sin embargo, que estos tres puntos supuestamente comunes motivan controversias en las tres naciones que participan del TLC. Los autores cita-dos, pese a su visión optimista de la liberalización comercial, reconocen que ésta "produce oposición política porque atrae claramente la atención hacia dilemas antiguos o de reciente aparición". La agudización de conflic-tos fronterizos y migratorios en años recientes pone en evidencia dilemas culturales irresueltos, por ejemplo la integración multiétnica en Estados

Unidos y en las naciones latinoamericanas, la coexistencia de nuevos migrantes con residentes antiguos, y el reconocimiento pleno de los derechos de las minorías y de las regiones dentro de cada país. La narrativa sobre la inconmensurabilidad ideológica sigue conservando vigencia y reinventando fronteras que deben examinarse como parte de la globalización.

No sólo por los acuerdos de libre comercio crece la "americanización" de América Latina y la latinización de Estados Unidos. Como veremos en el capítulo sobre industrias culturales, la música latinoamericana está pasando a formar parte de la multiculturalidad estadounidense y a ser un sector fuerte en su economía de bienes simbólicos. A la vez, la producción de discos, vídeos y programas televisivos en español hecha desde Miami recompone los signos de lo latinoamericano y reubica su papel dentro de Estados Unidos. A través de las empresas que distribuyen estos productos culturales por otras regiones, crecen las interacciones entre artistas, distribuidores y públicos de varios continentes. Con cierta independencia de lo que se conviene en los acuerdos de libre comercio, el volumen de las migraciones del sur al norte y la transferencia de bienes y mensajes culturales están modificando, en los hábitos cotidianos y en los circuitos comerciales, los vínculos y las distancias entre esas regiones (Yúdice, 1999a).

f) La vecindad amistosa bajo la tutela estadounidense

En el discurso oficial suelen disimularse los conflictos entre culturas bajo la retórica de la vecindad amistosa. No se trata únicamente de cortesías diplomáticas, pues éstas se acompañan a menudo de interpretaciones curiosas sobre cómo son los otros con los que hay que tratar. Hay algo diferente en esta manera de encarar la interacción con Estados Unidos que en el "encuentro de dos mundos" con Europa. Uno de los relatos que más me asombró en los últimos tiempos es el formulado en una entrevista de John Kennedy hijo a la secretaria de Estado de los Estados Unidos, Madeleine Albright. La responsable de la política exterior de ese país caracterizó así la relación con Canadá y México: "Los estadounidenses tienen la inmensa suerte de estar entre dos océanos y de tener dos vecinos amistosos. Si echa usted un vistazo al mundo, esa situación es única. A menudo, cuando viajo –y el presidente ha comentado esto muchas veces– me imagino lo que tiene que significar haber sido invadido por Napoleón o Hitler. Eso ha creado una mentalidad muy diferente en muchos de los pueblos del mundo. Los estadounidenses no han sido nunca invadidos ni ocupados. Digo esto porque yo no soy una norteamericana nativa: a los estadounidenses esto les hace sentirse invulnerables de una forma que no es común a otros países" (Kennedy, 1998).

Existen varios supuestos problemáticos en este razonamiento. Uno es explicar el sentimiento de invulnerabilidad de los estadounidenses por no haber sido nunca invadidos. Lo cual tiene, como hipótesis correlativa, según leemos en el mismo párrafo, que Canadá o México podrían haberlo hecho, pero no han llegado a eso porque son "vecinos amistosos". Esta manera de contar la historia resulta extravagante para los canadienses y mexicanos, conscientes de que invadir a Estados Unidos sería una aventura con poco éxito y que, por tanto, no suelen imaginar. Pero uno puede preguntarse por qué los estadounidenses se cuentan la historia de este modo. La interpretación que se me ocurre es que atribuir su sentimiento de invulnerabilidad al hecho de ser una nación no invadida es un modo de no pensar en Estados Unidos como invasor. Esta interpretación me resulta avalada por otra parte de la entrevista en que Albrigtht resume su filosofía de la historia del siglo XX y el papel que Estados Unidos ha tenido en ella: "Una de las cuestiones más importantes a la que todos tenemos que enfrentarnos es: ¿cuál es el uso adecuado del poder de Estados Unidos a medida que nos acercamos al siglo XXI? El empleo o la falta de empleo del poder norteamericano ha determinado lo bueno y lo malo durante el siglo XX. En la Primera Guerra Mundial, Estados Unidos tuvo que entrar en Europa después de que los europeos lo hubieran puesto todo patas arriba. Luego, entre la primera y la segunda guerras mundiales, nos mantuvimos al margen de su política. Y durante la Segunda Guerra Mundial, volvió a pasar lo mismo, tuvimos que volver".

Ahora se ve más clara la estructura de la argumentación: si las intervenciones de Estados Unidos en otras regiones han hecho posible lo bueno de la historia del siglo XX, no pueden ser consideradas invasiones sino tareas abnegadas en beneficio de otros pueblos. No es esta la visión que suelen tener los destinatarios de tales intervenciones y por eso en algunas ocasiones a los estadounidenses no les ha ido tan bien como para poder mantener la certeza de su invulnerabilidad. Uno piensa, por ejemplo, en Vietnam. Albright recuerda por un instante esa experiencia, pero cambia su significado al compararla con Bosnia: "La gente que tenía la experiencia de Vietnam dijo: 'No, no es importante; nos meteremos en un barrizal. Nos quedaremos atrapados allí. Es una guerra civil. No queremos tener nada que ver con ella'. Con mis antecedentes, veía a Bosnia mucho más en términos de lo que había sucedido en Europa cuando Estados Unidos no estaba allí, y que, si Estados Unidos hubiera reaccionado antes frente a Hitler, podríamos habernos ahorrado la Segunda Guerra Mundial. Así que mi razonamiento era que, si hubiéramos hecho algo antes frente a la perpetración de violaciones y saqueos en Bosnia, habríamos estado en una posición mucho mejor para decidir que aquello no tenía nada que ver con nosotros". Los bombardeos de Yugoslavia en 1999 exhibieron la persistencia y la inutilidad de esta manera de imponer la protección del respeto intercultural.

En suma, el mundo es, en esta perspectiva, algo que existe y adquiere sentido, bueno o malo, en la medida en que se lo mira y valora desde Estados Unidos. Aun para decidir si algo compete a ese país, si tiene "que ver con nosotros", es necesario que los estadounidenses intervengan. Parece haber en las afirmaciones unilaterales de la identidad una tendencia a negar el multicentrismo que a veces se asocia con la globalización. Podríamos concluir que las narrativas de autoafirmación identitaria tienen dificultades para entender la complejidad de interacciones transculturales y la multiplicidad de puntos de vista en los que hoy se constituye el mundo. A la inversa, los relatos que idealizan el poder homogeneizador de la globalización tienden a desconocer las diferencias y la desigualdad de los intercambios. Llegamos así a pensar que, más que la identidad, el objeto de estudio de las ciencias sociales y el objeto de las políticas debieran ser la heterogeneidad, los conflictos y las posibilidades-imposibilidades de cooperación intercultural.

El artista Allan Sekula propuso en *inSITE97* otras imágenes para hablar de esta confrontación entre Estados Unidos y el sur. Una serie de fotos de obreros mexicanos que trabajan en las fábricas maquiladoras coreanas al norte de México, de marines y senadores estadounidenses que investigan esa zona, y pescadores en chozas junto a los nuevos Estudios Universal instalados en Popotla, una playa al sur de Tijuana, donde filmaron el hundimiento del Titanic y otras películas para aprovechar —como las maquiladoras— que los salarios mexicanos son diez veces menores que en Estados Unidos. Sekula ve en estas "intervenciones" la continuación de lo hecho por los "aventureros de raza blanca" desde 1840, que venían a Baja California "un espacio inferior, una utopía de libertades infantiles, donde las langostas pueden ser devoradas con voracidad, donde los coches se manejan con imprudente abandono". "Y ahora, Hollywood mismo huye, cruza la triple barda para exponer su propia y muy cara visión de la historia de una modernidad que tropieza con el abismo primordial. Los extras flotan y tiemblan entre maniquíes de cadáveres, gesticulando y atragantándose según las órdenes, un verdadero ejército de ahogados (...) la frontera industrial norte de México es el prototipo de un sombrío futuro taylorista."

Chile, desde el sur, envía al norte un iceberg para reflotarse y argumenta esa metáfora con ejemplos de su productividad moderna. Estados Unidos manda al sur de su territorio el Titanic para que se hunda y, "al volver a flotar", "es el vetusto precursor de una maquiladora incógnita. Una reserva de mano de obra barata es contenida y dirigida por la acción hidraúlica de la maquinaria del *apartheid*. La máquina es cada vez más indiferente a la democracia, en ambos lados de la línea, pero no es indiferente a la cultura, aceite derramado sobre aguas turbias" (Sekula, en Yard, 1998: 103).

EL ESPACIO CULTURAL LATINOAMERICANO Y LOS CIRCUITOS TRANSNACIONALES

Estas seis narrativas, y su breve confrontación con datos empíricos, muestran el poder que tienen las construcciones imaginarias sobre la identidad de los otros y sobre la propia para recortar y manipular los procesos sociales. Asimismo, aparecen los obstáculos para fundar, en esas concepciones identitarias, políticas más o menos realistas de interacción. La globalización y las integraciones regionales exigen conocer mejor a los otros e indagar, con el mayor rigor posible, cómo pueden convivir nuestras diferencias y cuál es el porvenir de la producción cultural propia en competencia y en intercambio con la de otras regiones.

¿Qué modificaron los acercamientos migratorios, comerciales y mediáticos de la globalización en los imaginarios que circulan entre Europa, Estados Unidos y América Latina? Muy poco. Un cambio es *la relación entre discursos y prácticas.* Las fantasías temerosas y alucinadas sobre seres diferentes tienen, ya se sabe, una dilatada historia. De La Biblia a Vico, de *La guerra de los mundos* de H. G. Wells al humor radial de Orson Welles, el pánico era más narrativo que pragmático. Estalló muchas veces en guerras y conquistas crueles, pero la mayor parte del tiempo el desconcierto ante los otros estuvo contenido por la distancia intransitable que separaba a los fabricantes de relatos y bestiarios de los caníbales y herejes aludidos.

En cambio, la multiplicación de inversiones económicas del Primer Mundo en el Tercer Mundo, la presencia permanente o asidua de metropolitanos en las periferias y de periféricos en las metrópolis dan oportunidades incesantes de que los imaginarios actúen. Los acuerdos de libre comercio incitan a sacar consecuencias prácticas, a cada momento, de los estereotipos que dividen el planeta; entre los que piensan que *time is money* y los que siguen siendo imaginados como si prefirieran extender al día completo el tiempo de la siesta. El maniqueísmo rústico practicado por el paisajismo renacentista y la gráfica barroca se renueva formalmente, sin alterar su asimetría, en la publicidad turística y comercial, en el cine de catástrofes, en los discursos políticos y los videojuegos.

Si uno recorre los análisis históricos de estos imaginarios, por ejemplo los de Roger Bartra y Miguel Rojas Mix, encuentra que otro de los aspectos que ha cambiado en los relatos y la iconografía de la segunda mitad del siglo XX es *la reconstrucción mucho más minuciosa de los espacios tercermundistas en que deben operar los héroes metropolitanos.* Los folletines de Gerard de Villiers describen con prolijidad el terror pinochetista; los videojuegos y las series policiales identifican con rasgos tan precisos como la información periodística, los hábitos de guerrilleros colombianos y narcotraficantes mexicanos. El exotismo actual ofrece una verosimilitud adecuada a los televidentes de CNN y los lectores de *The New York Times* y *Le Monde.* La cotidianidad de los extraños puede pasar, así, a formar parte, no como imaginario sino con la persuasión de "lo real", de la vida cotidiana de los ciudadanos de Europa, Estados Unidos y de élites latinoamericanas que habitan en barrios cerrados y consumen en centros comerciales segregados de sus ciudades. Entre tanto, los sectores medios y populares de América Latina sienten próximos la música y los chismes domésticos de los cantantes, actores y políticos del Primer Mundo, encuentran en las modas afro y rasta emblemas para marcar la diferencia juvenil en sus culturas locales. La cercanía de las imágenes del otro no suprime, sólo adapta y precisa, la polaridad entre "el Magreb de los trabajadores inmigrados y el de los carteles del Club Mediterranee" (Rojas Mix, 1992: 257).

La circulación tan fluida de lo que se produce en distintas regiones y circula en casi todas hace que volvamos a preguntarnos *a qué nos referimos cuando hablamos de producción cultural propia.* No se resuelven las dificultades con divagaciones sobre una supuesta identidad latinoamericana. Más bien necesitamos caracterizar las condiciones en que se realizan distintos tipos de producción cultural en América Latina a fin de establecer qué podríamos hacer juntos. No voy a reiterar las críticas teóricas que descalifican las definiciones metafísicas de un ser latinoamericano (Brunner, 1998; Martín-Barbero, 1998). Tampoco veo necesario demostrar el fracaso de las contorsiones argumentativas con que se ha intentado reunir un perfil identitario unificando entidades tan diversas como las (también inasibles) identidades mesoamericana, caribeña, andina, rioplatense, brasileña, por no hablar de regiones diversas dentro de cada país.

Argumenté en otro lugar (García Canclini, 1999) que existe una historia más o menos común en América Latina, que nos habilita para hablar de un *espacio cultural latinoamericano,* en el que coexisten muchas identidades. No necesitamos ejercer ningún reduccionismo sobre ellas ni obligarlas a tener rasgos comunes. Lo indígena, lo afroamericano, lo europeo, la latinidad, la tropicalidad a veces convergen y en otros casos se distancian. Es mejor admitir que cada uno de estos aspectos designa parcialidades. Lo indígena, ya dijimos, abarca las culturas originarias, ahora reducidas al 10 por ciento de la población latinoamericana y en un intenso proceso de hibridación. "Lo afroamericano" y "lo tropical", aparte de la imprecisión de estas fórmulas, pueden ser vistos como soportes de magníficas producciones musicales y literarias. El éxito transnacional de la salsa y su poder aglutinador de la latinidad en Estados Unidos, y frente a Estados Unidos, ha llevado a imaginarla como emblemático recurso musical "de una raza unida, la que Bolívar soñó", según la canción de Rubén Blades. Daniel Mato ha señalado, en un estudio sobre los conciertos de Blades en Estados Unidos y la apropiación mediática de este tipo de música, la utilidad de valorarla como narrativa unificadora y, a la vez, la necesidad –intelectual y política– de no oscurecer el carácter construido de esa representación, ni las diferencias entre los tipos de latinidad que abarca (Mato, 1998a). Así como

Europa y Estados Unidos son cada uno complejos multiculturales, América Latina es demasiado heterogénea como para afirmar sus proyectos conjuntos en unificaciones esencialistas y forzadas, que desconozcan las discrepancias y desigualdades internas.

Es posible concebir un *espacio común latinoamericano*, pero no predeterminado étnicamente ni aislado de la historia compartida con los europeos desde hace cinco siglos, que instituyó vínculos prolongados hasta hoy, ni de la historia convergente o enfrentada con Estados Unidos. Es necesario para entender el presente y el futuro de los acuerdos de comercio y de integración entre países latinoamericanos, y de éstos con Europa y Estados Unidos, pensar el espacio común de los latinoamericanos también como un *espacio euroamericano* y un *espacio interamericano*.

Por supuesto, hay que enfrentar la pregunta de si este esquema triangular (América Latina-Europa-Estados Unidos) no acabaría desdibujando al continente latinoamericano. Samuel Huntington piensa que la disputa entre europeos y estadounidenses terminará dividiendo a América Latina. A través del Tratado de Libre Comercio de América del Norte, augura que Estados Unidos anexará a México, en tanto el Mercosur sería capturado por Europa. Esta perspectiva desconoce la heterogeneidad política latinoamericana, las continuidades históricas, las recientes alianzas comerciales desarrolladas por México con Colombia, Venezuela y Chile, y del lado del Mercosur las diferentes articulaciones de sus países con Estados Unidos. La Cumbre de Río 1999 entre gobernantes europeos y latinoamericanos indicó que los países de Europa impulsarán los acuerdos de libre comercio no según reparticiones geopolíticas sino de acuerdo con la confiabilidad económica. Por ello, dan prioridad a México y el Mercosur, y luego irán seleccionando otras naciones.

La cuestión de cómo está reconfigurándose el espacio latinoamericano en un espacio euroamericano o interamericano se plantea de distintas maneras en la economía, los medios, la cultura de élite y la cultura política. Estados Unidos es ahora el punto de referencia dominante en el desarrollo económico y en la comunicación audiovisual. Como analizaré en un capitulo posterior, la producción editorial latinoamericana depende más de industrias europeas, y eso corresponde –además de la coincidencia lingüística con el mundo latino– a la importancia que conserva Europa para las élites intelectuales y políticas en América Latina. La forma en que lo expresó hace poco tiempo Beatriz Sarlo podría ser compartida por otros latinoamericanos, sobre todo en el cono sur: "Para mí, Europa es hoy las traducciones españolas, el Olivo italiano, el nuevo laborismo inglés, la reconstrucción berlinesa del fin de siglo, el conflicto de nacionalidades, la emergencia de nuevas identidades, el tercer mundo en el medio de París o en Londres, la ley francesa de treinta y cinco horas de jornada laboral. Europa es tanto Pina Bausch como Godard y tanto Godard como Kiarostami, a quien conocimos en las revistas y los festivales europeos; y tanto como Kiarostami, Losseliani, un gregoriano exiliado de los límites de Europa; y tanto como él, Saramago, que viene del extremo último, *finis terrae* decadente de Europa. Aunque bajo la forma de la paradoja, Europa es nuestro contacto con Asia y sólo nos autonomizamos de Europa, relativamente, cuando pensamos en América Latina" (Sarlo, 1998: 1).

También la vinculación de los latinoamericanos con Estados Unidos va modificándose respecto de los estereotipos descriptos antes. Los intercambios tecnológicos, económicos y migratorios están redefiniendo las relaciones socioeconómicas y algunas narrativas entre ambas regiones. Las cadenas CBS y CNN transmiten en español información internacional, y contribuyen a interrelacionar el espacio cultural y político latinoamericano al difundir noticias de nuestros países con poca circulación en la prensa y la televisión de cada uno. Ya me referí, y volveré a hacerlo, al papel de las universidades estadounidenses en el estudio y la interpretación de lo que sucede en América Latina. Varias revistas económicas destacan en los últimos años cómo la intensificación de relaciones industriales, comerciales y financieras entre Estados Unidos y países latinoamericanos genera nuevas formas de conocimiento recíproco, y convierten a algunas economías latinoamericanas "en parte vital del mercado estadounidense": "México comercia más productos manufacturados con Estados Unidos que Japón y más productos textiles que China", por lo cual es posible que "cualquier interrupción en la cadena de producción en un país interrumpa la producción en el otro" (Case, 1999: 48). A propósito de la ascendente presencia de latinoamericanos en la sociedad norteamericana, la edición de agosto de 1999 de la revista *Latin Trade* tituló en su portada "México invade a EE.UU." Otros afirman que la mayor interrelación económica, tecnológica y cultural, en condiciones de asimetría y subordinación, sólo acentúa la dominación imperialista. Ambas posiciones extremas simplifican la estructura actual de los intercambios desiguales.

En medio de estos circuitos interregionales, reaparece transformada la pregunta acerca de qué puede entenderse en América Latina –y también en Estados Unidos– por producción cultural propia. Fue siempre un asunto de difícil resolución, según lo revelan la presencia multicultural de masas migrantes con orígenes diversos y el intenso proceso de préstamos interculturales desplegado antes con Europa, y más recientemente entre estadounidenses y latinoamericanos. Asimismo, es evidente que los cambios generados por los actuales flujos tecnológicos y económicos no pueden ser encarados con los antiguos discursos identitarios, ni con las políticas de multiculturalidad desplegadas dentro de cada nación cuando éstas eran unidades más autónomas. Averiguar quiénes son los otros que nos interesan o nos aceptan, con quiénes vale la pena intensificar las relaciones o intercambios, son asuntos que –además de considerar la historia de la cual procedemos– necesitan revisarse en medio de las nuevas confrontaciones geopolíticas y geoculturales, dentro y fuera de los acuerdos de libre comercio y de integración económica.

Es necesario justificar este pasaje de la confrontación de identidades a la configuración de un espacio sociocultural examinando cómo las políticas nacionales, y entre las naciones, fueron gestionando la multiculturalidad latinoamericana, y cómo lo hacen hoy en interrelación con Europa y Estados Unidos. Indagaré comparativamente, en el siguiente capítulo, algunas de las políticas multiculturales y de ciudadanía regional o global desarrolladas en estas regiones. Luego, veremos en la estructura actual de los intercambios académicos, artísticos y de las industrias culturales cómo se están reordenando los papeles europeos, estadounidenses y latinoamericanos en la redistribución del poder cultural y comunicacional.

Capítulo 4

NO SABEMOS CÓMO LLAMAR A LOS OTROS

Las sociedades narran sus cambios y los conflictos entre los grupos que las forman, así como entre nativos y migrantes, imaginando mitos y estereotipos. También a través de las políticas culturales de ciudadanía. A fin de decir quiénes pertenecen a una nación, o quiénes tienen derecho a ser ciudadanos, hay que imaginar rasgos comunes para gente con lenguas y modos de vida diversos, maneras de pensar que no coinciden pero pueden ser convergentes. Toda política cultural es una política con los imaginarios que nos hacen creer semejantes. Al mismo tiempo, es una política con lo que no podemos imaginar de los otros, para ver si es posible compatibilizar las diferencias: cómo convivir con los que no hablan correctamente mi lengua, permiten que las mujeres no tengan velo (o lo tengan), no aceptan los valores de la religión hegemónica o de la racionalidad científica, rechazan las jerarquías o pretenden subsumirlas en la horizontalidad democrática.

Se puede decir, se ha escrito, que el etnocentrismo y el desprecio del diferente nacieron con la humanidad, y no hay grupo inocente. Los griegos llamaban bárbaros, o sea "balbuceantes, tartamudos", a los extranjeros. Los nahuas se referían a sus vecinos como *popolocas* (tartamudos) y *mazahuas* (los que braman como ciervos). Para los hotentotes, los ainu y los ramchadales los nombres de sus tribus significan "seres humanos". ¿Es el mismo procedimiento el que indujo a los mexicanos a llamar peyorativamente "gachupines" a los españoles, a los argentinos decir "gringos" a los italianos, y a otros latinoamericanos usar esta misma expresión para referirse a los estadounidenses? ¿Y cuando los españoles llaman "sudacas" a los latinoamericanos están devolviendo la atención, o nos hallamos en otra etapa de la discriminación y los malentendidos?

No es necesario traer muchos datos a esta página para entender que aun las palabras más persistentes a través de los siglos, como *bárbaro*, no tienen el mismo sentido en las batallas de hace 2.500 años, en las empresas de conquista de hace 500, en las guerras coloniales o imperialistas, ni en tiempos del dinero electrónico y las imágenes que viajan por satélite. Las generalizaciones posmodernas sobre el nomadismo soportan poco tiempo la confrontación con las promesas heterogéneas que hicieron migrar a los que buscaban la tierra prometida, el nuevo mundo americano del que hablaron españoles y portugueses, o el *american way of life*.

En Occidente las naciones se arreglaron de maneras diversas para vivir la multiculturalidad. Francia y otros países europeos subordinaron las diferencias a la idea laica de república. Estados Unidos separó las etnias en barrios y aun en ciudades distintas. Los países latinoamericanos adhirieron en el siglo XIX al modelo europeo, pero le dieron modulaciones diferentes, como iremos viendo en tres formatos de "integración nacional": Argentina, Brasil y México. Estos pactos unificadores de países heterogéneos funcionaron con injusticias, desigualdades y protestas durante décadas, pero con cierta estabilidad. A esas deficiencias se agregan ahora la interacción más intensa y frecuente de muchas etnias y los choques entre modos divergentes de tratar la multiculturalidad. Los latinoamericanos migran en forma masiva a Europa y Estados Unidos, a donde llegan también contingentes numerosos de asiáticos y africanos. Los estadounidenses promueven sus concepciones de la multiculturalidad en América Latina, y un poco en Europa, a través de los esquemas empresariales, la influencia política y académica, y los modelos ideológicos de la comunicación masiva. Hasta japoneses y coreanos proponen a Estados Unidos, Europa y América Latina sus modelos de multiculturalidad al organizar las relaciones laborales en las maquiladoras y difundir sus videojuegos.

Esta interculturalidad globalizada no suprimió los modos clásicos con que cada nación "arreglaba" sus diferencias. Pero los puso a interactuar y volvió la confrontación insoslayable. Los resultados han sido diversos. Cuando los movimientos globalizadores vienen con la secularización y el relativismo intelectual, amplían nuestra capacidad de comprender y aceptar lo diferente. Pero cuando la globalización es la convivencia cercana de muchos modos de vida sin instrumentos conceptuales y políticos que propicien su coexistencia, conduce al fundamentalismo y la exclusión, acentúa el racismo y multiplica los riesgos de "limpiezas" étnicas o nacionales. Esto depende, asimismo, de las etapas y modos de desarrollo económico. El reordenamiento globalizador condiciona de maneras diferentes el tratamiento de los otros en países con desarrollo sostenido y plena ocupación o en los que llevan décadas con inestabilidad económica, alta inflación y desempleo. Necesitamos analizar cómo operan estas disyuntivas culturales, políticas y económicas en relación con los principales modelos de multi e interculturalidad manejados en la interacción Europa-América Latina-Estados Unidos.

LA MULTICULTURALIDAD INTRADUCIBLE

Así como en otro tiempo la modernidad de origen europeo tendió a igualar a todos los hombres bajo la denominación abstracta de ciudadanos, hoy existe la tentación de imaginar que la globalización va a unificarnos y volvernos semejantes. De este modo, se pretenden borrar los desafíos que colocan en esta etapa las discrepancias culturales y las políticas que las gestionan. Para hacernos cargo de estos retos, propongo el camino inverso: tomaré algunas fórmulas clave usadas en ciertas sociedades para intentar resolver las diferencias, y voy a indagar qué significa que esas fórmulas no tengan equivalente lingüístico en otras culturas, o les dan otro distinto.

Primera pregunta: ¿por qué en inglés no existe la palabra *mestizo*? Segunda: ¿por qué los franceses traducen *affirmative action* como *discrimination positive*? Tercera: ¿por qué en los países latinoamericanos son poco usuales las identidades con guión (italo-americano, afro-americano)? Luego de responder a estas cuestiones, indagaremos si sociedades con tales diferencias, intraducibles, pueden ponerse de acuerdo para compartir relaciones sociales y establecer formas consensuadas de ciudadanía.

a) Mientras en francés, español y portugés las palabras *métis*, *mestizo* y *mestiço* tienen un uso extendido, en inglés no existe un término equivalente. Textos de antropólogos e historiadores que se ocupan de otras sociedades incorporan la palabra en francés o español como una licencia necesaria para referirse a los demás. El diccionario de Oxford la incluye como sinónimo de *half-caste* si uno se va a referir a españoles o portugueses. También pueden aparecer *miscegenation*, *half-brees*, *mixed-blood*, generalmente con sentido despectivo. Algunos antropólogos y lingüistas (Laplantine y Nouss, 1997) emplean *creolization* para designar las mezclas interculturales, palabra que alude a la lengua y la cultura creadas por variaciones a partir de la lengua básica y otros idiomas en el contexto del tráfico de esclavos. Se aplica a las mezclas que el francés ha tenido en América y el Caribe (Haití, Guadalupe, Martinica) y en el océano Índico (las islas Reunión y Mauricio), o el portugués en África (Guinea, Cabo Verde), en el Caribe (Curazao) y Asia (India, Sri Lanka). Dado que la creolización presenta tensiones paradigmáticas entre oralidad y escritura, sectores cultos y populares, centro y periferia, en un *continuum* de diversidad, Ulf Hannerz sugiere extender su uso en el ámbito transnacional para denominar "procesos de confluencia cultural" caracterizados "por la desigualdad de poder, prestigio y recursos materiales" (Hannerz, 1997).

Encuentro la ausencia de la palabra mestizo, con sus posibilidades de designar mezclas en sentido positivo, hoy frecuente en las lenguas latinas, un síntoma del modo en que se tratan en inglés estos asuntos. Es conveniente diferenciar la metáfora del *melting pot* usada en Estados Unidos, que implica purificación y destilación para crear una nueva identidad sólo con las razas de origen europeo, y la idea de "nación multicultural" preferida en Canadá, donde "cultura es a menudo un eufemismo de raza" y los diferentes grupos son integrados dentro de la sociedad (Chanady, 1997).

En Estados Unidos las identidades tienden a esencializarse, la heterogeneidad multicultural es concebida como separatismo y dispersión entre grupos étnicos para los cuales la pertenencia comunitaria se ha vuelto la principal garantía de los derechos individuales. Se piensa y actúa como miembro de una minoría (afroamericano, o chicano, o puertorriqueño) y en tanto se tiene derecho a afirmar la diferencia en la lengua, en las cuotas para obtener empleos y recibir servicios, o asegurarse un espacio en las universidades y en las agencias gubernamentales. Esta "acción afirmativa" ha servido para corregir y compensar formas institucionalizadas de discriminación que condujeron a desigualdades crónicas. Pero mediante un procedimiento que hace predominar grupos a los cuales se pertenece por nacimiento, por el peso de la biología y de la historia, sobre los grupos de elección y sobre las mezclas, es decir, sobre el mestizaje.

De acuerdo con Peter McLaren, conviene distinguir entre un multiculturalismo conservador, otro liberal y otro liberal de izquierda. Para el primero, el separatismo entre las etnias se halla subordinado a la hegemonía de los WASP y su canon que estipula lo que se debe leer y aprender para ser culturalmente correctos. El multiculturalismo liberal postula la igualdad natural y la equivalencia cognitiva entre razas, en tanto el de izquierda explica las violaciones de esa igualdad por el acceso inequitativo a los bienes y a las oportunidades sociales. Pero sólo unos pocos autores, entre ellos McLaren, sostienen la necesidad de "legitimar múltiples tradiciones de conocimiento" a la vez, y hacer predominar las construcciones solidarias sobre las reivindicaciones de cada grupo. Por eso, pensadores como Michael Walzer expresan su preocupación porque "el conflicto agudo hoy en la vida norteamericana no opone el multiculturalismo a alguna hegemonía o singularidad", a "una identidad norteamericana vigorosa e independiente", sino "la multitud de grupos a la multitud de individuos... Todas las voces son fuertes, las entonaciones son variadas y el resultado no es una música armoniosa –contrariamente a la antigua imagen del pluralismo como sinfonía en la cual cada grupo toca su parte (pero ¿quién escribió la música?)– sino una cacofonía" (Walzer, 1995: 109 y 105).

En los últimos años, varios autores chicanos, latinos y feministas han propuesto lo que Peter McLaren denomina "multiculturalismo crítico", que consiste en considerar las diferencias en relación y no como identidades separadas. Las "culturas fronterizas", como las que se forman en las ciudades limítrofes entre dos países y en las escuelas donde conviven hijos de inmigrantes de diversas nacionalidades, mostrarían la utilidad de concebir la experiencia étnica en forma relacional. Se formaría así una nueva conciencia de *mestizaje*, que no sería "simplemente una doctrina de identidad basada en el *bricolage* cultural o una forma de subjetividad extravagante sino una práctica crítica de negociación cultural y traducción que intenta trascender las contradicciones del pensamiento dualista occidental". La crítica a la cultura dominante, en vez de ser hecha desde cada grupo, sería una "resistencia multicultural" (McLaren, 1994: 67).

La objeción más fuerte al multiculturalismo proviene de autores como Nancy Fraser, que lo cuestionan por haber reducido el conflicto político a la lucha por el reordenamiento de las diferencias de etnia, nación y género, olvidando la injusticia económica, la explotación y la consiguiente necesidad de redistribuir los ingresos. De ahí el énfasis culturalista en los estudios sobre las diferencias y la dedicación de la política a revaluar las identidades irrespetadas y los productos culturales menospreciados. La construcción de un nuevo proyecto emancipatorio debe juntar las políticas culturales de reconocimiento y las políticas sociales de redistribución, la cultura con la economía (Fraser, 1997). Cabe agregar que la exportación del multiculturalismo estadounidense ha encontrado eco en Europa y América Latina en el momento en que el declive de la crítica socialista al capitalismo contribuyó a desvalorizar las exigencias redistributivas.

b) Cuando los estadounidenses hablan de *affirmative action* para referirse a las políticas que buscan contrarrestar las desigualdades y discriminaciones estructurales favoreciendo a grupos minoritarios, los franceses traducen *discrimination positive*. ¿Por qué introducir la noción de discriminación en acciones destinadas a evitarlas? ¿Qué ha impulsado a los herederos del racionalismo cartesiano a instituir la paradoja de que una discriminación (palabra que connota negatividad) sea calificada como positiva? Usar "el sintagma discriminación positiva es, por sí mismo, una crítica implicita, pues el apareamiento de dos términos contradictorios produce un efecto de pura y simple acumulación de sentido o un efecto semántico de antinomia, si no de absurdo" (De Rudder y Poiret 1999: 397).

En Francia las leyes se refieren al individuo en tanto ciudadano universal, vinculado al Estado-nación laico y con independencia de cualquier privilegio que pudiera derivar de su religión, etnia o sexo. Los comportamientos surgidos de estas diferencias tienen derecho a manifestarse en la vida privada, pero no conceden beneficios adicionales. El derecho francés no prevé recursos para corregir discriminaciones o desigualdades sobre la base de la pertenencia a grupos, ni como compensación por injusticias del pasado.

Al menos ésta fue la situación en el tiempo del Estado benefactor, que estableció un compromiso histórico entre diferentes, entre burguesía y trabajadores, hombres y mujeres, nacidos en distintas regiones, y proporcionaba a todos accesos básicos a los bienes y seguridad (social) en tanto ciudadanos franceses. Pero la apertura de las fronteras para la unificación política y económica europea, y la llegada masiva de migrantes europeos, africanos y latinoamericanos han vuelto inciertos los modos de imaginar lo nacional, lo regional y lo universal. ¿Será la comunidad europea de ciudadanos una adición de comunidades nacionales preexistentes? En tal caso, esta ampliación, ¿se basa en una comunidad histórica de cultura o en un nuevo contrato entre europeos, que excluye a quienes no lo son? ¿Dónde queda, entonces, su pretensión de universalidad? Las nuevas condiciones de la ciudadanía no pueden resolverse, dice Etienne Balibar, con un tratamiento jurídico puramente normativo, ni mediante un tratamiento deductivo a partir de un concepto preexistente de la ciudadanía y del ciudadano (Balibar, 1998: 43).

Además de estos cambios históricos, la difusión de los debates estadounidenses y canadienses en Francia y otros países europeos está haciendo reflexionar sobre la insuficiencia del principio de igualdad de derechos y la incapacidad de las instituciones para otorgar realmente accesos parejos a los bienes y servicios, así como para evitar el racismo. El aumento de inmigrantes africanos y latinoamericanos acentuó la etnización de las relaciones sociales en Europa. Aunque las leyes proscriban la discriminación, se intensifican la segregación residencial y escolar, las acciones subrepticias o no tan ocultas en la vida cotidiana, que colocan entre signos de interrogación las pretensiones igualitarias e integradoras. El crecimiento de movimientos y partidos xenófobos en Francia, Italia y Alemania es la expresión más inquietante de este proceso.

Varios autores y movimientos sociales europeos señalan que los inconvenientes de las políticas diferencialistas y de representación identitaria son mayores que sus ventajas. Se conspira contra la posibilidad de igualdad democrática cuando la sociedad "deviene el terreno de confrontación de intereses particulares, en lugar de ser el de la búsqueda de un interés general" (Todorov, 1995: 96). En cierto modo, encontramos razonable la profundización filosófica de esta crítica al multiculturalismo norteamericano hecha por Paul Ricoeur cuando sugiere cambiar el énfasis sobre la identidad a una política de reconocimiento. "En la noción de identidad hay solamente la idea de lo mismo, en tanto reconocimiento es un concepto que integra directamente la alteridad, que permite una dialéctica de lo mismo y de lo otro. La reivindicación de la identidad tiene siempre algo de violento respecto del otro. Al contrario, la búsqueda del reconocimiento implica la reciprocidad" (Ricoeur, 1995: 96).

Sin embargo, la nueva conflictividad social induce a otros autores a admitir que "la lección del multiculturalismo norteamericano es la de integrarse sobre las condiciones de un espacio político apropiado para acoger la diversidad de las culturas" (Mongin, 1995: 86). Del mismo modo, otros miembros del grupo de la revista *Esprit* y algunos especialistas en migración mencionados dicen que el reconocimiento específico de cada etnia o grupo puede ser, más que una discriminación, el punto de partida de una reformulación intelectual y política del Estado y de una ciudadanía transnacional que valore la diferencia y la disidencia. Las cuestiones de la migración y de los extranjeros no resolubles con el ordenamiento clásico del sistema republicano son vistas, entonces, como resortes del avance democrático y de la oposición a los movimientos neofascistas que resisten

la globalización (Balibar, 1998; Wieviorka, 1998). Sin tener aquí la posibilidad de describir en su riqueza el debate teórico y la variedad de políticas
multiculturales ensayadas en distintos países europeos (Beck, 1998; Habermas, 1999; Rex, 1998), me interesa destacar que la complejidad reciente de
la cuestión y su apertura al pensamiento de otras regiones está haciendo repensar la tradición liberal, los derechos de las minorías y las condiciones de
una gobernabilidad pluralista.

c) En América Latina, las relaciones entre cultura y heterogeneidad se
desenvolvieron de otro modo. Por una parte, los países latinoamericanos
tienen, como Estados Unidos y Canadá, un pasado colonial, y como ellos
han sido formados por migraciones masivas que llevaron a la convivencia
a grupos étnicos diversos. También pueden verse analogías entre la noción
de *melting pot* estadounidense, la metáfora del "crisol de razas" usada en
Argentina y otras naciones hispanoamericanas, y la del *cadinho de raças*
empleada en Brasil. Pero los imaginarios discursivos y las formas de institucionalización de estas metáforas difieren.

Ya las fórmulas "nuestra América mestiza" en José Martí y "raza cósmica" en José Vasconcelos buscaban una integración de la herencia indígena que ellos mismos diferenciaron de lo que ocurría en "la América rubia",
blanqueada, de Estados Unidos. Aun cuando Domingo Faustino Sarmiento y otros liberales argentinos y uruguayos dieron preferencia a pobladio-
res de origen europeo, hubo en estos países mayor disposición social y
más variedad de estrategias político-culturales para hacer posible que la
heterogeneidad se resolviera con mestizajes. Mientras en Estados Unidos
los negros fueron mantenidos primero como esclavos y luego segregados
en barrios, escuelas y otros espacios públicos, y los indígenas marginados
en reservaciones, en los países latinoamericanos el exterminio y el arrinco-
namiento de negros e indios coexistió con políticas de mestizaje desde el
siglo XIX y con un reconocimiento (desigual) de su ciudadanía, que llegó
a la exaltación simbólica de su patrimonio en el indigenismo mexicano.
Racismo hubo en todas partes, pero las alternativas al racismo deben ser
diferenciadas, como anota Amaryll Chanady en su análisis comparativo
de las Américas. Mientras en Estados Unidos el mestizaje y la hibridación
han sido vistos predominantemente como escándalo, en los países latinoamericanos y caribeños, junto a las políticas y actitudes cotidianas discrimi-
nadoras, existe en amplios sectores una valoración positiva de las mezclas
como impulso a la modernización y la creatividad cultural.

Lo que podría llamarse el canon en las culturas latinoamericanas debe
históricamente más a Europa que a Estados Unidos y a nuestras culturas
autóctonas, pero a lo largo del siglo XX combina influencias de diferentes
países europeos y las vincula de un modo heterodoxo formando tradiciones nacionales. Escritores como Octavio Paz y Julio Cortázar, artistas plásticos como Anita Malfatti, Antonio Berni y muchos otros citan en sus obras

a artistas europeos y de Estados Unidos que se desconocen entre sí, pero que creadores de países periféricos, como decía Borges, "podemos manejar" y combinar "sin supersticiones", con "irreverencia". Otras líneas estéticas importantes, desde José María Arguedas, los modernistas brasileños y los muralistas mexicanos, construyeron narrativas de nuestras sociedades en las cuales, al retomar la modernidad europea, buscaban el lugar y la legitimidad posible de las culturas nativas.

Si bien el cosmopolitismo es más frecuente en la cultura de élite, también en la música y la plástica populares hallamos apropiaciones híbridas de los repertorios metropolitanos y utilizaciones críticas en relación con necesidades locales. Ya se ha estudiado la notable ductilidad de los migrantes y otros sectores populares: artesanos que adaptan sus objetos e imágenes para seducir a consumidores urbanos, campesinos que reconvierten sus habilidades y saberes a fin de insertarse en fábricas, movimientos indígenas que adaptan sus demandas tradicionales para situarlas en discursos transnacionales sobre derechos humanos y ecología (De Grandis, 1995; García Canclini, 1990; Gruzinski, 1999).

Además, las sociedades modernas de América Latina no se formaron con el modelo de las pertenencias étnico-comunitarias, porque en muchos países las voluminosas migraciones extranjeras se fusionaron rápidamente en las nuevas naciones. El paradigma de estas integraciones fue la idea laica de república, pero a la vez con una apertura simultánea a las modulaciones que ese modelo francés fue adquiriendo en otras culturas europeas y los procesos históricos latinoamericanos.

Esta historia diferente de Estados Unidos hace que no predomine en América Latina la tendencia a resolver los conflictos multiculturales mediante políticas de acción afirmativa. Las desigualdades en los procesos de integración nacional engendraron también aquí fundamentalismos nacionalistas y etnicistas, que promueven autoafirmaciones excluyentes –absolutizan un solo patrimonio cultural, que ilusoriamente se cree puro– para resistir el mestizaje. Hay analogías entre el énfasis separatista, basado en la autoestima como clave para la reivindicación de los derechos de las minorías en Estados Unidos, y movimientos indígenas y nacionalistas latinoamericanos que interpretan maniqueamente la historia colocando todas las virtudes del propio lado y atribuyendo las deficiencias de desarrollo a los demás. Sin embargo, no fue la tendencia prevaleciente en nuestra historia política. Menos aún en este tiempo de globalización que vuelve más evidente la constitución híbrida de las identidades étnicas y nacionales, la interdependencia asimétrica, desigual, pero insoslayable en medio de la cual deben defenderse los derechos de cada grupo. De todas maneras, las investigaciones históricas y los estudios culturales y antropológicos recientes exigen no hablar de América Latina en bloque, como una totalidad homogénea. Vamos a considerar tres modos diversos de elaborar las diferencias y construir la nación: Argentina, México y Brasil.

Podemos extender a otros países de América Latina la afirmación que Beatriz Sarlo hizo para los argentinos: "ignoramos lo que significan las identidades con guión (es decir, la forma de las identidades en Estados Unidos: ítalo-americano, polaco-americano, afro-americano)" (Sarlo, 1999: 19). Pero trataré de demostrar que eso es así por distintas razones en cada país.

Si en Argentina no se acostumbra a pensar las identidades compuestas, con guiones, es porque un compacto sistema económico, político y militar formó una nación en la que los indios fueron casi exterminados y millones de españoles, italianos, rusos, judíos, sirios y libaneses fueron "remodelados" étnicamente mediante la educación masiva. Se sustituyó a la población nativa por migrantes europeos y se homogeneizó una "nación blanca" mediante la enérgica descaracterización de las diferencias (Quijada 1998b). Sarlo le asigna importancia en esta tarea a la escuela pública: "sostuvo un ideal uniformizador y lo impuso de modo muchas veces autoritario y cargado de prejuicios. Acá no existe la idea de la nacionalidad sintética: si es argentino de origen italiano, no es ítalo-argentino. Se perdió la gama completa de las diversidades culturales. También es cierto que para centenares de miles de hijos de inmigrantes, ese origen no significó un obstáculo particular para su desarrollo en la sociedad civil y en la política, donde sus padres fueron señalados como extranjeros pero ellos reconocidos como típicamente argentinos. La escuela estatal, violenta unificadora, autoritaria, formó parte de la escena donde los hijos de extranjeros se convirtieron a toda velocidad en argentinos típicos" (Sarlo, 1999: 19).

La visión antropológica de Rita Laura Segato coincide con el uso de la violencia señalado por Sarlo, pero su valoración es menos positiva. Ella habla del "terror étnico", "del pánico a la diversidad, y éste fue, en verdad, el berretín argentino, y la vigilancia cultural pasó por mecanismos institucionales, oficiales, desde ir al colegio todos de blanco, prohibir el quechua y el guaraní donde todavía lo hablaban y por estrategias informales de vigilancia: la burla del acento, por ejemplo, aterrorizando a generaciones enteras de italianos y gallegos, que tuvieron que refrenarse y vigilarse para no hablar mal" (Mateu y Spiguel, 1997).

La nación argentina, afirma esta autora, "se construyó instituyéndose como la gran antagonista de las minorías" (Segato, 1998: 17). Admite que haber conformado una nación homogénea sirvió para controlar a los grupos hegemónicos (agregaría que en algunos períodos) y establecer "una dosis respetable de ciudadanía si la comparamos con otros países de América Latina". Pero también atribuye a esa homogeneidad de acentos, de gestualidad, en las maneras de vestirse y pensar, el haber estructurado un autoritarismo político y cultural: "la sociedad fue entrenada para vigilarse, en la escuela, en el servicio militar, en los hospitales... para controlar al otro, para que no sea diferente" (Mateu y Spiguel, 1997: 41 y 44).

En México, en cambio, la población indígena fue subordinada al proyecto nacional criollo y de modernización occidental, pero admitiendo un mestizaje en el que sobrevivieron relaciones sociales y productos culturales indígenas con posibilidades limitadas de reproducción. Las migraciones europeas menos numerosas, como vimos antes, que en otros países latinoamericanos facilitaron una integración binaria entre españoles y aborígenes, más duradera, más eficaz desde el punto de vista de los grupos hegemónicos, aunque sin eliminar contradicciones que subsisten hasta nuestros días. Los movimientos indígenas, que aumentaron su cuestionamiento al orden nacional en años recientes, son una clara evidencia de lo que ha quedado social, política y culturalmente irresuelto en el mestizaje.

La política pluricultural del México posrevolucionario diferencia a este país de otros de América Latina, incluso de los que cuentan con alta población indígena (Bolivia, Perú, Guatemala), y también del papel de los indios y los negros en Estados Unidos. Como explica Claudio Lomnitz, "aunque tanto 'el negro americano' como 'el indio mexicano' fueron el otro de la normatividad ciudadana de sus respectivos países, el indio en México fue ubicado como el sujeto mismo de la nacionalidad, sujeto que sería transformado por la educación y por la mezcla racial". Es sintomática la comparación hecha por este autor entre el papel de la antropología en ambos países, que puede distinguirse desde las concepciones manejadas por los fundadores, Franz Boas en Estados Unidos y su discípulo Manuel Gamio en México. Boas criticó el racismo estadounidense y propugnó el relativismo para defender el pluralismo racial y el buen trato a los migrantes; Gamio usó una argumentación semejante a fin de "coronar al mestizo como protagonista de la nacionalidad mexicana" y "legitimar una nueva definición racial de la nacionalidad" (Lomnitz, 1999: 88). Todo esto ha sufrido replanteamientos o críticas radicales en los últimos años, que abarcan desde el papel de la insuficiente multiculturalidad escolar hasta reformas a la legislación y conflictos regionales aún por resolverse (Arizpe, 1996; Bartolomé, 1997; Bartra, 1987, Bonfil, 1990). Al debate y la reformulación interna, se agrega la necesidad de reconsiderar culturalmente la nación en medio de los procesos de libre comercio y mayor integración económica con Estados Unidos (Lomnitz, 1999; Valenzuela, 1999; Zermeño, 1996), de los que me ocuparé más adelante.

En contraste con los casos anteriores, Brasil presenta una sociedad nacional más disponible a la hibridación. Sin negar sus enormes desigualdades, fracturas de clase y regionales, los antropólogos destacan las interpenetraciones múltiples que existen entre los contingentes migratorios que formaron ese país. A veces los líderes políticos y culturales hablan de sus ancestros africanos o indígenas, y ven las afiliaciones étnicas como algo voluntarista, que puede mezclarse. La cultura africana impregna de manera "difusa y envolvente" (Segato, 1998) al conjunto de la sociedad, como lo demuestran la convocatoria transétnica y transclasista del carnaval (Da Matta, 1980); la ubicuidad, en todos los segmentos sociales, de la idea de la posesión de los espíritus, proveniente de la tradición afrocaribeña y reforzada al sincretizarse con el espiritismo europeo. Muchos componentes étnicos, a través de prácticas lúdicas y rituales, y también mediante políticas culturales, se introducen en el patrimonio de otros grupos y pasan a formar parte de su horizonte. Sin perder su idiosincrasia, las identidades son menos monolíticas. La centralidad de la posesión por espíritus, como "experiencia fundante y común de la sociedad brasileña, podría ser considerada una metáfora" del "dejarse habitar por el otro", aunque reconociéndolo como otro (Segato, 1998: 15-16).

Mientras en Estados Unidos las identidades suelen ser unidades autónomas, que vuelven difícil la negociación de un individuo con varias pertenencias, en Brasil el sujeto preserva para sí la posibilidad de distintas afiliaciones, puede circular entre identidades y mezclarlas. De tal modo, cada una de las culturas en contacto se mantiene como contexto para el grupo y al mismo tiempo logra "impregnar" a otros, "tener un potencial de convocatoria o, simplemente, hacerse presente en una parcela mayor de la población". "Se preserva, así, la dimensión referencial de la cultura, pero se pierde, en buena medida, la concepción emblemática territorializada, esencial, de la etnia como parcela de la nación. Se gana, indudablemente, la interrelación profunda, la identificación, la convivialidad posible entre los segmentos diversos de la población" (Segato, 1998: 14).

CIRCUITOS INTERCULTURALES

Cuando la globalización impulsa a interactuar a europeos, estadounidenses y latinoamericanos, se revela la baja compatibilidad entre sus maneras de tratar la diferencia. La falta de coincidencia internacional en los derechos reconocidos coloca en situaciones "esquizofrénicas" a los migrantes formados en una región, que trabajan en otra. ¿Cómo llamar a los otros, hacer acuerdos de intercambio en que todos entiendan lo mismo o algo equivalente, traducible, cuando se habla de derechos y responsabilidades? Es, en síntesis, el problema de construir una esfera pública transnacional donde las concepciones culturales no sean políticamente inconmensurables.

Se trata de un problema de política sociocultural y, podríamos decir, de gestión de la subjetividad. Un ejemplo de cómo ordenar en uno mismo las identidades y transitar entre ellas es el de Tzvetan Todorov. Nació en Bulgaria, donde recibió su formación básica y vivió en el terror ideológico y político; emigró y luego se volvió ciudadano en Francia, donde desarrolló su carrera académica y explica haber descubierto la democracia; finalmente, en las últimas tres décadas va como profesor visitante, unos meses cada año, a universidades estadounidenses, esos campus aislados, "monasterios laicos", donde dice que se sabe y se habla más de "las querellas escolásticas o personales que en otros monasterios" (Todorov, 1996: 202) que de la vida en las ciudades. Quien atraviesa primero cierta deculturación, luego la aculturación y por fin la transculturación no deja de ser nunca un "hombre desarraigado" (título de su libro), alguien que ya no puede ser enteramente búlgaro, ni francés, ni estadounidense, si es que tal completud es realizable. Por eso mismo, no cree "en las virtudes del nomadismo sistemático" (Todorov, 1996: 25). La ganancia, asegura, consiste en aprender a distinguir mejor lo real de lo ideal, la cultura de la naturaleza, lo relativo y lo absoluto. Este aprendizaje, según Todorov, aleja tanto del relativismo del "todo vale" como del maniqueísmo del negro y el blanco. Ante la necesidad de diferenciar los modos de llamar a los otros sin confundirlos, ni oponerlos por buscar en todas partes lo mismo, encuentra compatriotas en Bulgaria, conciudadanos en Francia y colegas en Estados Unidos.

Desde que leí esta clasificación me sorprendió que alguien pueda tener tan bien ordenado dónde consigue sus compatriotas, sus conciudadanos y sus colegas. Otros intelectuales, en Francia mismo, piensan que las escisiones de la migración no se resuelven tan cómodamente, y más bien se acentúan en medio de la globalización de la economía, la desregulación de áreas enteras de la vida social y el retroceso en los derechos de los extranjeros. En el sentido más amplio de la ciudadanía, dice Etienne Balibar, como "derecho a la palabra en el espacio público", comprobamos que tiende a desaparecer o a replegarse en Europa bajo políticas de "*lobby* comunitario", en las que se delimita un espacio europeo legítimo y se excluye la voz de los no europeos. Algunos pensadores reubican su experiencia personal a través del análisis político de la condición de los migrantes y de las luchas sociales transnacionales (Maalouf, 1999), con propuestas innovadoras sobre los conflictos en fronteras. A su vez, los antropólogos que estudian migraciones interculturales diferencian las experiencias de desarraigo de científicos o intelectuales de las de otros grupos sociales con distintas oportunidades de trabajo, reconocimiento y, por tanto, de integración.

Se advierte así una primera dificultad para generalizar la condición de los migrantes. Hay problemas comparables: el extrañamiento, la costosa adquisición de derechos en la nueva sociedad, la escisión entre formas de pertenencia cultural, jurídico-política y laboral. Pero las maneras de resolver cada una y articularlas varía. Quizá la diferencia fundamental en esta época es que es fácil desterritorializarse por períodos cortos (como empleados de una transnacional, como turistas), y entonces el nomadismo, dichoso y electivo, puede ser usado como la ideología justificadora de la globalización. En cambio, la condición de trabajador es la que revela en forma más radical lo que significa ser extranjero. Y también aquella en que el trabajo es considerado más seriamente como un valor.

Tampoco es fácil agrupar las variaciones que se manifiestan entre los migrantes de una misma nacionalidad, ni en un mismo país de adopción, ni en una sola ciudad de ese país. "Los inmigrantes brasileños en San Francisco son una abstracción", afirma Gustavo Lins Ribeiro. De acuerdo con una clasificación aplicable a otros grupos latinoamericanos desplazados a Europa, a Estados Unidos y a migrantes de otras regiones, este autor distingue tres sectores: a) quienes, debido a sus objetivos económicos de corto plazo, definen como temporal su permanencia en Estados Unidos; b) los que hacen su proyecto en este país; c) los transmigrantes, que reproducen sus vidas, sus intereses y redes sociales, en las dos naciones. Las narrativas que enlazan un país con otro serán coherentes con la opción que se elija. Para quienes únicamente se interesan por trabajar en Estados Unidos, esa sociedad "sólo sirve para ganar dinero", sus habitantes son "infelices", en tanto Brasil "es el mejor país del mundo". Pero quienes ven en la sociedad estadounidense "la tierra de las oportunidades", juzgan a Brasil –como otros a México, Argentina o Colombia– un país descompuesto, sin salida, que desaprovecha sus recursos (Ribeiro, 1998b: 3-4).

Las diferencias en la valoración de Estados Unidos cambian menos según la nacionalidad de origen que por la precariedad o estabilidad de los empleos y por la condición legal. Entre los 15.000 brasileños que habitan el área de San Francisco, como entre los 4 millones de mexicanos que viven en California, se aprecian visiones coincidentes según su situación laboral. Es común que ambos grupos definan sus ocupaciones como "subempleos", ya sea por las actividades de servicio desempeñadas (empleadas domésticas, meseros, choferes), por la falta de documentación que legalice su trabajo o por la inestabilidad de éste. También contribuye a que no se sientan ciudadanos, o lo experimenten de otro modo, la inexistencia en Estados Unidos de documento de identidad –habitual en los países latinoamericanos– y por supuesto la discriminación sufrida aun cuando cuentan con *Green Card, Social Security Number* y licencia para conducir, los tres documentos que sirven a los estadounidenses para identificarse.

Es lógico que esta condición vulnerable o incierta impulse a mantener lazos intensos y frecuentes con los connacionales en el nuevo país y con el de origen. Las dificultades para integrarse a la sociedad receptora fomentan redes de solidaridad, lugares emblemáticos de encuentro y diversión (parques, restaurantes, bares y clubes). Intensifican la participación religiosa, el fervor deportivo y otros rituales en los que puedan re-imaginar la comunidad perdida, lejana, hablar la propia lengua y sentirse protegidos.

Los restaurantes mexicanos, brasileños, cubanos y argentinos, y las academias de baile de esos países, además de reproducir las costumbres y la sociabilidad, generan empleos y permiten a algunas familias obtener prosperidad.

Al mismo tiempo, se mira hacia el país de origen. Estar pendiente de lo que sigue ocurriendo en el lugar de donde se migró fue una necesidad de los desterrados en otros tiempos, pero las comunicaciones rápidas entre países alejados vuelven ahora más fluida e intensa la interconexión. Por supuesto, la proximidad geográfica facilita aún más la información y ayuda recíproca que vinculan a miembros migrantes de una misma familia o un mismo pueblo con los que se quedan, a través de los viajes de unos y otros, de "los miembros circulantes" y las comunicaciones telefónicas. Es obvio que los 7.000 millones de dólares enviados cada año por trabajadores mexicanos desde Estados Unidos a sus familias en Oaxaca, Michoacán, Guanajuato, Jalisco, Guerrero y Zacatecas, además de contribuir a sostener la economía de esas regiones, van asociados a la transmisión de informaciones y gustos, influyen sobre el lenguaje y la alimentación, los entretenimientos y la moda.

Así como Dallas es un centro de conexiones aéreas para todo Estados Unidos, también es un distribuidor de personas e informaciones, remesas de dinero y mercancías: desde y hacia Chicago, California, Houston y Florida del lado norte de la frontera, y hacia Ocampo, municipio colindante con los estados de Jalisco y Zacatecas, de donde se reenvía de todo a otras regiones de México. Los enlaces son casi diarios, con camionetas de diez o veinte lugares que transportan correo, mercancías y los pedidos más variados. Laurent Faret relata que quienes viven en Dallas utilizan servicios de personas de Ocampo para operaciones que se podrían hacer en Dallas (costuras, refacciones), aun cuando las diferencias de costo no ofrezcan grandes ventajas. Se puede discutir si denominar a estos circuitos "campo migratorio" (Simon, 1999), "territorio circulatorio" (Tarrius, 1993) o "comunidades transnacionales" (Rouse, 1991), pero no hay duda de que los centenares de pueblos y ciudades con alto número de migrantes son comunidades abiertas, con un horizonte que no se cierra dentro del propio país. A veces, ni siquiera dentro de la propia etnia. Las redes no sólo enlazan a mixtecos de Oaxaca con los de California, a purépechas de Michoacán con los de Redwood City. A menudo, la necesidad de aunar fuerzas en las comunicaciones, en el trabajo y para presentarse ante los otros (los estadounidenses) convierte a dos o tres grupos étnicos en "mexicanos". Hasta se inventan comunidades brasileño-mexicanas, cubano-puertorriqueñas, argentino-uruguayas. Aquí sí importan los guiones: designan la integración novedosa y precaria más allá de las inercias identitarias tradicionales.

Si bien los dueños de "negocios étnicos" en Estados Unidos tienden a identificarlos con nombre nacionales –"Café do Brasil" o "Restaurante Michoacán"– no faltan ejemplos como "Taquería Goiaz", de San Francisco, fusión de goianos brasileños con mexicanos. En la sección de *appetizers* coexisten la feijoada y el churrasquinho con los nachos en guacamole y las enchiladas, la caipirinha se encuentra con el tequila (Ribeiro, 1998a: 4). A diferencia de las dificultades sostenidas por los gobiernos brasileño y mexicano para que estos productos se comercien más libremente entre ambas sociedades, o para acordar posiciones conjuntas en los mercados globales y en las negociaciones de la deuda frente a Estados Unidos, los migrantes en este país producen hibridaciones múltiples en la vida cotidiana.

No olvido las duras competencias que entorpecen una mayor cooperación entre las minorías latinoamericanas, entre éstas y los chicanos, y la casi inexistente relación con afroamericanos. Hay segregaciones cultivadas entre los propios oprimidos o subalternos. Existen, al mismo tiempo, la segregación hegemónica y las políticas de acción afirmativa que contribuyen a que las separaciones sean más poderosas que las alianzas. Pero a veces el disfrute compartido de la comida o del carnaval, de los beneficios simbólicos y también económicos que proporciona extenderse a una población más amplia, inducen la formación de comunidades multiétnicas y transnacionales. A esto se refiere Peter McLaren cuando propone que el multiculturalismo crítico testimonie no sólo el sufrimiento de las minorías sino también "las rupturas intermitentes, epifánicas, y los momentos de gozo que ocurren cuando se establece la solidaridad en las luchas por la liberación" (McLaren, 1994: 67).

Hay que decir, sin embargo, que las posibilidades de encuentro intercultural son más aprovechadas por el mercado que por las contiendas políticas. Sobre todo, por las cadenas de televisión, las productoras de espectáculos y discos, que expanden su clientela con mercancías culturales latinas. Así como las diferencias étnicas tienden a subsumirse en el mercado de trabajo bajo las identidades nacionales –en el extranjero se deja de ser zapoteca o tzotzil para convertirse en mexicano–, en el consumo lo que distingue a brasileños de mexicanos, y a ambos de colombianos o cubanos, pasa a confundirse bajo los resplandores mediáticos de la latinidad. De modo análogo a como las alianzas en el trabajo quedan subordinadas al régimen de explotación del conjunto de los migrantes, las comunidades latinas de consumidores quedan subsumidas bajo las estrategias comerciales de Sony, Polygram y MTV. Como los mexicanos pueden ser intercambiados por los haitianos o salvadoreños en tanto su fuerza de trabajo se reduce a mercancía, Raphael, José Luis Rodríguez ("El Puma") y Cristina Saralegui –aun teniendo diferencias de marca que no se permiten al migrante de a pie– existen, y podrían ser intercambiables en el futuro por equivalentes, en la medida en que son iconos de una "identidad" comercializable. La pregunta que surge en entrevistas a líderes migrantes es cómo aprovechar las alianzas y fusiones entre latinos sin diluir las diferencias de cubanos, dominicanos, mexicanos, venezolanos y otros grupos que tienen un valor cultural y político irrenunciable.

CIUDADANÍAS MULTIFORMES

Preguntaba unas páginas atrás si es posible compatibilizar los modos europeos, estadounidenses y latinoamericanos de multi e interculturalidad. No es una cuestión menor en las relaciones a mediano y largo plazo entre estas regiones saber cómo resolver las discrepancias entre el sistema republicano de derechos universales, el separatismo multicultural de Estados Unidos y las cuestionadas integraciones multiétnicas bajo el Estado-nación instauradas por los países latinoamericanos. A estos tres modelos se añade un cuarto tipo de "integración" cuando la multiculturalidad es subordinada al discurso mediático, a la organización monopólica de las industrias culturales, que hace depender de "la mayoría" del *rating* las apariciones y desapariciones de la diversidad. Esta última política de integración de consumidores atraviesa y desafía los tres modelos clásicos de ciudadanía.

Estas cuatro organizaciones del laberinto de la multiculturalidad se vuelven poco eficientes cuando se niegan a reformularse ante los retos globalizadores. Dentro de los países latinoamericanos, la homogeneidad decretada por los Estados-nación sirve poco para contener los nuevos reclamos étnicos y regionales. Tampoco la ciudadanía abstracta de las repúblicas europeas logra atender a multitudes extrañas ansiosas de compartir su prosperidad. Ni el separatismo estadounidense –aun mejorado por las críticas de la izquierda académica– ha convencido a los europeos ni a los latinoamericanos de que la acción afirmativa conduzca a una convivencia productiva. En cuanto al comunitarismo mediático panlatino, parece tener más éxito los sábados y domingos que en los días laborables.

Encuentro en el pensamiento contemporáneo dos líneas para trabajar estas divergencias en los modos de ocuparse de la multiculturalidad. La primera consiste en superar lo que podríamos llamar *las concepciones opcionales de la diferencia*. Quiero explicarlo con la claridad incisiva con que se lo escuché a Stuart Hall cuando comentó un texto en que yo hablaba de hibridación en la Universidad de Stirling, en octubre de 1996. Decía él que uno de los méritos de la hibridación es que "mina las maneras binarias de pensar la diferencia". Sin embargo, explicaba, debemos reencontrar la manera de hablar de la diferencia no "como una alteridad radical, sino como *différance*". "Mientras que una diferencia, una alteridad radical, contrapone un sistema de diferencia a otro, nosotros estamos negociando procesar una diferencia que se deslice permanentemente dentro de otra. No se puede decir dónde terminan los británicos y dónde empiezan sus colonias, dónde terminan los españoles y dónde empiezan los latinoamericanos, dónde empiezan los latinoamericanos y dónde los indígenas. Ninguno de esto grupos permanece ya dentro de sus límites. Lo que está ocurriendo es un tipo de expresión derrideana sobre el borrado de todos esos términos, y cuando decimos fronteras a lo que nos referimos principalmente es a cosas que van a través. O sea que los límites, en lugar de detener a la gente, son lugares que la gente cruza de manera constante, ilegalmente".

La otra línea consiste en recordar *lo que no se deja reducir al mestizaje ni a las hibridaciones*. O sea que todo migrante, y aun cualquiera arrancado de la "armonía" edénica local por la globalización, es un sujeto al que a la vez se le ofrece y se lo condena a hablar desde más de un lugar. Como los personajes de Arguedas que, según Antonio Cornejo Polar, no sintetizan sus experiencias en un solo discurso, sino que se fragmentan en dos lenguas (quechua y español), en dos medios de comunicación (oral y escrito), como provinciano y como limeño, la posibilidad de afirmarse como sujeto radica, en parte, en no olvidar ninguna estancia de su itinerario, en negarse a que lo priven de la libertad de hablar desde varios sitios (Cornejo Polar, 1996: 842-843). Pero, ¿es posible llamar a los otros, hacer política para superar la desigualdad, sólo desde los desgarramientos de la diferencia?

Poner en relación las estrategias globalizadoras e hibridadoras con las experiencias variadas de la interculturalidad hace visible que, por más que se forme un mercado mundial de las finanzas, de algunos bienes y algunos circuitos mediáticos, por más que avance el inglés como "lengua universal", subsisten las diferencias, y la traductibilidad entre las culturas es limitada. No imposible. Mas allá de las narrativas fáciles de la homogeneización absoluta y la resistencia de lo local, la globalización nos confronta con la posibilidad de aprehender fragmentos, nunca la totalidad, de otras culturas, y reelaborar lo que veníamos imaginando como propio en interacciones y acuerdos con otros, nunca con todos. De este modo, la oposición ya no es entre global y local, entendiendo global como subordinación general a un solo estereotipo cultural, o local como simple diferencia. La diferencia no se manifiesta como compartimentación de culturas separadas, sino como interlocución con aquellos con los que estamos en conflicto o buscamos alianzas.

El material etnográfico aquí evocado revela acercamientos y convergencias en los mundos laborales y del consumo. Aun cuando la competencia generalizada en tiempos de globalización estimula rivalidades, la solidaridad de los migrantes con otros migrantes (diferentes) y con los que se quedaron en el país nativo, los descubrimientos del atractivo de otras culturas que pueden llevar a un argentino a bailar salsa y a un mexicano a entusiasmarse con la comida peruana o brasileña, muestran posibilidades de convivencia. Más aún: de inventar y compartir recursos materiales y simbólicos. No de disolver las diferencias, sino de volverlas combinables.

Sin embargo, estas miles de experiencias cotidianas, repetidas en latitudes diversas, que están remodelando la geografía de las etnias y las naciones, encuentran poca expresión en el lugar donde se juegan los derechos: la ciudadanía. Aunque los puntos de partida y los modos de gestión de este asunto son disímiles en la Unión Europea y en los acuerdos interamericanos de libre comercio. Comunidades supranacionales formadas en los movimentos migratorios, en las alianzas artísticas y mediáticas, han ido contribuyendo en Europa a construir una ciudadanía común y un espacio cultural europeo, con financiamientos también supranacionales y programas de colaboración e intercambio. En esa ciudadanía europea, y en su espacio cultural más o menos integrado, están sólo una parte de los no europeos, y millones de "otros" son discriminados o expulsados. Centenares de africanos ahogados al tratar de llegar a Italia o cruzar el estrecho de Gibraltar, 20.000 atravesando legal o ilegalmente cada año la frontera sur de España (la mitad de los cuales es detenida) muestran que la interdependencia entre Europa y el sur del Mediterráneo o el otro lado del Atlántico está lejos de resolverse. A la luz de las políticas con los extranjeros, se dice que si la propia Unión Europea solicitara incorporarse a sí misma se la rechazaría porque no es suficientemente democrática.

A esto se agregan los tropiezos de las políticas de integración audiovisual en Europa debido al creciente control de la producción y exhibición cinematográficas, y del campo fonográfico, por parte de capitales estadounidenses. Pero al menos estas cuestiones se debaten e intentan construirse políticas para encararlas en los foros de ese continente. Existen, además, múltiples estudios sobre la factibilidad económica y los hábitos de consumo cultural que ayudan a diseñar esas políticas, de los cuales carecen la mayoría de los actores públicos en América Latina.

En las reuniones de gobernantes americanos parecen no haberse enterado de que la identidad es ahora, para millones de personas, una co-producción internacional. Tenemos acuerdos económicos transnacionales sin institucionalizar un espacio público en esa escala donde se hagan presentes los actores societales. La pretendida integración interamericana, concebida como acuerdos de *lobbies* empresariales e intergubernamentales, sin ciudadanos, deja a los migrantes sin derechos, o reduce éstos a los que quieran otorgar los Estados más poderosos a minorías seleccionadas. En cuanto a los circuitos mediáticos, quedan como simples negocios a la conquista de clientelas, mientras las comunicaciones interpersonales y societales deben desarrollarse en las redes "artesanales" de las conexiones espontáneas, marginadas o despreciadas por su escaso poder o ilegalidad. Todo lo que de las relaciones interculturales queda afuera de las negociaciones de integración hace pensar que no se trata apenas de ampliar la agenda. Es preciso reinventar la política.

Cuando ese soporte legitimador de las identidades que es la ciudadanía no se reforma para abarcar la escala supranacional de las actuales relaciones sociales, no sabemos cómo llamar a los otros. En dos sentidos: por una parte, no es posible ser llamado como lo que uno es, mazateco, mexicano o méxico-norteamericano, sobre todo si tiene las tres identidades y no le permiten desempeñarlas todas a la vez, o cada una cuando corresponde. Una cultura política y una política cultural democráticas son aquellas que no sólo admiten las diferencias, sino que crean condiciones para vivirlas en la ambigüedad.

Por otro lado, saber cómo llamar a los otros es ser capaces de nombrarlos comprendiéndolos y aceptándolos en su diferencia, en la multiplicidad de sus diferencias. Aquí se juega algo decisivo: cómo articular en una noción interamericana o supranacional de ciudadanía identidades de diversa escala, no excluyentes. Si se lograra esa condición básica, podría ser menos traumática la escisión que lleva a tener compatriotas en un lugar, conciudadanos en otro y colegas o compañeros de trabajo en un tercero. Uno de los puntos clave en que se juega el carácter –opresivo o liberador– de la globalización es si nos permite imaginarnos con varias identidades, flexibles, modulares, a veces superpuestas, y que a su vez cree condiciones para que podamos imaginar legítimas y combinables, no sólo competitivas o amenazantes, las identidades o, mejor, las culturas de los otros.

Pero sobre todo hay algo radicalmente democrático en admitir que muchas veces no sabemos cómo llamar a los otros. Es el punto de partida para escuchar cómo ellos se nombran.

II. INTERMEDIO

Capítulo 5

DESENCUENTROS ENTRE
UN ANTROPÓLOGO LATINOAMERICANO, UN SOCIÓLOGO
EUROPEO Y UNA ESPECIALISTA ESTADOUNIDENSE
EN ESTUDIOS CULTURALES

Hubo un tiempo en el que los antropólogos analizaban comunidades campesinas o un barrio urbano, los sociólogos la estructura y los cambios de cada sociedad, los críticos literarios y artísticos la cultura de una nación, y todos discutían la globalización en los congresos internacionales. Ahora también son objeto de estudio las fronteras, las migraciones intercontinentales, las empresas globalizadas, la producción y recepción de espectáculos con difusión mundial, los congresos de científicos y sus diálogos por *e-mail* entre países lejanos. Ya no se puede entender la relación de una teoría con sus condiciones sociales de producción refiriéndola simplemente a la nación o la clase o la universidad en que fue elaborada. Tomar en cuenta la vida cotidiana desde la cual los investigadores miran objetos de estudio transnacionales y reflexionan sobre ellos, requiere entender cómo nos situamos en flujos de información deslocalizados, en redes y viajes más allá del propio país, la homogeneización de las tendencias de pensamiento a nivel mundial y la reelaboración de las diferencias de cada nación, y cómo se intercambian los saberes sobre estos procesos en congresos y revistas de varias lenguas.

1

Cuando el antropólogo latinoamericano recibió la invitación para participar en un congreso en Berlín, en diciembre del 2000, sobre las relaciones entre las culturas europeas, norte y sudamericanas, pensó si tenía sentido iniciar la nueva centuria con ese tema. ¿No se había escrito todo sobre la conquista y la colonización europea, sobre el imperialismo estadounidense y las resistencias de los latinomericanos? ¿Qué balances novedosos pueden hacerse de lo que los españoles, franceses e italianos trajeron a América, sus científicos naturales, arquitectos y ferrocarriles, perfumes, prostitutas y romanticismos, escritores, viajeros, comerciantes y políticos que también acababan, a veces, convirtiéndose en escritores por el encantamiento de estas tierras? El programa del congreso reincidía en esos temas y amenazaba también con los viajeros que habían ido de un continente al otro. ¿Alguien diría algo original al reexaminar las búsquedas de

Rubén Darío y Julio Cortázar en París, de Roger Caillois en Argentina y Claude Lévi-Strauss en Brasil?

¿Y por qué Berlín? La elección de esa ciudad, no de París o Madrid, insinuaba una novedad, la aspiración de la capital alemana de convertirse no sólo en capital de Europa sino de los vínculos europeos con Estados Unidos y algunos países latinoamericanos. No le extrañaba después de tantas evidencias del papel decisivo del Deutsche Bank en las políticas económicas de la Unión Europea, habiendo visto en su último viaje que el poder cultural que tuvieron en otra época Montparnasse, luego el Barrio Latino o Londres, quedaba empequeñecido ante el centro de negocios y espectáculos que se construía en Postdamer Platz, y su entorno de museos, teatros, recitales de jazz y rock que hacían converger en Berlín a empresarios y artistas, escritores y rockeros, de todo Occidente y de algunos lugares asiáticos.

Sin embargo, aunque durante años –de los sesenta a los ochenta de este siglo que se iba– en Berlín había estado la segunda biblioteca dedicada a América Latina (la primera era la de Austin), Alemania no contaba con una tradición de estudios latinoamericanistas comparable con la desplegada en Estados Unidos. Ni Francia, ni Inglaterra, ni España, menos aún Italia, pese a los contingentes migratorios que se habían trasladado de estos países a América Latina y a los muchos exiliados y viajeros latinoamericanos recibidos en Europa. Es cierto que los berlineses tenían la sensatez de incluir en el congreso a especialistas estadounidenses. Pero, ¿viajarían a Alemania?

Lo novedoso, pensó, resultaba de que ahora la identidad de los latinoamericanos se discutiera en inglés, en alemán, y hasta en ruso o polaco, como ya se le había ocurrido cuando recibió la invitación al III Congreso de Latinoamericanistas Europeos, que iba a realizarse, también en el 2000, en Varsovia. La actual composición del mundo globalizado impedía volver al estereotipo de quienes denunciaban, en tiempos del poscolonialismo o la teoría de la dependencia, que América Latina fuera pensada desde el exterior. Tal vez estos mismos congresos descentrados, las investigaciones cruzadas hechas por argentinos y brasileños en Estados Unidos, por universidades estadounidenses en México, Guatemala y Perú, que desembocaban a veces en grupos multinacionales de investigación, y por supuesto las ponencias y cartas que van y vienen por Internet, exigen hablar –más que de espacios– de circuitos transatlánticos e interamericanos. Allí se está reformulando tanto lo que entendíamos por América, por latinidad, hegemonía y resistencia, como las maneras de hacer las preguntas.

Ya no se trata, le dice a su mujer, que se dedica a literatura comparada, del hecho de que, desde París, Asturias redescubra Guatemala, Cortázar la Argentina y Cabrera Infante desde Londres a Cuba. Está ocurriendo algo distinto de lo que se analizó innumerables veces a propósito de *Rayuela* y

Tres tristes tigres. También los sociólogos y antropólogos sienten nostalgia o *saudade* de su país en un campus de California, en Nueva York o en Berlín, y ese sentimiento distorsiona la manera de seleccionar e interpretar los datos cuando escriben su tesis sobre el empresariado nacional en Argentina o el desastre ecológico de la Amazonia. No es sólo cuestión de si esa distancia permite ver mejor el país de origen, ser menos o más argentino, brasileño o guatemalteco. Él creía que su mujer lo escuchaba a medias porque seguía contestando *e-mails*, pero ella responde: "¿No te parece que lo que se entendía por distancia ha cambiado?".

2

Cuando el sociólogo español, que había hecho su doctorado en París, recibió la invitación para el congreso de Berlín, notó que la fecha coincidía con el curso que se había comprometido a dictar en San Pablo. ¿Iría a Sudamérica justo cuando varios centenares de latinoamericanos iban a venir a Europa, incluidos algunos amigos brasileños que había hecho durante su estancia francesa? Le atraía conocer Brasil, convertirse en especialista europeo en ese país, quizá también en Argentina, y conseguir así trabajo en España. Cada año había menos plazas para quienes se dedicaban a temas europeos. Se abrían, en cambio, lugares para los que estudiaban la cultura, la economía y la sociedad de países americanos con los que la Unión Europea aumentaba su intercambio comercial. Unos años antes, después de la caída del muro de Berlín, parecía posible quedarse en el continente especializándose en los países de Europa oriental. Ante el atractivo de hacer negocios allí, giraba la mirada europea, se reducía la fascinación por América Latina, y él mismo había logrado participar en dos misiones, una de la UNESCO y otra del gobierno francés, destinadas a instruir a los rumanos sobre cómo hacer políticas culturales socialdemócratas en el capitalismo. Pero ese horizonte se había ensombrecido con las guerras yugoslavas, los desastres económicos y la desintegración social poscomunista. Aunque América Latina no era mucho más confiable, volvía a tener cierto atractivo.

En cuanto a San Pablo, los amigos que habían estado le hablaban de la calificación académica de su universidad, de la sofisticación cultural, y además su prometida visita coincidía con la famosa Bienal de Arte de esa ciudad. En verdad, más que esa megalópolis sobrepoblada, casi sin parques ni plazas, lo seducían los relatos del Brasil surreal, las playas, la música, el carnaval y los cultos afros. Bahía, Río, Ouro Preto. Más que la hipermodernidad caótica paulista, ni siquiera con la densidad histórica de México, le atraía la elocuencia del mestizaje, los contrastes y las conciliaciones irritadas que Europa ha neutralizado. Para alguien educado en una sociedad católica y franquista, si sólo tuvo oportunidad de moderar esa formación estudiando bajo el racionalismo francés, es intrigante qué quiere decir Caetano Veloso cuando canta que no hay pecado al sur del Ecuador.

Por otro lado, el congreso de Berlín parecía dominado por los estudios culturales. ¿Era por el auge de esa corriente en algunos centros europeos, o para interesar a los norteamericanos? España no daba mercado para los estudios culturales, que parecían detenerse, igual que ciertos vientos, en los Pirineos. ¿Serán una moda, como algunos colegas de Madrid piensan de la globalización, o acaso España, pese a su pretensión de servir de mediadora entre Europa y América Latina, sigue impermeable a muchas de las innovaciones intelectuales del norte?

3

La especialista estadounidense en *cultural studies* había dedicado años a desconstruir las narrativas que su país fue armando desde el siglo XIX para justificar las historias de suspicacias hacia América Latina. Descubrió que uno de los procedimientos más insistentes era la retórica de la inconmensurabilidad de los estilos de vida estadounidenses y latinoamericanos. Sin embargo, ahora piensa que los estudios culturales y la antropología posmoderna, al cuestionar cómo se produce y se comunica el saber, han debilitado la soberbia de esos relatos colonizadores y la condescendencia paternalista ante la magia de los extraños. Ahora vivimos una situación poscolonial, porque los subalternos no se dejan representar por otros, explicaba a sus alumnos que estaban aprendiendo español.

Dos hechos la hacían dudar de estos avances. Por una parte, mientras los estudios culturales van intentando leer críticamente las obras literarias como simples discursos sociales, liberándolas del misticismo esteticista, el mercado editorial consagra como representantes de América Latina las narraciones más complacientes, y algunos centros universitarios conceden reconocimiento culto a esas novelas de hechicería, a pinturas neomexicanistas o neoincaicas, impresionados por lo que creen su valor testimonial. ¿No será tiempo de escuchar a aquellos que, habiendo pasado por los afanes sociologizantes o desconstructores de los estudios culturales, y precisamente para no ceder al mercado, vuelven a interesarse por la singularidad y densidad de las exploraciones estéticas, y creen hallar ahí –más que en su fuerza testimonial– la capacidad de perturbar las certezas de lo mismo, abrirnos a lo otro y a los otros? A ella le habían contado que en una conferencia el antropólogo latinoamericano afirmó que uno de los cambios ocurridos al transitar del predominio europeo al norteamericano en la cultura era que comenzamos este siglo averiguando con las vanguardias cómo vincular el arte con la vida, y acabamos preguntándonos cómo diferenciarlo del mercado. Le parecía un poco maniquea la oposición, pero le daba para pensar.

La segunda duda le surge al ver que las tendencias globalizadoras de la economía refuerzan algunas fronteras o llevan a inventar otras. Es cierto que las discontinuidades entre Estados Unidos y América Latina se reducen bajo los acuerdos de libre comercio, las comunicaciones de tecnología avanzada y los intercambios transnacionales de migrantes. Pero así como el gobierno y la sociedad estadounidenses levantan nuevas barreras (la que más la movilizó a participar en manifestaciones de protesta fue la Ley 187 aprobada en California), las diferencias y distancias persisten entre los investigadores del norte y los del sur. Como leyó en una carta enviada a la revista de la Latin American Studies Association, los del norte no publican casi nunca "los resultados de sus investigaciones en revistas especializadas latinoamericanas o en libros en español o en portugués, o en francés, cuando se trata de investigaciones sobre Haití o involucrando poblaciones francoparlantes". A menudo, los estadounidenses "retornan a su país con información o datos de los cuales no dejan copia en los países donde los han obtenido". En tanto, los investigadores latinoamericanos raras veces publican sus trabajos en el norte, "debido a los costos que involucraría su traducción, o por falta de conocimiento de, o acceso a, las publicaciones especializadas" (Dietz y Mato, 1997: 31).

4

El antropólogo y la especialista en *cultural studies* fueron a la feria de arte ARCO, en Madrid, en febrero de 1998, pero no se encontraron, porque era más multitudinaria y tumultuosa que una reunión de LASA o de la Asociación de Antropólogos Americanos. A los dos les atrajo ver de qué modo los españoles –que en 1997 dedicaron la feria a América Latina y este año a Portugal– practicaban mediante el tráfico de obras su objetivo de convertirse en intermediarios entre los latinos rezagados y la Europa próspera. Y también trataban de disputarle a Estados Unidos el ser los *brokers* entre América Latina y el mundo. Encontraron una feria donde algunas de las principales galerías de Nueva York, París y Buenos Aires, de Alemania, Italia y México, se colocaban junto a las de todas las regiones de España y de Portugal. Vieron pinturas de Andy Warhol y Keith Haring en una galería francesa, cuadros del argentino Guillermo Kuitca en una galería mexicana de Monterrey, del mexicano Gabriel Orozco en una galería francesa, y, una de las obras que mejor se vendió, la de Juan Dávila –frisos que evocaban a la vez las imágenes del cómic y del folclor campesino conosureño del siglo XIX, enmarcados con grecas precolombinas–, presentada como la instalación de un artista chileno que produce en Australia.

No les extrañó leer en una revista el artículo de un sociólogo español, según el cual esta feria –como las de otros países europeos y como las bienales multiplicadas en América Latina durante los años noventa– expresaba la globalización y el policentrismo del mercado a los artistas que vivían fuera de sus sociedades originarias y podían ser representados por galerías de varios países. Por eso, mostraban en sus obras mucho más o algo distinto que su color nacional. Esta feria, como las bienales de San Pablo y de Venecia, y la Documenta de Kassel, decía el comentario, demuestran que hay otros focos de irradiación fuera de Nueva York, aunque esta ciudad concentre el mayor número de operaciones en la economía mundial del arte y en la administración de los gustos.

Sin embargo, pocas veces la descentralización y el desarrollo de bloques regionales conducen a una articulación equilibrada entre lo local y lo global. Con motivo de la feria de Madrid, el diario *El País* preguntó a diez artistas españoles cuál era la obra de arte que consideraban más importante o significativa de este siglo que se acaba: salvo uno, que eligió *El gran vidrio* de Marcel Duchamp, los demás mencionaron obras de Picasso, Miró, Tápies, todos españoles. ¿Qué adquieren los museos españoles cuando tienen estas mezclas interculturales en su propia casa? El Centro Gallego de Arte Contemporáneo compró, en la feria de Madrid, sobre todo pintura de Galicia, los organismos catalanes instalaciones hechas en Barcelona. Invitaron a artistas de casi todo el mundo, estimularon la presentación de obras electrónicas que viajaban desterritorializadas, pero en las adquisiciones prevaleció la complicidad con el vecino.

Al antropólogo se le ocurrió que estas combinaciones paradójicas de globalización económica y nacionalismo cultural daban material para formular preguntas que los economistas no se hacen. Pero le preocupaba que los estudios culturales, la corriente que. le parecía más capacitada para cuestionar las relaciones hegemónicas entre cultura, nación y globalización, casi no se interesasen por entender lo que el arte, la literatura y los medios significan como hechos del mercado. En esa enciclopedia que es el libro de Lawrence Grossberg, Any Nelson y Pamela Treichler, *Cultural Studies*, ni uno de sus cuarenta artículos está dedicado a la economía de la cultura; se habla de la comunicación, del consumo y la mercantilización, pero en sus 800 páginas no se encuentra casi ningún dato duro, ni gráficas, sólo tratamientos discursivos de hechos que requieren ser analizados empíricamente. Como leyó en una polémica de Nicholas Garnham con Lawrence Grossberg, el descuido de la dimensión económica tiene que ver con que los *cultural studies* se hayan dedicado mucho más al consumo, la recepción y el momento interpretativo, y muy poco a la producción y circulación de bienes simbólicos (Garnham, 1997 y Grossberg, 1997b: 37).

5

La especialista en *cultural studies*, que enseña cultura latinoamericana en una de las universidades mejor equipadas de Estados Unidos, usó la vasta biblioteca de su institución para citar en su última ponencia lo más reciente que se había publicado en América Latina. Su fervor internético le permitió comentar las declaraciones que el subcomandante Marcos realizó la semana pasada, y encuadrar todo eso en lo que Fanon aportó a la descolonización, según lo interpreta Homi Bhabha en sus últimos textos. Cuando el estudiante peruano que hace su posgrado en esa universidad resume esa ponencia de la profesora para su padre argentino que se exilió en Lima, recibe a vuelta de correo electrónico la pregunta de quién es Homi Bhabha y también la sorpresa de que la especialista en América Latina citara a ese sociólogo reciente para hablar de Fanon, incluso de que se ocupara de Fanon como novedad para entender América Latina, sin mencionar los debates hechos en Buenos Aires, en San Pablo y en México sobre ese autor en los años sesenta, cuando se lo tradujo al español, y se discutió abundantemente, demasiado, subrayaba el padre, si les servía a los latinoamericanos lo que Fanon escribió para África. Además, recordaba que en el cono sur generó interés desde que Sartre lo había citado, pero también para pensar contra la cultura que Sartre representaba. El padre iba a agregar que le gustaría que el hijo le mandara algún texto de Bhabha para saber de qué se trataba, aunque no puede hacerlo porque la luz se cortó debido al diluvio desacostumbrado para Lima –dicen que por la corriente del Niño–, y cuando la electricidad volvió ya no tenía tiempo más que para enviar el *e-mail*, el *emilia*, como le contaron que dicen los puertorriqueños, y debía salir a dar su clase en la Universidad de San Marcos. Se fue pensando qué diría Fanon de que ahora todo lo que no se explica por la corriente del Niño se explica por la globalización.

6

Seguía dudando el sociólogo español si dedicarse a Brasil en vez de estudiar algunos de los países hispanoamericanos, con los que comparte ya la lengua y muchos antecedentes culturales. Además, le había dicho un colega en Madrid, los brasileños tienen poca relación con América Latina, "ellos son la introducción a sí mismos. Se imaginan un continente autónomo".

Le parecía que lo brasileño era más lo otro de lo español que la América hispánica, y le atraía este trato con una alteridad radical, como pensando que en la antropología y en el mestizaje había salidas para algunos de los *impasses* del pensamiento sociológico. ¿No hay un anticipo de soluciones democráticas del futuro en esta capacidad demostrada por algunos sectores de las sociedades latinoamericanas de formar identidades multiculturales más allá del color de la piel?

Aunque en rigor, si se trataba de buscar la otredad más extrema y las clasificaciones más desconcertantes para un español, a donde tenía que dirigirse era a Estados Unidos. No dejaba de sorprenderlo, despúes de varios años, el uso que hacen de la palabra "*Hispanic*". Precisamente un profesor brasileño, que estuvo como *Visiting Scholar* en la Universidad de California, en Berkeley, le había contado que se negaron a registrarlo como *white* porque esa categoría se refería a "*persons having origin in any of the original peoples of Europe*". La secretaria del Departamento de Antropología le recomendó autodefinirse como *Hispanic*, ya que ese nombre incluía "*Black individuals whose origin are Hispanic*", "*Mexican/Mexican American/Chicano-Persons of Mexican culture or origin, regardles of race, Latin American/Latino-Persons of Latin American (e.g. Central American, South American, Cuban, Puerto Rican) culture or origin, regardelss of race*". Cuando el brasileño le dijo que tenía "*uma certa dificuldade en me identificar com a categoria* Hispanic, *já que o Brasil não foi colonizado por espanhois*", ella le explicó que era ventajoso ser clasificado así, pues pasaría a ser parte de una *minority* (Oliven, 1997: 235).

Todo esto le parecía una confusión, aún más extravagante aplicada en un Departamento de Antropología, pero a la vez era coherente con otras historias que le habían contado. Se acordó del relato de un sociólogo brasileño, cónsul en San Francisco, que enviaba a sus hijos a una escuela de esa ciudad. En la primera reunión de padres con la directora, les explicaron que en esa institución "sólo se podía cambiar de etnia tres veces". Era un modo de controlar los recursos usados para encontrar cupo dentro del sistema de cuotas de la *affirmative action*. Un alumno que entraba como *Hispanic*, quizás al año siguiente no pudiera permanecer en la misma escuela porque sobraban estudiantes en esa categoría. Entonces, se reinscribía como judío, y así en años siguientes, según se lo permitieran los antecedentes étnicos de sus padres o abuelos.

El sociólogo pensó que no sólo en América Latina se producen manifestaciones de realismo mágico.

7

Finalmente, la especialista estadounidense en *cultural studies* y el antropólogo latinoamericano se encontraron dos veces: una en un campus de Estados Unidos y otra en una capital de América Latina. Ambas conversaciones fueron grabadas, pero por un descuido los lugares quedaron sin anotar en los casetes, de manera que no era fácil saber cuál ocurrió en el campus y cuál en la ciudad latinoamericana. Por momentos, parece posible diferenciarlas porque en el diálogo que tal vez ocurrió en el campus, el antropólogo está ostentosamente feliz: acaba de pasar la mañana en la hemeroteca de la universidad y fotocopió decenas de artículos recientes de revistas en inglés y en español, imposibles de conseguir en su país. En cambio, en el otro casete parece reconocerse el malestar de ella, que hubiera deseado que el congreso se hiciera en una ciudad pequeña y antigua, como le prometieron al invitarla (le hablaron de Cartagena, Pátzcuaro o Tucumán), y no en esa capital tumultuosa en la que ya estuvo seis veces y que imita cada vez más torpemente los *shoppings* y el urbanismo de la clase media norteamericana.

El diálogo fue arduo, porque el antropólogo latinoamericano veía a la especialista en *cultural studies* como representante global de la cultura académica estadounidense, y ésta tuvo que explicarle las diferencias de trabajar en California o en el este, y que ni siquiera es lo mismo ser "hispano" en Los Ángeles, Miami, Nueva York o Chicago. Para la experta en *cultural studies* también fue sorprendente, pese a todo lo que había leído de estudios culturales en América Latina, descubrir en qué grado las búsquedas transdisciplinarias, el estudio de la multiculturalidad y sus vínculos con el poder tenían formatos distintos que en Estados Unidos, y a la vez diferentes en México y Perú, donde lo intercultural pasa por la presencia indígena, o en el Caribe, donde es central lo afroamericano, o en el Río de la Plata, en que el predominio de la cultura europea simuló una homogeneidad blanca. Pero ¿por qué en los estudios culturales latinoamericanos, tan cuidadosos con las diferencias regionales, indígenas y políticas, muy pocos daban suficiente espacio a las cuestiones de género?

Llegaron a admitir que no existen *la* especialista estadounidense en *cultural studies*, ni tampoco *el* antropólogo latinoamericano. Hay hombres y mujeres que trabajan en estos temas, cubanos que viven en Estados Unidos o en España, argentinos en México y en Brasil, uruguayos en Argentina y en Australia, chilenos en Alemania, estadounidenses que cambian de ciudad o de país cada cinco años, todos llevamos adentro un caballo de Troya con dos cabezas, todos dejamos cosas en La Habana, en Buenos Aires y en Santiago, incluso amigos que se quedaron a vivir allí y también saben de caballos bicéfalos. Sentimos a veces la tentación de vestirnos de troyano y tomarnos fotos junto a pirámides, campus desterritorializados, culturas subalternas o híbridas y ferias transnacionales, pero más a menudo parecemos módicas hormigas que corren de una conferencia en el barrio a un congreso internacional, a una carta de solidaridad enviada por *e-mail*.

Cuando el antropólogo expresaba su preocupación porque en Estados Unidos había más investigadores y estudiantes de doctorado haciendo tesis sobre países latinoamericanos que en toda América Latina, la especialista en *cultural studies* se preguntaba por qué los universitarios argentinos, chilenos y peruanos no se interesaban en estudiar a los norteamericanos. Si hace medio siglo que existe un proyecto de Harvard sobre Chiapas, ¿por qué apenas en esta década los mexicanos, y más recientemente los brasileños, comienzan a indagar qué pasa en esa sociedad del norte donde habitan millones de conciudadanos migrantes? Se habla de americanización, pero para muchos intelectuales de América Latina –como le oyó decir a Beatriz Sarlo– "Estados Unidos parece un modelo secreto". Quizá por eso, más que aparecer en su trabajo empírico y conceptual, irrumpe en metáforas y narrativas. Es inquietante, decía, imaginar qué saberes va a producir esta tendencia expansiva de las universidades, los museos y las galerías estadounidenses, mientras los españoles y latinoamericanos estudian sólo sus propias sociedades y se interesan por su arte doméstico.

No es sólo una cuestión de publicaciones intelectuales. Ella recordó que a principios de marzo de 1998 escuchó en Austin, en la Reunión del Directorio Nacional de Medios Hispanos, que la prensa publicada en español en Estados Unidos había facturado, en 1997, 492 millones de dólares en publicidad, más que el conjunto de los medios escritos de México. Convinieron que los latinoamericanos saben muy poco de las 1.214 publicaciones periódicas en castellano, 24 de ellas diarias y 246 semanarios, que se hacen en Estados Unidos, de las 93 televisoras, 591 radios y 340 servicios de Internet que hablan en español dentro del territorio estadunidense.

Se preguntaron si tanta producción de libros y ponencias tenía por finalidad entender las sociedades y sus relaciones con los otros. O los textos de estudios culturales, de antropología y las exposiciones de arte se dedican, más que a interpretar la vida social, a hacer funcionar a las instituciones.

Cuando se fueron caminando, por el campus para subir a sus automóviles o por la avenida de la capital para tomar el metro, en distintas direcciones, los dos pensaron que habría que escribir una novela en la que no el protagonista sino un personaje secundario, semiescondido en la narración, sorprendido inesperadamente en una esquina, reuniera frases de varios latinos y varios anglos, las dijera como propias, hablara todo el tiempo como si viviera en otra parte y ésa fuera la manera de estar aquí. O se expresara como los que están cerca y ése fuera el modo de alejarse. Ella imaginó que no sería tarea difícil para una escritora chicana. Él pensó, más bien, en un escritor español, quizá porque en esa semana estaba leyendo a Javier Marías.

8

El antropólogo o la especialista en *cultural studies*, es difícil decir cuál, pero éste es el instante en que menos importa porque el antropólogo había leído mucho de *cultural studies* y la especialista norteamericana sabía bastante de antropología, en fin, uno de ellos se preguntó qué quedaba del sujeto después de que el estructuralismo lo había descontruido y quién era el otro luego de que el posestructuralismo y el posmodernismo mostraban al otro como imaginado por un yo que tal vez no existía. ¿No era necesario reconstruir algún tipo de sujeto que se haga responsable, y también reconsiderar, más allá de la dispersión de otros imaginados, la existencia de formas empíricamente identificables, no sólo discursivamente imaginadas, de la otredad?

A alguno de los dos se le ocurrió que para pasar de la otredad construida a algo más específico había que hablar del otro que sufre y que goza, del otro que me importa a mí, de nuestros otros. Imaginó que la manera adecuada de estudiar la épica de la globalización era interrogarla desde el melodrama de la interculturalidad, los relatos de la convergencia multitudinaria de consumidores de muchas naciones cruzados con los encuentros, y también los desencuentros, con quienes son nuestros otros próximos: ¿podría corregirse la narración totalizadora de Fukuyama y el Banco Mundial con las de José Ignacio Cabrujas y Paul Auster?

El sociólogo español, que también se hacía estas preguntas, se acordó de una frase de un filósofo francés que amaba desde su estancia en París. En esa frase entrevió la manera de hablar de los antropólogos, los sociólogos y los especialistas en *cultural studies* como sujetos, de sus posibilidades de pensarse desde algún lugar más o menos consistente como ellos y como otros. Creía recordar que la frase con la que Gastón Bachelard terminaba su texto era ésta: "yo soy el límite de mis ilusiones perdidas" (Bachelard, 1970: 97).

Pensó que no era mucho decir eso sobre el yo, pero por el momento le pareció reconfortante.

III. POLÍTICAS PARA LA INTERCULTURALIDAD

Capítulo 6

DE PARÍS A MIAMI PASANDO
POR NUEVA YORK

En la primera parte del libro vimos cómo se han narrado las sociedades, los vínculos entre ellas, y cómo fueron imaginados por viajeros y escritores, publicados en libros y diarios, y administrados por los Estados nacionales. En la medida en que situamos estas relaciones interculturales en las condiciones de la globalización, tuvimos que comenzar a decir cómo esos vínculos son imaginados ahora por las industrias culturales, narrados en mensajes televisivos y electrónicos, y gestionados por *lobbies* empresariales.

Suele afirmarse que la industrialización de la cultura es lo que más está contribuyendo a homogeneizarla. Sin duda, la creación de formatos industriales aun para algunas artes tradicionales y la literatura, la difusión masiva gracias a las tecnologías de reproducción y comunicación, el reordenamiento de los campos simbólicos bajo un mercado que controla unas pocas redes de gestión, casi todas transnacionales, tiende a la formación de públicos-mundo con gustos semejantes. No obstante, en este capítulo registraremos que incluso los sectores más dispuestos a participar en la globalización no la imaginan del mismo modo en el arte, la literatura u otro tipo de publicaciones, ni en el cine, la televisión y la música. Dentro de cada uno de estos campos apreciamos diferencias entre el modo en que conciben la globalización, y se imaginan en ella, artistas plásticos, museos y galerías, escritores y editoriales, músicos y productores de discos.

En líneas generales, del lado de las empresas tiende a pensarse cómo globalizar la cultura, y en el extremo, cómo fabricar una cultura global. Muchos artistas, entre tanto, siguen experimentando con las diferencias existentes entre culturas y las que ellos crean en sus juegos de lenguaje. No se puede trazar una demarcación tajante entre ambos tipos de actores en la medida en que hay escritores que también son editores, directores de cine y músicos que tienen empresas productoras, y porque los artistas actúan con diversas estrategias personales y grupales. Presentaré un repertorio seleccionado de estas recomposiciones de los campos artísticos y comunicacionales, no con pretensión enciclopédica sino para indicar la variedad de modos en que las producciones culturales se sitúan en la globalización. Esta descripción llevará a plantear tres dilemas donde los conflictos estéticos se enlazan con tres opciones en pugna en las políticas culturales:

creatividad *vs.* comunicación masiva; experimentación lingüística *vs.* formación de estilos internacionales; recomposición de la esfera pública y la ciudadanía.

De acuerdo con el doble propósito de este libro de describir los cambios de la cultura en la globalización y explorar alternativas para gestionarla de otro modo, tomaré como uno de los ejes organizadores un desencuentro clave. Me refiero al que existe entre los actores estatales y comunitarios, dedicados preferentemente a administrar y disputar los modos preglobales y preindustriales de hacer cultura, y, por otra parte, las empresas que controlan las industrias de lo simbólico. La pregunta adelantada en los capítulos anteriores –cómo está transformándose el espacio sociocultural latinoamericano y sus relaciones con Europa y Estados Unidos– no puede acabar de contestarse sin analizar este desfase entre la gestión nacional de la esfera pública en relación con la cultura clásica y la industrialización empresarial-transnacional de los procesos comunicacionales. Voy a sintetizar este desencuentro en los siguientes rasgos.

a) Las narrativas que guían la discusión de los últimos años sobre políticas culturales, que estructuran las prácticas y el horizonte de la mayoría, son de carácter nacional. Se concentran en sus patrimonios tradicionales y en modos de producción, circulación y consumo preglobalizados. Los Estados nacionales son los actores clave en estas tareas referidas al patrimonio material, la educación, el folclor y las artes "clásicas" (teatro, plástica, literatura, música).

b) En tanto, la mayoría de los bienes y mensajes editoriales, audiovisuales e informáticos no forman parte del patrimonio de las naciones, o sólo fragmentos de ellos son reconocidos. Los textos, canciones y espectáculos se hacen con formatos industrializados, son fabricados por transnacionales, y su circulación se realiza mediante canales controlados por quienes manejan –a escala supranacional– el mercado de los libros, la música, los programas informáticos, y la fusión multimedia de estos bienes en las cadenas cinematográficas, de televisión, discos y videos, de programas computacionales e Internet. Esta acción privada, como se sabe, es cumplida en su mayor parte por empresas concentradas en Estados Unidos, Europa y Japón, que se desempeñan con independencia de los Estados nacionales, incluso de aquellos países donde tienen sus sedes. Aunque Hollywood esté en Estados Unidos, Televisa en México y Bertelsmann en Alemania, la producción audiovisual y editorial afincada en esos lugares está altamente transnacionalizada, y su enorme influencia global tiene poco que ver con las estrategias culturales de los organismos públicos en esos países.

c) La acción transnacional y oligopólica de las grandes industrias culturales e informáticas está reconfigurando la esfera pública, la comunicación social, la información y los entretenimientos cotidianos en la casi totalidad del planeta. Por una parte, esta interrelación mundial favorece el conocimiento recíproco entre culturas antes desconectadas y un acceso más diversificado de sectores amplios a los bienes y mensajes modernos. Pero esta interculturalidad y esta modernidad siguen estando desigualmente repartidas. Las grandes masas encuentran limitada su incorporación a la cultura globalizada porque sólo pueden relacionarse con la información y los entretenimientos que circulan en la radio y la televisión gratuitas. Únicamente las clases altas y medias, y pequeños sectores populares, acceden a la televisión por cable y algunos circuitos informáticos. Queda restringido a las élites empresariales, universitarias y políticas el uso de computadoras, fax, antenas parabólicas, en suma, los circuitos de innovación e interactividad en las redes electrónicas.

d) A diferencia de lo que ocurrió en etapas anteriores de los mercados, cuando éstos organizaban la cultura bajo las reglas de la internacionalización o transnacionalización, hasta los años setenta del siglo XX (véase capítulo 2), el eje del debate no es ya entre planificación estatal o privatización de las acciones culturales dentro de cada nación sino entre políticas de alcance nacional y políticas globalizadas. Esta diferencia se superpone con la que existe entre políticas públicas, que se restringen a lo que hacen en su territorio los Estados nacionales, y las políticas empresariales, desarrolladas por las *majors* a escala transnacional.

Estos cuatro procesos no se presentan del mismo modo en Europa, Estados Unidos y América Latina, aunque una de sus características es intensificar la confrontación y la competitividad entre las tres regiones. Tampoco se estructura de igual manera en todos los campos culturales, por lo cual voy a distinguir tres áreas: las artes visuales, la producción editorial y la audiovisual. No obstante, las combinaciones multimedia que interrelacionan a estos tres campos mezclan sus estrategias, y su conexión con la informática lleva también a relativizar la separación tradicional entre ellos. De todas maneras, conviene tratarlos por separado en tanto el reordenamiento global no procede del mismo modo en cada uno.

ARTES VISUALES: DE LAS VANGUARDIAS AL ARTE-JET

Al preguntarnos cómo ha cambiado el papel de las artes visuales en la nueva articulación entre lo nacional y lo global, entre Europa, Estados Unidos y América Latina, lo primero que hay que decir es que la plástica no tiene el papel que recibió entre los siglos XVIII, XIX y la primera mitad del siglo XX como escena de representación de los imaginarios nacionales. Pero no es posible simplificar estos últimos cincuenta años hablando de una mera sustitución por los medios de comunicación masiva. Lo que ha ocurrido es más interesante. Voy a detenerme en dos procesos: el reordenamiento de los mercados e imaginarios nacionales bajo la lógica globaliza-

dora, y el pasaje del liderazgo de las vanguardias cosmopolitas a instituciones y empresarios glocalizados.

Los nombres de varias tendencias artísticas modernas tenían apellidos
nacionales: barroco *francés*, muralismo *mexicano* y pop *americano*. Se imaginó que existía una comunidad nacional que se "expresaba" a través de David y Duplessis, y las obras de éstos fueron concebidas como imágenes de
la ciudadanía en la Francia posrevolucionaria. La iconografía de Diego Rivera, Siqueiros y Orozco era legible si se entendían sus relaciones orgáni-
cas con la reinterpretación de la historia mexicana propuesta a partir de la
revolución de 1910. Las obras de Jaspers Johns, Claes Oldenburg y Raus-
chenberg, aunque ya remitían al imaginario del consumo transnacional
(bebidas emblemáticas, actores y actrices de cine), privilegiaban los símbolos estadounidenses. Estas maneras de organizar la producción artística
fueron utilizadas hasta para clasificar a los movimientos de vanguardia
que transgredían los códigos socioculturales ordinarios: se hablaba del fu-
turismo *italiano*, el constructivismo *ruso* y la nueva novela *francesa*, como si
los perfiles nacionales sirvieran para definir sus proyectos renovadores.

Las referencias al arte extranjero acompañan toda la historia del arte latinoamericano. Apropiarse de las innovaciones estéticas de las metrópolis
fue un recurso de muchos artistas plásticos para repensar el patrimonio
cultural propio, desde Diego Rivera hasta Antonio Berni. Innumerables
pintores se nutrieron en el cubismo, el surrealismo y otras vanguardias pa-
risienses para elaborar discursos nacionales, Anita Malfatti buscó en el expresionismo neoyorquino y en el fauvismo berlinés los instrumentos para
reconceptualizar la identidad brasileña, de un modo análogo a como Os-
wald de Andrade utilizó el manifiesto futurista para replantear los vínculos entre tradiciones y modernidad en San Pablo.

Cuando a mediados del siglo XX, Nueva York le robó a Europa la idea
del arte moderno, como todavía estábamos en la época de la internacionalización de la cultura, la hegemonía estadounidense se manifestó como exportación de estilos nacionales: el expresionismo abstracto y luego el pop.
Los artistas europeos y latinoamericanos, que practicaban su cosmopolitismo adoptando esas tendencias, desembocaban la mayoría de las veces en
afirmaciones de lo propio. Las culturas nacionales daban contexto a los
imaginarios de las vanguardias, y sus obras, aunque incorporaban televisores y parodias o celebraciones de la publicidad, mantenían la diferencia
entre los códigos visuales del arte y de los medios. A partir de Andy Warhol, en los años setenta, los artistas comenzaron a volverse personajes de
televisión.

Un sector del arte europeo y latinoamericano sigue haciéndose hasta
hoy como expresión de tradiciones iconográficas nacionales y circula sólo
dentro del propio país, pero la ubicación de sus figuras líderes ha cambiado. Las artes plásticas permanecen como una de las fuentes de lo que que-

da del imaginario nacionalista, son aún escenarios de consagración y comunicación de los signos de identidad regionales. Sin embargo, un amplio sector de la creación, la difusión y la recepción del arte se realiza hoy teniendo en cuenta una escala mayor que la sociedad donde se producen las obras.

No todo el mercado del arte se ha remodelado según la lógica de la globalización. Son los artistas que venden sus trabajos por encima de 50.000 dólares los que conforman un sistema transnacional de competidores, manejados por galerías con sedes en ciudades de varios continentes: Nueva York, Londres, París, Milán, Tokio. Tales galerías, aliadas a los principales museos y revistas internacionales, son muy pocas y manejan en forma concentrada el mercado mundial. Hace diez años, Sotheby's y Christie's abarcaban casi tres cuartas partes del mercado internacional de ventas públicas de arte. Si bien el predominio de capitales norteamericanos en Sotheby's puede asociarse con el papel hegemónico de Estados Unidos, esa firma posee centros de venta en catorce países y ha instalado oficinas en más de cien, en todos los continentes (Moulin, 1992 y 1994). Otras galerías de menor envergadura también tienen una estructura multinacional, lo cual da a sus operaciones una versatilidad financiera y estética que les permite actuar en relación con movimientos, artistas y públicos de muy diversa procedencia. La circulación más o menos simultánea de exposiciones, o al menos de información sobre ellas, en redes de museos de diferentes países, las ferias y bienales internacionales, así como la repercusión mediática de los acontecimientos artísticos, reducen el carácter nacional de las producciones estéticas.

El desvanecimiento parcial de las identidades artísticas nacionales se aprecia también en relación con países que habían tenido un desempeño protagónico, como Francia e Inglaterra: ahora, juntos, no superan el 15 por ciento de las operaciones públicas en el mercado mundial, y han disminuido en los años noventa su liderazgo estético y sus exposiciones internacionales.

Sabemos que el reordenamiento globalizado y concentrado del desarrollo artístico no deriva sólo de procesos económicos. La reorganización del mercado del arte no podría ocurrir sin el funcionamiento, también articulado globalmente, de dispositivos museológicos, editoriales y académicos que manejan los criterios estéticos, los prestigios de los artistas y de los expertos que los consagran. Surgen nuevos perfiles de críticos-jet y artistas-jet, cuya formación no se establece básicamente por el arraigo en una sociedad nacional, ni por la residencia prolongada en *una* metrópoli, *una* universidad, o *un* museo de algún centro líder, sino por la capacidad de desplazarse con flexibilidad entre muchos centros de varios continentes. Nueva York continúa siendo el mayor lugar de cruces artísticos de todos los continentes, pero hace por lo menos dos décadas que no dispone de una corriente dominante nacional con la cual se imponga al mundo. En palabras del crítico de *Time*, Robert Hughes, "permanece como un centro pero no es, como el mundo artístico imaginaba, *el* centro" (Hughes, 1992: 30). Las relaciones transfronterizas se vuelven más decisivas que la representatividad nacional, y las alianzas multiculturales que la identificación con una cultura particular. Son los artistas, críticos, galerías y museógrafos que combinan lo local con lo global, los glocales, que integran rasgos de diversas culturas, quienes desempeñan papeles protagónicos.

Al pasar del siglo XX al XXI coexisten modos de organización de las prácticas artísticas desarrollados en las épocas de internacionalización, transnacionalización y la actual globalización de la economía y la cultura. No han desaparecido en el discurso plástico, ni en las declaraciones periodísticas de muchos artistas, ni en un sector de la crítica, el nacionalismo –aunque moderado–, ni el cosmopolitismo creciente en el estilo de las artes y las literaturas de cada nación. En América Latina se leen y escuchan todavía afirmaciones de lo propio, invocaciones al arte para que represente y promueva una "conciencia nacional". Otros defienden cierta especificidad regional con capacidad de integrar los viajes, las miradas itinerantes, en la construcción de repertorios de imágenes que diferencien y conecten a cada pueblo.

Los viajes y las migraciones son temas frecuentes en las obras de artistas que viven en Nueva York, París, Buenos Aires, Bogotá y San Pablo, que viajan a menudo entre esas ciudades, así como la coexistencia de referencias a culturas diversas y dispersas. Los trabajadores transterrados que Alfredo Jaar ha presentado en distintos continentes y sus experiencias con pasaportes que, al correr sus hojas, exhiben imágenes heterogéneas de distintos países, sugieren que el lugar del artista "no está dentro de ninguna cultura en particular, sino en los intersticios entre ellas, en el tránsito" (Valdez). La obra fotográfica de Sebastián Salgado, "un buen ejemplo de peripatetismo artístico (tanto individual como patrocinado)" (me decían Luis Camnitzer y MariCarmen Ramírez en una carta) representa una tendencia de muchos creadores que colocan en el centro de su trabajo esa temática y actúan en coherencia con esa concepción de lo transnacional, algunos con más sentido crítico, otros como experimentadores o usando el nomadismo de los migrantes como metáfora de sus exploraciones artísticas. Las referencias hechas en un capítulo anterior a las metáforas artísticas de la globalización y el análisis de experiencias estéticas en la frontera México-Estados Unidos van en direcciones semejantes.

Por supuesto, esta descripción podría incluir más matices y subclasificaciones. Hablo de lo que me parecen tendencias fuertes. Además, corresponde aclarar que los artistas que aquí evoco han logrado darse a conocer en circuitos que trascienden sus sociedades de origen. Ya sea porque residen en las metrópolis o porque viajan periódicamente a ellas, o han logrado una recepción internacional para sus obras, pueden incorporar en forma fluida a sus trabajos las innovaciones "legítimas", la versatilidad para dialogar con códigos de diversas culturas y reelaborar sus tradiciones locales e insertarlas significativamente en un intercambio transnacional de todas maneras asimétrico e injusto. Pero las dificultades para relacionarse con lo global son más arduas cuando se trata de productos visuales (artes, artesanías, diseños) que no logran trascender las culturas regionales. Por cada Francisco Toledo que consigue mostrar el imaginario zapoteca y lo que su peculiar visión del mundo puede decir en el diálogo contemporáneo hay miles de excelentes plásticos latinoamericanos, cuya riqueza simbólica no ingresa nunca en las exposiciones metropolitanas, latinoamericanas, ni en los museos nacionales del propio país.

Las exposiciones internacionales y los museos, las revistas y el mercado del arte, siguen ordenados por estéticas de origen metropolitano que, cuando se ocupan de los periféricos, casi siempre esperan marginalidad folclórica. Las experiencias "extrañas" de América Latina suelen quedar normalizadas bajo los estereotipos de lo mexicano, lo andino, lo caribeño, o el realismo mágico. Veinte o treinta años de relativismo multicultural y de cuestionamientos posmodernos a los metarrelatos occidentales han hecho muy poco para que se reconozcan las condiciones diversas en que se conciben el cuerpo y el color, las imágenes de la naturaleza y la sociedad, en sociedades ajenas a los cánones metropolitanos. Y los acuerdos de libre comercio e integración supranacional (TLC, Mercosur, etc.) no hacen casi nada para que los embudos de las políticas museográficas, de los intercambios diplomáticos, ni la formación de los expertos, se abran para dejar entrar visiones diversificadas y desafiantes.

Por fin hay que decir que las artes visuales –también la literatura y la música– están cambiando al participar de la industrialización de la cultura. Museos, fundaciones y bienales, esas instituciones en las que antes prevalecía la valoración estética y simbólica, adoptan cada vez más las reglas del autofinanciamiento, rentabilidad y expansión comercial propio de las industrias comerciales. El impacto económico buscado por sus programas suele asociarse a un cambio de escala, más allá de la ciudad y la nación donde residen. Las exposiciones y su publicidad, las tiendas y las actividades paraestéticas realizadas por muchos museos, galerías y bienales, se asemejan a la lógica de producción y comercialización de imágenes y sonidos en las industrias comunicacionales. Esto es más notable cuando las exhibiciones, o los temas de las revistas de arte, se refieren a la fotografía, los espectáculos y el diseño, o buscan vincularse explícitamente con el turismo masivo. Hay que destacar que la mundialización del turismo es otro de los factores que insertan a muchos museos, sitios arqueológicos y ciudades históricas, aun del llamado Tercer Mundo, en la dinámica de la globalización.

No obstante estos cambios producidos en las tres últimas décadas del siglo XX, no se está avanzando simplemente hacia una mercantilización y estandarización integral de los bienes y mensajes culturales. Más bien se aprecia una tensión persistente entre las tendencias homogeneizadoras y comerciales de la globalización, por un lado, y, al mismo tiempo, la valoración del campo artístico como instancia para continuar o renovar las diferencias simbólicas.

Las artes visuales siguen siendo significativas como agentes diferenciadores, en parte porque su propia historia de lenguajes y organización institucional lo facilita, y también porque las menores exigencias de inversión y rédito crean en estos espacios ocasiones más propicias para la experimentación y la innovación. Aunque el horizonte de artistas y curadores, críticos y administradores de instituciones artísticas, se amplió planetariamente, al punto de que las bienales de Johanesburgo y San Pablo son consideradas (secundariamente) en el *mainstream*, no encontramos que se pueda hablar en este campo de una competencia a escala mundial y una especialización de cada región en función de las ventajas comparativas, como en los mercados de autos, alimentos y ropa. Cito estos tres ejemplos porque son, en las áreas de la producción económica, algunos de los más cargados de valores simbólicos y estéticos. Es necesario replantear, en las actuales condiciones de globalización, qué está ocurriendo con el antiguo problema de la especificidad de los mensajes estéticos y su papel como formadores de distinción social. No nos sirve, desde luego, lo que las estéticas idealistas pensaron sobre este asunto, y sospecho que habría que reformular mucho de lo que aportaron sociólogos más consistentes en las últimas décadas (es inevitable citar a Pierre Bourdieu), en la medida en que sus estudios se restringen a sociedades nacionales.

La industria editorial: mundialización en pedazos

Decíamos en los primeros capítulos que el concepto de globalización, entendido como unificación y homogeneización de todas las sociedades, sirve para describir lo que ocurre en los mercados financieros, un poco menos en la producción industrial y es aún más dudoso en los intercambios culturales y migratorios. Uno de los campos donde lo que se anuncia como globalización implica la apertura de cada mercado nacional a muchos otros, pero acaba en integraciones dentro de una región o con las más afines, es la industria editorial.

Por el arraigo de la literatura en una lengua particular, los libros y revistas tienden a difundirse dentro de contextos lingüísticos y repertorios estilísticos limitados. La escritura ha sido la primera área cultural modificada por la industrialización, pero a la vez su inserción en tradiciones localizadas opone resistencias y restricciones a la homogeneización e integración mundial.

Estas mismas razones hacen que, mientras en otros sistemas comunicacionales, desde las artes hasta la industria audiovisual y la informática, globalización puede confundirse con "americanización" y predominio del inglés, la transnacionalización de las editoras latinoamericanas se produjo en relación con empresas españolas y otras del área latina de Europa. Por comunidad lingüística y de historia cultural, cuando a mediados de la década de los setenta (veinte años antes de los acuerdos de libre comercio) comenzó a favorecerse legalmente la inversión extranjera y decayeron las ventas en América Latina, fueron las empresas españolas las que comenzaron a apoderarse de la producción, no las estadounidenses. Luego, la dependencia latinoamericana se trasladó a otros países europeos cuando Mondadori compró a Grijalbo, Planeta a Ariel y Seix Barral, Bertelsmann a Sudamericana.

Fue impactante la reorientación externa ocurrida en la producción editorial latinoamericana por el papel clave que ésta había desempeñado, entre 1940 y 1970, en el desarrollo nacional y en la internacionalización de las culturas de esta región. En parte por su propio liderazgo económico y cultural, en parte con el impulso de exiliados españoles, Argentina y México publicaron en esas décadas lo que escribían los principales autores de toda América Latina y muchos de España. Además, tradujeron un alto número de libros europeos, norteamericanos y algunos asiáticos. Fue en este campo donde nuestro continente logró, en términos económicos, literarios y periodísticos, una participación más intensa en la circulación internacional de bienes culturales. Ese desarrollo editorial fue importante en la formación de una ciudadanía ilustrada.

La declinación de las economías de esta región en las últimas dos décadas y el avance español en el mismo período modificaron esa situación. Argentina y México producen alrededor de 10.000 títulos por año, en tanto España supera los 60.000. La exportación de libros y revistas españoles generó 55.000 millones de pesetas, aproximadamente cuatro veces más que las exportaciones audiovisuales de toda América Latina en el mismo año (Bonet y de Gregorio, 1998). Se han cerrado editoriales y librerías latinoamericanas, muchos diarios y revistas quebraron o redujeron sus páginas. El aumento internacional del precio del papel, agravado por bruscas devaluaciones de la moneda nacional en casi todos los países latinoamericanos, son algunas de las causas de este retroceso. Otros motivos son la reducción general del consumo por la pauperización de las clases medias y populares, y la conversión de los libros en simples mercancías, sin los beneficios arancelarios ni la exención de impuestos que tuvieron en otro tiempo.

Luego, el Tratado de Libre Comercio entre México, Estados Unidos y Canadá, aunque no incluyó específicamente el tema editorial, creó condi-

ciones para que McGraw-Hill y Prentice Hall entraran al mercado mexicano con diccionarios, libros de texto de secundaria, para universidades y
otros "de superación personal". Algunos editores suponen que la incidencia futura de los empresarios estadounidenses no se producirá tanto en la
generación de nuevas casas editoras como en el proceso de producción: papel, maquinaria y, como ya ocurre, ediciones de alta calidad (color, pasta
dura), para lo cual disponen de infraestructura y personal más calificado.

Hay datos indicativos de que el acercamiento actual entre México y
Estados Unidos puede suscitar tantos cambios en el mercado editorial estadounidense como en el mexicano. Las novelas de Laura Esquivel, García
Márquez y Carlos Fuentes han vendido varios millones de ejemplares en
librerías y tiendas de autoservicio de Nueva York, California y Texas, de
los cuales un 20 por ciento se compraron en español. Por primera vez existe en Estados Unidos un mercado de derechos de autor en esta lengua, que
complementa el acceso al campo editorial en inglés de autores latinoamericanos y chicanos. La "americanización" de América Latina se compensa,
en alguna medida, con la latinización de Estados Unidos. Pero salvo unas
pocas transnacionales, ni las editoriales latinoamericanas, ni los gobiernos
de esta región, han generado programas para aprovechar estas oportunidades. La globalización de la producción literaria, la selección de lo que va
a globalizarse o va a circular sólo en el propio país, queda bajo la decisión
de las megaeditoriales. Las cifras de traducciones y de ventas de los *best se-
llers* muestran que en los casos promovidos por los grandes editores no se
trata sólo de "americanización" sino de alcance global logrado en muchos
casos por empresas no estadounidenses. Un ejemplo: Planeta celebró en
julio de 1999 los diez años de *Como agua para chocolate*, con 4.600.000 ejemplares vendidos en 35 idiomas.

¿Cómo se desarrolla la circulación de libros mexicanos y argentinos en
América Latina, mercado "natural" por la lengua, los intereses históricos
compartidos y los estilos de consumo de los lectores? Las ventas fueron reducidas por las dificultades económicas y políticas de toda la región. El
único gobierno que impulsa con decisión la industria editorial es el de Colombia: la Ley del Libro promulgada en 1993, que libera de impuestos por
veinte años a los editores residentes en ese país y les garantiza la compra
del 20 por ciento de todas sus ediciones para bibliotecas, fomenta el desarrollo de una industria editorial con capitales transnacionales y creciente
capacidad de exportación. Aunque la crisis económica y política de este
país está deteniendo las inversiones y abate la compra de libros. En las demás naciones la legislación es anacrónica, y son más las trabas para la circulación de libros y revistas que los programas que promueven la producción, la difusión y la lectura.

Este panorama, ya examinado en otros lugares (Alatriste, 1999; Bonet,
1999; García Canclini, 1996), está unificándose, en cierto modo, al pasar de

la transnacionalización dentro del área latina a una expansión más globalizada. Un hecho importante en esta dirección es la citada adquisición de editoriales españolas y latinoamericanas por empresas italianas, francesas y alemanas, integrando así circuitos multilingüísticos. Otros factores derivan del uso de nuevas tecnologías digitales y de telecomunicación en la producción y distribución, por ejemplo el lanzamiento de una librería virtual de un millón y medio de títulos en español por parte del grupo Bertelsmann a través de su filial española Plaza & Janés.

La reorganización tecnológica e industrial de la producción a escala transnacional, con tendencia a la globalización, tiene varias consecuencias. Por una parte, diferencia los libros de otros productos gráficos (revistas, folletos, libros de venta masiva fuera de librerías), aunque sometiendo todos a los costos de producción relativos en la competencia mundial. Por otro lado, la subordinación de la producción de cada país, incluso de los que cuentan con mercados más fuertes (Argentina, Brasil, Colombia y México), a la programación de una política de *bestsellerización*. Cuando Bertelsmann compró la editorial argentina Sudamericana, cuyo prestigio cultural proviene de haber publicado por primera vez a escritores y científicos sociales sobresalientes de América Latina, su nuevo gerente provocó críticas al declarar que en lo sucesivo no imprimiría libros que vendieran menos de 5.000 ejemplares por año.

En rigor, se observa una política pendular, que en ocasiones comprende la necesidad de adecuarse a los hábitos culturales nacionales y dar cierta autonomía a sus filiales. "La producción local es la que empieza a tirar del conjunto de actividades de un grupo, y por lo tanto también de las exportaciones. Eso es lo que intenta hacer Planeta Internacional después de algunos de sus fracasos (grandes pérdidas en México en 1995 como consecuencia de la devaluación del peso, dificultades para entrar en el mercado estadounidense). Por esta razón, su consejero delegado, Antoni Rossich, aconseja mantener estructuras ligeras, que se adapten a las particularidades de mercados locales poco estables y con grandes costos de intermediación externos al negocio editorial" (Bonet y de Gregorio, 1999: 98).

En este juego de oscilaciones, los editores deben batallar con varios problemas estructurales: a) los bajos índices de lectura en los países latinoamericanos, como resultado de la deficiente escolarización, la escasez de bibliotecas públicas (salvo México) y de programas estatales que estimulen la formación de lectores y protejan e incentiven la producción local; b) la precariedad histórica de sistemas de distribución regional y nacional –que trascienda las capitales–, agravada por el cierre de librerías especializadas y el traslado de la venta a centros comerciales y supermercados; c) la caída del poder adquisitivo de las clases media y populares, el deterioro de la enseñanza secundaria y universitaria, donde el estudio pierde la relación física con las obras y se desliza, según la frase de Carlos Monsiváis, al "grado xerox de la lectura".

Este contexto incierto favorece paradojas (por no llamarlas absurdos) y recomposiciones bruscas del oficio de autor. Dos ejemplos, entre muchos, que ilustran los vaivenes de la globalización. En la política de apropiarse de los mercados locales, los editores transnacionales tratan de captar a los autores nacionales más prestigiosos, los publican, y –salvo las excepciones del *jet-set*– los distribuyen sólo dentro del mismo país. Esta autonegación de sus posibilidades de enlazar sociedades diversas, utilizando sus estructuras transnacionalizadas, puede llegar a inversiones con destino tan extraño como la de Alianza, que tradujo y editó en Argentina el libro de Renato Ortiz, *Mundialización y cultura*, quizá la primera obra importante publicada en América Latina sobre el tema (en 1994 en Brasil y en 1997 en Buenos Aires). Pese al interés del asunto, al tratamiento con amplia información internacional y a su buena venta en portugués y en español, esta última edición no se exportó. Cuesta aceptar, aunque es comprensible por inercia histórica, que todos los libros brasileños sean inhallables en México, pero más difícil es explicarse que la edición en español, hecha en Buenos Aires por una empresa transnacional como Alianza, no salga de la Argentina.

Podríamos aducir argumentos culturales y políticos para que la liberalización comercial de América del Norte, del Mercosur y entre otros países de la región incluya los espectáculos teatrales y musicales de calidad, exposiciones de artes visuales y hasta programas culturales de radio y televisión, películas y videos que suelen quedar arrinconados en el país donde se produjeron. Es posible demostrar que promover la libre circulación de libros, obras teatrales, cantantes, películas y libros de cada país latinoamericano en los demás provocaría menos daño a las economías y las culturas receptoras que cuando se eliminan súbitamente los impuestos aduaneros para importar productos textiles, artefactos electrónicos y automóviles de lujo.

No es un signo de integración continental que a los editores les cueste tanto "arriesgarse" a publicar libros que realizan intervenciones originales en la investigación social, son reconocidos internacionalmente al punto de traducirse en Estados Unidos, y venden decenas de miles de ejemplares en los países donde se editan, Argentina, Brasil y Colombia. Estoy pensando en los de Beatriz Sarlo, Renato Ortiz, Jesús Martín Barbero y también los de algunos de nuestros mayores narradores, José Emilio Pacheco y Juan José Saer, que circulan con éxito en varios países donde se habla la misma lengua pero leídos en fotocopias.

INDUSTRIAS AUDIOVISUALES: VOCES LATINAS EDITADAS EN INGLÉS

Las artes visuales oscilan entre los contextos nacionales, donde se exhibe la mayor parte de la producción, y redes más o menos globalizadas, con predominio estadounidense, a las que accede una minoría de artistas y públicos de los países centrales y élites aún más pequeñas de las regiones periféricas. La industria editorial está organizada por editoras transnacionales, que agrupan su producción y distribución en circuitos regionales y lingüísticos. Donde la globalización es más notoria como patrón reordenador de la producción, la circulación y el consumo es en las industrias audiovisuales: cine, televisión, música, y los circuitos informáticos como un cuarto sistema, que en parte funciona asociado a los otros en la integración multimedia.

La veloz expansión de las industrias culturales ha clausurado la época en que la cultura era considerada una actividad suntuaria e improductiva. Tampoco se la puede analizar como simple instrumento de influencia ideológica, al modo en que se hizo con los medios de comunicación masiva hasta hace dos décadas, aunque sin duda mantiene ese papel dentro de cada nación, y ahora para divulgar y volver persuasivos los discursos globalizadores. Pero la economía mundial tiene en las industrias culturales mucho más que un recurso para moldear los imaginarios. Es una de sus actividades económicas más redituables.

¿Cuántas industrias producen, como la audiovisual, ganancias por 300 mil millones de dólares al año? Sólo el mercado musical, entre 1981 y 1996, ascendió de 12 mil a 40 mil millones de dólares, 90 por ciento de los cuales se concentran en cinco *majors*: BMG, EMI, Sony, Warner y Poligram Universal. La disputa entre Estados Unidos, Europa y Japón no es apenas por influir ideológicamente, dado que los ingresos por exportaciones son el primer rubro en la economía estadounidense, y en varios países europeos las industrias culturales generan alrededor del 3 por ciento del PBI, y aproximadamente medio millón de empleos en cada una de las sociedades más desarrolladas (Warnier, 1999: 56; UNESCO, 1998).

Tres procesos incrementaron el volumen económico y el alcance geocomunicacional de la videocultura. Uno es la formación de mercados globales de bienes simbólicos por las innovaciones tecnológicas ocurridas de los años sesenta a los noventa: desarrollo y miniaturización de las computadoras, transmisión por satélite y cable, acoplamiento de las comunicaciones telefónicas e informáticas (a través de Internet y de la expansión en redes globales de servicios financieros, de ventas, información y entretenimiento).

A esto se añade que se haya reestructurado la fragmentación política y económica del mundo desde la caída del sistema soviético, los acuerdos de libre comercio e integración regional en Europa, Norteamérica, Mercosur y Asia, así como la presión de las empresas multinacionales, el Fondo Monetario Internacional y otros organismos para que todos los países reduzcan las barreras aduaneras. Aun cuando los tratados de liberación comercial casi nunca consideran especialmente los bienes y mensajes culturales, la mayor interdependencia entre los mercados nacionales, occidentales y orientales, del norte y el sur, ha contribuido a la difusión mundial de los mensajes y a poner en competencia a todas las empresas productoras de películas, discos, programas televisivos e informáticos, videos, y a las que fabrican los equipamientos para estas actividades.

El tercer factor es la integración multimedia, que articula en paquetes de comercialización audiovisual las películas y los vídeos, los discos que difunden su música, los derechos de exhibición televisiva y la producción y venta de *gadgets* relacionados (camisetas, bebidas, juguetes). Hasta hace pocos años esta oferta transnacional era relativamente filtrada por los sistemas nacionales de exhibición y venta, y también por los gustos y hábitos diversos de los consumidores. Esta capacidad de selección nacional, y de inclusión de productos nacionales entre los globalizados, se está reduciendo en forma drástica a medida que las empresas transnacionales compran las salas de cine o construyen conjuntos nuevos con tecnología avanzada que ahoga a las tradicionales. Las editoras metropolitanas adquieren cadenas de librerías o instalan supermercados de libros, y otras macroempresas se apropian de centros comerciales y tiendas que incluyen en su oferta vídeos, publicaciones y discos.

En los mismos años en que se produjo esta reestructuración y expansión mundializada de las industrias culturales, con apoyos proteccionistas para su propia producción en Estados Unidos y los países europeos, los gobiernos latinoamericanos privatizaron canales de televisión, redujeron sus créditos para filmar, y en general las inversiones estatales en los campos audiovisual y editorial. Mientras la radio y la televisión se convirtieron en los principales medios de difusión de informaciones y diversión, transmisión de alta cultura, escenario de la vida pública y estímulo al consumo, los gobiernos decidieron que no tenían casi nada que hacer ni decir en ellos. Nuestra dependencia se acentúa al no desarrollar con orientación endógena esta rama productiva que es, a nivel global, la que crece con mayor dinamismo, genera más empleos modernos, con alto componente de valor agregado, altos salarios y posibilidades de ascenso ocupacional. La acción estatal retiene muy pocos canales comerciales, y auspicia raramente medios donde lo cultural y lo artístico prevalezcan sobre lo mercantil: el canal Cultura en Brasil, los canales 11 y 22 en México y programas aislados en otros países –que abarcan al 2 o 3 por ciento de la audiencia en esas sociedades y no configuran una alternativa estratégica a la videocultura comercial–.

La situación es aún más dramática en el ámbito de las últimas tecnologías. Me refiero al pasaje del registro analógico al digital, y el acoplamiento de recursos telecomunicacionales e informáticos. Es un territorio de disputa entre norteamericanos, europeos y japoneses por el control del mundo entero con consecuencias a largo plazo en la acumulación de información estratégica y de servicios, que abarca todos los campos de la cultura, desde la documentación del patrimonio histórico y la experimentación artística hasta la comercialización de los bienes más heterogéneos a domicilio, la creación de redes científicas y de entretenimiento. Salvo la colocación de unos pocos satélites latinoamericanos y escasas investigaciones secundarias y subordinadas en algunas naciones, esta región sólo es consumidora de esas novedades.

Ni siquiera los únicos dos países con fuertes industrias audiovisuales exportadoras y amplia capacidad productiva, Brasil y México, han encarado programas competitivos de desarrollo informático. Y aun en el consumo de tecnologías avanzadas la comparación revela muy desiguales puntos de partida para acceder a la información y las innovaciones. Mientras en Estados Unidos de cada 10.000 personas 539 poseen fax, y en Japón 480, en Uruguay son 34 y en Chile 11. Televisores: Estados Unidos cuenta con 805 por cada 1.000 habitantes, Francia 589 y Alemania 554, en tanto países periféricos con alta producción televisiva, como México y Brasil, tienen 219 y 220, respectivamente (UNESCO, 1998: 46 y 107). Suele esperarse de Internet una democratización del acceso a la esfera pública nacional e internacional, pero menos del 2 por ciento de los latinoamericanos tiene acceso a la red de redes contra el 23,3 por ciento en Estados Unidos y el 6,9 en los demás países de la OCDE (Trejo Delarbre, 1999: 262; PNUD, 1999). El 20 por ciento más rico de la población acapara el 93,3 por ciento de accesos a Internet y dispone, si lee inglés, del 70 por ciento de los *hosts*, sitios desde los cuales se difunde la información, que en español no llegan al 2 por ciento.

Hay que recordar que el período de los años ochenta y noventa, cuando los Estados latinoamericanos se desprendieron de su infraestructura productiva en el campo audiovisual y se abstuvieron de participar en las innovaciones tecnológicas, fue el mismo en que se acabaron las dictaduras militares y se desarrollaron en varios países los procesos de democratización y participación social más avanzados de su historia. Además de privarse de los medios donde crecía la comunicación masiva, los gobiernos abandonaron en manos privadas –a menudo transnacionales– los instrumentos clave para informar a la ciudadanía y dar canales públicos a su expresión.

Desde el punto de vista de la sofisticación de la oferta y la ampliación del consumo cultural, las dos últimas décadas muestran avances vertiginosos: la radio y la televisión llegaron a comunicarse con más del 90 por ciento de los hogares, se tuvo acceso mediante el cable, Internet y la proliferación de tiendas y servicios transnacionales a una riqueza de información y entretenimientos desconocida. Pero esta manera de conectarnos a la globalización tiene como contraparte el despojo de los recursos culturales y el desaliento de la capacidad de producción endógena. En la distribución de ganancias del sector audiovisual, las empresas estadounidenses obtienen el 55 por ciento del total, las europeas el 25, Asia el 15 y los países iberoamericanos el 5 por ciento (Hopenhayn).

Es lógico que nuestros balances entre importaciones y exportaciones, sean catastróficos. En 1997 los derechos pagados por los países latinoamericanos en el sector audiovisual llegaron a 2.351 millones de dólares, mientras el valor de las exportaciones se quedó en 218 millones. Aun México, con su caudalosa producción, pagó con sus exportaciones a Estados Unidos 13 dólares de cada 100 que gastó en las compras de audiovisual a ese país (Bautista, 1999). En estas condiciones es difícil elegir: el 85,8 por ciento de las importaciones audiovisuales de América Latina procede de Estados Unidos. Es poca la capacidad de defender la exhibición del cine del propio país cuando capitales estadounidenses, y en menor medida canadienses y australianos, se apropian de la distribución en salas, la venta y el alquiler de videos y de programación televisiva. Fracasan, como ocurrió en México, proyectos de ley para dedicar una pequeña parte de las entradas de cine a financiar películas nacionales, y en Argentina, donde la ley se aprobó, el gobierno de Carlos Menem colocó esos fondos en la primera fila de los recortes presupuestarios de 1999. Los europeos también tienen cuentas desventajosas con la videocultura originada en Estados Unidos (5.600 millones de dólares fue el déficit en 1997, según Warnier), pero realizan coproducciones entre países de su región y logran mantener una producción cinematográfica que triplica la producción argentina o mexicana. Únicamente en la televisión dos países, Brasil y México, logran equilibrar su intercambio con Europa (Bonet y De Gregorio, 1999: 99-102).

La legislación europea fomenta las coproducciones, destina fondos de auspicio, como Media y Euroimages, y favorece la exhibición en sus países. Entre España y varias naciones latinoamericanas se han firmado acuerdos bilaterales que anuncian proyectos semejantes, pero de 1982 a 1996 sólo se filmaron 42 películas españolas en América Latina, lo cual no es un síntoma expresivo de integración si se ve que en el mismo período España realizó 1.053 filmes.

En la producción fonográfica, los españoles sufren un control del 70 por ciento de su mercado por parte de las mismas cinco empresas que dominan América Latina. Pero esta última región, con un volumen de ventas de 2.500 millones de dólares anuales, supera a España, que factura alrededor de 600 millones por año. No obstante, hablar del mercado latinoamericano no es una expresión muy pertinente, dado que el 56 por ciento de las operaciones corresponde a Brasil. Pero donde más se aprecia, en el campo musical, la débil integración del continente es en el hecho de que en los países mayores, Argentina, Brasil y México, aproximadamente el 60 por ciento de la música que se compra es del repertorio de cada país (Bonet y De Gregorio, 1999: 105).

Podría interpretarse este último dato como signo del predominio de la música nacional sobre la extranjera. Sin duda, en el consumo. Más aún: el rock en inglés bajó sus ventas de 65 a 32 por ciento en los últimos diez años, en tanto la música latina ganó audiencia en los países latinoamericanos y en Estados Unidos. Pero estas cifras se relativizan cuando atendemos a la producción y distribución, manejada en un 80 por ciento por las *majors*. Estas empresas transnacionales absorben a las productoras nacionales sobrevivientes, o al menos sus catálogos más exitosos.

Como ocurre desde hace décadas en las artes plásticas, gran parte de la producción musical latinoamericana se hace para ser vendida y rentabilizada fuera de la región. Esta tendencia lleva a los músicos de mayor reconocimiento, como sucedía ya con muchos pintores, a vivir en Estados Unidos. "Las *indies* o empresas nacionales –explica el presidente de Polygram Venezuela, Carlos Sánchez– cada vez más se preocupan sólo de desarrollar artistas, el producto. Generan producto y repertorio" (Yúdice, 1999a: 124). Como las empresas latinoamericanas no pueden invertir los 100.000 dólares que cuesta producir un disco y sus recursos complementarios de producción –programas televisivos, videoclips, selecciones en Internet–, posiblemente acabe asociándose con una *major* y, si el producto vende, el artista acabará viviendo en Miami.

De acuerdo con la complementación multimedia que ocurre entre música, cine y televisión, muchos protagonistas transnacionales de estos circuitos aspiran a residir en esa ciudad. "Si lo que se quiere es un programa verdaderamente latinoamericano y llegar a un público internacional, tengo que estar donde están todas las personalidades, y eso quiere decir Miami", sostiene Jaime Baily (Rother, citado por Yúdice, 1999b). Piensan lo mismo Julio y Enrique Iglesias, José Luis Rodríguez, Lucía Méndez, Carlos Vives, Israel "Cachao" López y muchos otros. Incluida la Federación Latinoamericana de Productores de Fonogramas y Videogramas, que trasladó a Miami sus oficinas antes situadas en la ciudad de México. En total hay en esa ciudad unas 10.000 personas dedicadas a la industria del entretenimiento latino. Es una industria "anómala en términos étnicos en Estados Unidos, pues la mitad del capital y más del 80 por ciento del talento y mano de obra son latinoamericanos y latinos estadounidenses", comenta George Yúdice, pero el volumen del negocio y la garantía de "no sucumbir a incertidumbres políticas o económicas", a "la requisición de bancos o devaluaciones", según justifica Larry Rother en el *New York Times*, vuelve lógico que Miami se convierta en capital cultural de América Latina.

Ni en la relación histórica de las artes visuales latinoamericanas con Francia y luego con Estados Unidos, ni en el intercambio editorial con España, habían ocurrido transacciones tan extensas e intensas como las que hoy enlazan a América Latina con el complejo musical-radial-televisivo administrado desde Miami. En términos económicos, la desigualdad entre la *majors* y las pocas empresas nacionales latinoamericanas es abrumadora. Sin embargo, la asimetría y la concentración oligopólica de la producción y la distribución no equivale a homogeneización ni a sustitución de lo local por lo global. A diferencia del Hollywood clásico, que internacionalizaba la cultura estadounidense, permitiendo pocas o nulas interacciones con lo diferente, Miami es glocal porque representa un nuevo modo de acumulación (económica y cultural) que crece en tanto pone a interactuar repertorios anglos y latinos.

Insisto: la interrelación es desigual. Aunque a través de los circuitos estadounidenses algunos cantantes latinoamericanos accedan al mercado de ese país, sean escuchados por angloparlantes y se expandan hasta Europa y Asia, no se formatean sus presentaciones, ni sus discos, ni sus programas de televisión, ni su publicidad, desde las culturas que generaron esas músicas y esas historias. Las culturas locales irrumpen en el mercado global seleccionadas y resemantizadas con criterios de gestión descontextualizados. Se me dirá que algunas de tales historias son ya interculturales, como la de *Pedro Navaja*, el caribeñismo de Gloria Stefan y hasta el bilingüismo de Ricky Martin. No son meros inventos mediáticos, sino que corresponden, es cierto, a la experiencia multicultural de amplios conjuntos sociales. Pero tendremos que explorar un poco más adelante qué significado estético y político adquiere la ecualización de tantas voces latinas en estudios de grabación que los artistas no controlan.

GANANCIAS Y PÉRDIDAS

En cuanto a la descripción de los cambios estructurales en los que se concentra este capítulo, he marcado en el análisis comparativo de las artes plásticas, la industria editorial y las audiovisuales, los modos diversos en que la globalización actúa sobre estos diferentes órdenes de lo imaginario. Sin embargo, hay que señalar, asimismo, tendencias coincidentes o convergentes. La primera es una *mayor atención de las productoras metropolitanas a las obras plásticas y literarias, a los melodramas y las músicas creados fuera de Estados Unidos y Europa. Esto genera un movimiento pendular entre globalización y regionalización* con notorias semejanzas en los tres campos considerados. Se habla de un "cine-mundo", una "música-mundo" y un "estilo internacional en literatura". En los tres casos, las megaempresas producen una reconstrucción globalizada de los repertorios simbólicos locales, descontextualizados para volverlos más comprensibles en áreas culturales de distintos continentes. Al mismo tiempo, instalan filiales regionales o hacen acuerdos con productoras locales para "indigenizar" su producción. El diario *Wall Street Journal* y la revista *Time* publican síntesis semanales insertadas en *La Nación* de Argentina, *El Tiempo* de Colombia, *Reforma* de México y en periódicos de otros países latinoamericanos. CBS y CNN difunden parte de su programación televisiva en acuerdo con sistemas de cable de América Latina. Pocas empresas muestran tanta flexibilidad en su proyecto globalizador como MTV. Si esta compañía, iniciada apenas en 1981, logra hacerse escuchar por jóvenes de casi todo el mundo, es por la capacidad de combinar varias innovaciones: mezcla géneros y estilos, desde rebeldías rockeras hasta melodías hedonistas y "pensamiento liberal normalizado", se asocia a "grandes causas" (lucha contra la pobreza, el analfabetismo, el sida y la contaminación) proponiendo ejercicios ciudadanos internacionalizados compatibles con un sentido moderno y sensual de la vida cotidiana. Al mismo tiempo, MTV creó en menos de diez años cinco filiales regionales, dos para América Latina, en Brasil y Miami, con personal de varios países de la región y espacios para grupos autóctonos que equilibran, en alguna medida, el predominio de la música estadounidense (Eudes, 1997).

En segundo término, la tensión entre globalización y regionalización, administrada desde las metrópolis y bajo reglas mercantiles, *acentúa la asimetría entre producción y consumo, entre metrópolis y periferias, y a la vez que fomenta la innovación y diversidad cultural, las limita desde las exigencias de ampliación de mercados.* Desde la perspectiva económica, las empresas productoras que crecen son las que tienen sedes en las metrópolis o se asocian con ellas, en tanto en los países periféricos lo que aumenta es el consumo, que por tanto es cada vez más apropiación de lo que producen otros. Desde el punto de vista geográfico, el incremento de televisión por cable multiplica y diversifica la oferta informativa y de entretenimiento: en Argentina, por ejemplo, el país con mayor proporción de hogares cableados del continente (70 por ciento en algunas ciudades), se ven canales europeos y de varios países latinoamericanos. Esta ampliación aumenta el repertorio de entretenimientos e información, pero ha dinamizado poco la producción nacional y las innovaciones en el uso de los medios.

Cabe preguntarse si estamos ante los límites semióticos y estéticos de la expansión comunicacional subordinada a criterios comerciales. El desarrollo de las industrias y la informática en los últimos veinte años da pocas razones para esperar que una mayor descentralización de la producción y la emisión de mensajes (Internet incluido), el reconocimiento declarativo de diferencias étnicas, de edad y de género, se conviertan en fuerzas revitalizadoras de la densidad semántica y la experimentación lingüística en las comunicaciones. Los vistosos videoclips de MTV son, salvo excepciones, reciclamientos banales de las vanguardias plásticas y cinematográficas de los años sesenta y setenta. Los directores de cine latinoamericanos que van a Hollywood perpetran versiones más espectaculares y más opacas del realismo mágico. Algunos cineastas europeos que entran al *mainstream* logran las películas más millonarias y patrioteras norteamericanas (el alemán Wolfgang Petersen superó con su *Air Force One* lo que su connacional, Roland Emmerich, había hecho con *Independence Day*). El efecto disruptivo y multicultural que lograron en Estados Unidos, en la primera mitad del siglo, los exiliados del nazismo, o hace poco Milos Forman y Roman Polansky, se diluye en un tiempo en que los australianos, chinos y mexicanos que llegan a Hollywood asumen que para ser financiados deben parecerse a Spielberg.

La fusión transnacional de empresas comunicacionales y editores, con proyección intercontinental, va asociada a una redefinición mediático-mercantil de lo que conviene publicar. El cosmopolitismo de los escritores del *boom* de los años sesenta, en el que se agitaba la tensión entre la cultura local y la de las metrópolis, ha mutado en un "estilo internacional". Así lo denominó *El País*, diario asociado a uno de los más poderosos grupos editoriales españoles y a varios medios electrónicos, en una nota sobre la antología de relatos titulada *McOndo*, que bajo este nombre modifica el emblema del realismo mágico para aliarlo con la transnacional gastronómica, mezcla países en cada cuento, costumbrismo juvenilista y "ademanes narrativos" globalizados, según dice el periódico español, como un festival de la OTI (Echeverría, 1997).

La velocidad y eficacia productivas no son patrimonio exclusivo de los estadounidenses, alemanes y japoneses. En Alcalá de Henares se celebra todos los años un concurso de literatura rápida, cuyos participantes deben escribir un cuento en menos de tres minutos, entre los que se elegirá el que va a premiar McDonald's en su negocio más cercano a la casa donde nació Miguel de Cervantes. Enrique Serna, el escritor mexicano que contó esta noticia en *La Jornada Semanal*, de México, decía que "el amor y la literatura se hacen mejor despacio", y aplicaba a la creación literaria la frase de José Alfredo Jiménez de que lo importante no es llegar primero sino saber llegar. Quizás una de las pocas defensas frente a los prosistas veloces, recomendados por megagrupos editoriales y mediáticos, sea la ironía, como la empleada por Tito Monterroso frente a Bryce Echenique: en un reciente diálogo televisado, éste dijo que escribía seis cuartillas diarias y jamás corregía ni una coma. Monterroso se limitó a responder: "yo sólo corrijo".

Las novedades tecnológicas y las altas inversiones económicas facilitan hoy megaexposiciones itinerantes de artes visuales, producciones editoriales, musicales y televisivas multinacionales, editar todo con calidad semejante y difundirlo de inmediato en el mundo entero. Pero dejan poco espacio y poco tiempo para el riesgo, la corrección y los experimentos sin ganancias masivas aseguradas. Dada la parcial regionalización de la producción, atenta hasta cierto punto a la diversidad del mundo, lo más inquietante de la globalización ejecutada por las industrias culturales no es la homogeneización de lo diferente sino la institucionalización comercial de las innovaciones, la crítica y la incertidumbre.

Capítulo 7

CAPITALES DE LA CULTURA
Y CIUDADES GLOBALES

¿A dónde pertenezco? La globalización nos ha conducido a imaginar de otro modo nuestra ubicación geográfica y geocultural. Las ciudades, y sobre todo las megaciudades, son lugares donde esto se vuelve intrigante. O sea, donde se desdibuja y vuelve incierto lo que antes entendíamos por lugar. No son áreas delimitadas y homogéneas, sino espacios de interacción en los cuales las identidades y los sentimientos de pertenencia se forman con recursos materiales y simbólicos de origen local, nacional y transnacional.

Cuando nos preguntan dónde habitamos, tampoco es sencillo responder. Los "hábitats de significado", como los llama Zygmunt Bauman, son espacios que se extienden y se contraen. Vivimos en "hábitats de ofertas difusas y elecciones libres" (Bauman, 1992: 190; Hannerz, 1996: 42-43). A veces, no tan libres, pero condicionados por una variedad de informaciones y estilos provenientes de muchos sitios de pertenencia que no son éste, y que vuelven a éste múltiple y flexible. Imaginamos nuestros lugares de pertenencia residiendo y viajando, dentro de la ciudad y entre ciudades.

La comparación entre ciudades de Europa, Estados Unidos y América Latina es un buen recurso para registrar que la articulación entre las diferencias internas de cada urbe, y de lo local, nacional y global en ellas, varía notoriamente. En Estados Unidos, muchas ciudades se han ido transformando, según Amalia Signorelli, "en constelaciones de guetos, miserables o de lujo, recíprocamente segregados, y conectados (siempre que lo estén), pero independientemente unos de otros, a circuitos nacionales de integración política, económica y cultural", y dirigidos a menudo "por centrales de mando que no tienen necesidad de formar parte de una ciudad". En tanto, los procesos y mecanismos de integración interna de los guetos, "se localizan, se miniaturizan cada vez más, asumen contenidos a escala interna dentro del gueto, reforzando así sus características de aislamiento y segregación" (Signorelli, 1996b: 54-55). Richard Senett ha mostrado que las segregaciones étnicas y de clases en las ciudades estadounidenses, la necesidad de estar siempre "entre los nuestros", es fuente de suspicacia e intolerancia, hostilidad hacia los forasteros reforzada por una obsesión paranoica por el orden (Senett, 1996: 101-109). Zygmunt Bauman comenta que en ciudades o barrios tan homogéneos es difícil "adquirir las cualidades de carácter y las destrezas necesarias para afrontar las diferencias entre seres humanos y las situaciones de incertidumbre", por lo cual la inclinación predominante "es temer al otro, por la mera razón de que es otro" (Bauman, 1999: 64).

En Europa y en las ciudades latinoamericanas formadas a partir de modelos europeos, sobre todo españoles y portugueses, las ciudades han cumplido funciones modernizadoras e integradoras de los migrantes, tanto extranjeros como de regiones diversas del propio país. Si bien separando barrios ricos y pobres, centro y periferia, fomentaron la convivencia interétnica. Fue un modo desigual pero en general menos segregante de articular lo local con lo que procedía de otras partes de la nación y de otras naciones.

En las dos últimas décadas, el crecimiento cuantitativo de migrantes (en París y Berlín, Buenos Aires y San Pablo, entre otras ciudades) y el aumento de la inseguridad impulsan a atrincherarse en barrios cerrados y bajo sistemas deslocalizados de vigilancia, que van asemejando el uso del suelo y la fragmentación de las interacciones al modelo estadounidense. Aún predomina la concepción urbanística integradora, de manera que tanto para las clases medias como para los sectores populares las grandes ciudades son ámbitos disponibles para la interculturalidad, quizá "los únicos espacios donde es posible hacer circular la información y comparar las experiencias en presencia de una concentración de personas suficientemente amplia para que constituya un conjunto de relaciones no irrelevantes respecto al sistema social global" (Signorelli, 1996: 55). Las marchas de manifestantes, las protestas obreras y estudiantiles, de mujeres y pobladores, las radios comunitarias y las televisoras transnacionales son acontecimientos urbanos, enunciaciones que surgen de las ciudades y hablan principalmente de lo que se vive en ellas y entre ellas. Aun en Estados Unidos son estas acciones urbanas y estas redes de base urbana los movimientos y circuitos donde se supera, aunque sea en forma circunstancial, la segregación.

EL RENACIMIENTO DE LO URBANO

Quiero trabajar más específicamente en qué sentido las grandes ciudades son espacios para imaginar la globalización y articularla con lo nacional y lo local. Se ha elaborado esta cuestión, durante los años noventa, respecto de las megalópolis globales del Primer Mundo. Saskia Sassen, que inició esta línea de investigación con Nueva York, Londres y Tokio; Manuel Castells, Jordi Borja y Peter Hall, que la analizan en ciudades europeas, cambian la perspectiva alarmada sobre la decadencia de lo urbano que prevalecía en los estudios de los años ochenta. Contra las imágenes de embotellamientos, contaminación, delincuencia y otras catástrofes, el urbanismo globalizador habla de fuertes avances económicos, parcial interrupción del declive de población y grandes proyectos renovadores. Para argumentar esta tendencia transformadora se menciona también el regreso al centro en algunas ciudades. Paolo Perulli cita a París y Berlín como ejemplos de revitalización. La primera, porque recoge hoy los frutos de grandes políticas constructivas emprendidas en décadas anteriores; Berlín, gracias a los procesos de unificación alemana y europea.

Además, hay metrópolis regionales que están asumiendo un nuevo papel en esta dirección, especialmente en las áreas del arco meridional europeo, Barcelona, Múnich, Lyon, Zúrich, Milán, Francfort. Se observa un relanzamiento económico y cultural de estas ciudades, aumenta el empleo, no sólo el terciario sino también el industrial, que estaba en declinación, se conectan nuevas redes inmateriales de infraestructura, se promueven monumentales obras públicas. Algo semejante se afirma de Nueva York: la ciudad cuya violencia y degradación había llevado a un urbanista a definirla como "la estación terminal de la civilización occidental" (Koolhaas, 1994) vio reducir en los últimos años los asesinatos y robos (¿gracias a las cámaras de videovigilancia?), emprende construcciones de nuevos centros de arte y negocios, es sede de empresas editoriales poderosas, de 100 periódicos, 240 revistas y 160.000 *dominios* de Internet.

¿Qué se necesita para ser una ciudad global? Los autores citados señalan los siguientes requisitos: a) fuerte papel de empresas transnacionales, especialmente de organismos de gestión, investigación y consultoría; b) mezcla multicultural de pobladores nacionales y extranjeros; c) prestigio obtenido por la concentración de élites artísticas y científicas; d) alto número de turismo internacional (Borja y Castells, 1997; Hannerz, 1998; Sassen, 1998).

Es posible preguntarse cuán real es esta revitalización de lo urbano y quiénes se benefician desarrollando focos ultramodernizados, que la mayoría ve apenas como espectáculo. Esta crítica se ha planteado respecto de varias ciudades citadas. En octubre de 1998 visité la remodelación del corazón de Berlín, donde 250.000 personas trabajaban día y noche erigiendo los edificios diseñados por Norman Foster, Renzo Piano, Ming Pei y otros arquitectos célebres. Lo que más impresionaba era la rapidez con que estaban tapando la enorme cicatriz dejada por el muro que dividía las dos Alemanias en la zona de Postdammer Platz. Había aún pocos edificios y lo más visible era el enorme pozo en obras, al que no se podía entrar. Pero era posible subir al InfoBox, magnífica torre-terraza roja donde pasan vídeos de cómo va a quedar la construcción. También se encuentra una tienda en la que venden "fotos" simuladas en computadora de los edificios planeados, folletos, objetos decorativos, camisetas, videos, pósters y tazas con imágenes de lo que todavía no se construye, hasta un rompecabezas para armar los edificios virtuales y un CD Rom interactivo. El visitante puede "participar" en el mayor centro de negocios de Europa y sentirse copartícipe simbólicamente, como espectador, de lo que están edificando Daimler-Benz, Sony y otras empresas transnacionales. La modernización globalizadora se ofrece como espectáculo para los que en rigor quedan afuera, y se legitima configurando un nuevo imaginario de integración y memoria con los *souvenirs* de lo que todavía no existe.

La distancia entre la urbanización globalizada y la ciudad tradicional, no integrada, es aun mayor en las megalópolis del Tercer Mundo. De hecho, varios especialistas en el tema (Castells, Hannerz, Sassen) distinguen entre ciudades propiamente globales y "ciudades emergentes". En la primera serie ponen a Nueva York, Los Ángeles, Londres, París, Berlín, Francfort, Tokio y Honk Kong como sedes avanzadas de actividades financieras, de seguros, consultoría, publicidad, diseño, relaciones públicas, gestión de industrias audiovisuales e informáticas, y, por otra parte, los "centros regionales" emergentes, entre otros, Barcelona, San Pablo, México, Chicago, Taipei y Moscú, donde la formación de nodos de gestión de servicios globalizados coexiste con sectores tradicionales, actividades económicas informales o marginadas, deficientes servicios urbanos, pobreza, desempleo e inseguridad.

El segundo grupo de ciudades vive en la tensión entre formas extremas de tradición y modernización global. Esa fractura genera oportunidades de integración internacional y a la vez desigualdad, exclusión económica y cultural. Estos problemas son particularmente visibles en relación con los jóvenes cuando dificultan su incorporación al mercado laboral, ya sea por la desigualdad económica o la falta de preparación educativa.

La desintegración y la desigualdad, o sea la dualización entre la ciudad global y la ciudad local marginada e insegura, son el principal obstáculo para que muchas ciudades se reubiquen en esta nueva etapa de su desarrollo. Señalan Borja y Castells que un alto riesgo de la globalización es que se haga para una élite: "se vende una parte de la ciudad, se esconde y se abandona al resto" (Borja y Castells, 1997: 185). Varias ciudades de Estados Unidos enfrentaron los problemas de inseguridad y violencia que en años pasados afectaron su imagen a la vez con políticas específicas de reordenamiento intenso (no siempre democrático) y mediante el desarrollo de ofertas artísticas y culturales que configuran espacios urbanos de alto atractivo. En las megalópolis de Asia y América Latina las crisis económicas y financieras y el adelgazamiento de los Estados han reducido la posibilidad de mejorar los servicios y la seguridad, movilizar nuevos recursos económicos y culturales con vistas a renovar y expandir su vida urbana y su proyección externa. Aumenta el desempleo, especialmente en las nuevas generaciones.

La GLOBALIZACIÓN DE LAS CIUDADES EN LA PERIFERIA

Así como el estudio de las ciudades (Berlín, París, Viena) contribuyó a repensar la modernidad, podemos preguntarnos si lo que hoy se investiga sobre las transformaciones urbanas sirve para avanzar en algunos problemas de la teoría de la globalización. Si acordamos que las megaciudades, o al menos algunas de ellas, son lugares donde se manifiestan los movimientos globalizadores en la industria y las finanzas, los servicios y las comunicaciones, las transformaciones del espacio público pueden darnos claves para comprender sus tendencias y su interacción con la cultura local. Concentraré el análisis en los cambios de la simbólica y la visualidad urbana en algunas ciudades latinoamericanas, en particular la de México. Se trata de entender qué papel desempeñan los imaginarios sobre la globalización junto a los procesos "duros" de interdependencia económica y política. Al mismo tiempo que esto replantea la conceptualización de lo global, nos lleva a indagar cómo se reformula el sentido de lo urbano y de la ciudadanía en las llamadas ciudades globales.

Buenos Aires, Lima y México, como otras urbes coloniales, funcionaron como capitales regionales y articuladoras de los vínculos con España. Esa interacción supranacional persistió después de los procesos de independencia y durante la formación como naciones modernas. Las grandes ciudades-puerto fueron desde principios del siglo XX entidades muy abiertas, donde las tradiciones locales se hibridaban con los repertorios culturales procedentes de las metrópolis con las cuales se comerciaba: con España, Francia e Inglaterra en las ciudades Atlánticas (Buenos Aires, Caracas, La Habana, Río de Janeiro, estas dos últimas en una rica interacción con África), y con Estados Unidos y Asia en las del océano Pacífico (Lima y Panamá). Encontramos en esas urbes antecedentes de la globalización, pero dentro de restricciones derivadas de la lógica colonial o imperial que privilegiaba los vínculos con *una* metrópoli. Hasta mediados del siglo XX la estructura urbana y el significado de la vida en esas urbes latinoamericanas estuvieron condicionados preferentemente por su papel como centro político, económico y cultural de cada nación. En cambio, lo que convierte ahora a México y San Pablo en ciudades globales no es ser capitales de regiones, o sus conexiones con un país metropolitano, sino el convertirse en focos decisivos de redes económicas y comunicacionales de escala mundial.

Si bien desde la mitad del siglo XIX a 1940 la población de la ciudad de México aumentó de 185.000 a 3.410.000 habitantes, la estructura urbana mantuvo la traza cuadrangular establecida desde el siglo XVI por los conquistadores españoles. La vida de la ciudad se organizaba, hasta hace cincuenta años, en un territorio claramente delimitado, cuyo núcleo geográfico, político y cultural se hallaba en el Centro Histórico constituido por los edificios coloniales, los del siglo XIX y algunos sitios arqueológicos que evocan el pasado prehispánico.

El Estado fue durante todo este período el principal actor en la sociedad nacional y en la vida urbana. Construyó una nación superando, hasta cierto punto, la división entre etnias indígenas y la separación entre regiones del país al integrarlas mediante un sistema de ferrocarriles, un mercado económico nacional, un sistema educativo basado en la castellanización, y la unidad política en un solo partido y una central sindical. También los bienes simbólicos contribuyeron a esta unificación: con las artesanías, las artes plásticas modernas y el cine se formó un patrimonio cultural que propuso síntesis iconográficas de la nación. Ese repertorio de imaginarios circuló en museos nacionales y ferias internacionales, en el gigantesco muralismo público y las películas que enlazaban la memoria campesina con la nueva educación sentimental urbana. A medida que la población se iba concentrando en las ciudades (el 10 por ciento de los mexicanos vivía en ellas a principio de siglo, en tanto el 70 por ciento las habitaba siete décadas después), se aglomeraban, sobre todo en la capital, los centros educativos, los museos, la monumentalización visual de los sitios arqueológicos y los edificios coloniales preservados por el Estado mexicano, con políticas culturales más consistentes que en cualquier otro país latinoamericano.

¿Cómo han cambiado el espacio público, los modos de reunirse e interactuar de la población de la ciudad de México, desde hace medio siglo hasta la actualidad? Cuando en 1950 la capital ocupaba básicamente las Delegaciones que ahora son más centricas: Benito Juárez, Cuauhtémoc y Coyoacán, la vida era en gran parte barrial, había tranvías, 22.000 carretas de caballos, 60.000 automóviles, y unos 1.700 autobuses que trasladaban a un millón de pasajeros por día (Hoy). Cualquier habitante podía llegar al Centro Histórico caminando o en un viaje de no más de cinco kilómetros. Una pequeña parte de la población se informaba por la prensa, algunos más por la radio, que comenzaba a masificarse, se iba mucho al cine, a los salones de baile y a los parques. No había televisión, ni video. La universidad, las librerías y los teatros estaban en el centro de la urbe.

DE LOS ESPACIOS URBANOS A LOS CIRCUITOS MEDIÁTICOS

El pasaje de la ciudad de tres millones de habitantes a la megalópolis actual de más de 18 millones fue suscitando otros cambios demográficos, socioeconómicos, de la información y los entretenimientos, que recibieron poca atención de las políticas culturales. En los asentamientos populares del norte y el oriente de la capital el desarrollo industrial no indujo la creación de museos, librerías, ni salas de espectáculos, existen pocos parques y algunos sitios recreativos. Sólo la radio y la televisión, el toreo, y a partir de 1985 los videoclubes, más algunas bibliotecas públicas, ofrecieron algo para hacer durante el tiempo libre. Es sobre todo en los medios masivos de comunicación donde se desenvuelve para la población el espacio público.

¿Qué fue lo que se redistribuyó en el espacio urbano en los últimos veinte años? Ante todo, las redes comunicacionales (prensa, radio, TV, video, informática). También las bibliotecas, los centros comerciales –algunos incluyen ofertas culturales– y últimamente las multisalas de cine. Como en Bogotá, Caracas y San Pablo, los *circuitos* mediáticos adquieren más peso que los tradicionales *lugares* en la transmisión de informaciones e imaginarios sobre la vida urbana, y en algunos casos ofrecen nuevas modalidades de encuentro y reconocimiento, desde la comunicación a través de radio y televisión, en programas "participativos" o de teléfono abierto, hasta la reunión en centros comerciales que reemplazan parcialmente a los espacios anteriores de cita y paseo. Además, muchas de estas ofertas culturales tienen la propiedad de vincular a grandes sectores de la población con experiencias macrourbanas y de otros países. Así cambia también el sentido de la ciudad como espacio público. No sólo estos medios favorecen una interacción más fluida de la capital con la vida nacional, sino con bienes y mensajes transnacionales: la megalópolis como lugar en el que se concentran informaciones y espectáculos internacionales, sucursales de grandes tiendas extranjeras, centros de gestión de capitales, innovaciones e imaginarios globalizados.

Sigue habiendo en la ciudad de México acontecimientos culturales y recreativos localizados que atraen a sectores numerosos. Los tres millones de peregrinos que llegan el 12 de diciembre a la Villa para celebrar a la Virgen de Guadalupe, los dos millones que visitan Iztapalapa en Semana Santa, las multitudes que se aglomeran en el Zócalo para reuniones políticas y en los estadios para espectáculos deportivos son algunos ejemplos insoslayables. También persisten fiestas patronales, bailes en salones y en calles de colonias populares, así como otras prácticas locales que no se dejan incluir en la industrialización de la cultura. La gran ciudad sigue conteniendo pueblos que preservan hábitos residenciales y fiestas de origen rural, y sus nombres sintetizan el componente hispano y el indígena al vincular un santo católico y un nombre náhuatl, a la vez que sus habitantes se vinculan con la urbe moderna en sus lugares de trabajo y consumo; también siguen funcionando con un perfil relativamente autónomo barrios fundados en los siglos XVII y XVIII, donde se reproducen prácticas y fiestas de aquella época que, por supuesto, no son incompatibles con las autovías de tránsito rápido que los atraviesan ni con la presencia de edificios y tecnología avanzados que transmiten imaginarios posmodernos. Algunos estudios antropológicos recientes, al comparar los modos de residencia y los imaginarios que suscitan zonas diversas de la ciudad, encuentran que, mientras los que habitan pueblos y barrios sienten "pertenecer a", los que están en áreas modernas (condominios, fraccionamientos) hablan de "vivir en" (Portal ,1997).

La distinción es valiosa. Pero hay que reconocer, como lo analizamos en otro lugar, los nuevos modos de pertenencia que fomentan las formas menos personalizadas de habitar, e incluso, a escala transnacional, los circuitos de consumo (García Canclini, 1995). De todas maneras, las actividades continuas y sistemáticas de la mayoría, las zonas donde se concentran inversiones más fuertes y con mayor generación de empleos, así como los espacios y circuitos en que se desenvuelve con más dinamismo e influencia la esfera pública, son la prensa, la radio, la televisión y los entretenimientos masivos (cines y *shoppings*) ligados a redes transurbanas y supranacionales.

Como en muchas ciudades de América Latina y de otras regiones, en la de México se está viviendo un proceso de desindustrialización por el cierre de fábricas debido a la competencia transnacional, o su transferencia a la periferia y a otras zonas del país por razones ecológicas. También por la recomposición económica que concede mayor importancia a actividades terciarias (Nivón). Hace apenas veinte años las teorías de la urbanización caracterizaban a las ciudades por su diferencia con el campo, y la transferencia de fuerza de trabajo de labores agrícolas a las secundarias y terciarias. Ahora, los impulsos más potentes para el desarrollo proceden, más que de la industrialización, de procesos informáticos y financieros. Y como estos servicios requieren una infraestructura física, aun los productos más móviles y desterritorializados se arraigan en ciudades que cuentan con recursos tecnológicos y humanos de alta calificación. La dispersión geográfica de las interacciones globales se combina con sitios estratégicos, en muchos puntos del planeta, que espacializan las comunicaciones.

En una economía globalizada, las grandes ciudades se vuelven escenarios que conectan entre sí a las economías de muchos países, son centros de servicios más que de producción industrial. En Nueva York y Londres, las industrias manufactureras no emplean más que un 15 por ciento de la población activa, y se prevé que a principios del siglo XXI abarcarán entre un 5 y 10 por ciento (Hall). Si hasta hace pocas décadas las imágenes emblemáticas de las megalópolis eran las chimeneas y los barrios obreros, hoy son los enormes carteles de publicidad transnacional que saturan hasta la contaminación visual todas las vías rápidas y los monumentos arquitectónicos posmodernos, esos altos edificios corporativos, de vidrio reflejante, que en la ciudad de México están cambiando el paisaje en el Paseo de la Reforma, Polanco, Santa Fe y el extremo sur de la ciudad.

Hay que destacar el papel cultural que cumplen los macrocentros comerciales en las ciudades grandes y medianas. Además de expandir el capital inmobiliario y comercial, reestructurar en forma concentrada las inversiones, generar empleos y extinguir otros del comercio minorista, ofrecen espacios para escenificar el consumo donde la monumentalidad arquitectónica se asocia con el paseo y la recreación. Configuran nuevos signos de distinción y diferenciación simbólica para las clases altas y medias, aumentan el papel de los productos y marcas transnacionales en la satisfacción de necesidades. Muchos *shoppings* incluyen ofertas específicamente culturales, como las multisalas de cine, librerías, tiendas de discos, videojuegos, espectáculos musicales, exposiciones de arte y centros de entretenimiento. Con atractivos diseños, seguridad e higiene, colaboran para que estos espacios trasciendan sus fines comerciales, sirvan para citarse y sociabilizar, especialmente para jóvenes. La combinación de estos ingredientes los vuelve más seductores que los centros exclusivamente culturales y más confiables que otros lugares hechos sólo para comprar o pasear. Una de las claves culturales de su éxito es cómo convergen en ellos diferenciación simbólica y libertad de comportamientos. Las entrevistas a usuarios muestran que son sitios donde el consumo de ropa y otros objetos genera más distinción, y donde a la vez el acceso a los entretenimientos y bienes culturales más "modernos", o "globales", con mayor calidad de exhibición, puede hacerse sin solemnidad, vestido con jeans, mientras se camina y conversa (Ramírez Kuri, 1998).

Esta enorme transformación del uso de espacios urbanos y del consumo, incluido el cultural, no ha entrado en el debate sobre la ciudad, y menos en las políticas culturales. En México sólo el Centro Comercial Cuicuilco fue motivo de polémica porque se consideró que su construcción, y la de un edificio corporativo asociado, afectaría el centro ceremonial contiguo del mismo nombre, el más antiguo del Valle de México (del siglo II antes de Cristo), y agravaría problemas de agua y congestión vial. ¿Es sólo el conflicto con la ciudad histórica y monumental lo que debe hacer pensar en intereses públicos cuando se expande la mercantilización del ocio y de la visualidad urbana?

Dada la concurrencia masiva a estos centros y su apropiación privada de recursos públicos, su instalación podría ser motivo de estudios y análisis desde una perspectiva pública, no sólo cuando afectan un sitio arqueológico. Pero es posible pensar –además de la función reguladora y restrictiva que podría cumplir el Estado– en *usos públicos positivos asociados al centro comercial*. Así como han favorecido cierto regreso al cine, el consumo de discos y exposiciones artísticas, cabe preguntarse si en este contexto podrían impulsar otras actividades culturales, de información y participación vinculadas con la gestión pública de la cultura. Es algo que ya ocurre en centros comerciales de Barcelona, Berlín, Londres y otras ciudades europeas (Borja y Castells, 1997), donde los inversores en los *shoppings* deben incluir espacios no lucrativos como centros de convivencia infantil, servicios culturales y sociales.

En México la ley que regula la televisión comercial establece que los canales deben ceder un 12 por ciento del tiempo a la difusión de mensajes de interés público. Por otra parte, en el Distrito Federal la legislación ha fijado Zonas Especiales de Desarrollo Controlado, ya sea por su valor histórico o para preservar la armonía del crecimiento urbano: quienes deseen hacer un uso más intensivo del suelo que el autorizado (ocupación del terreno, nivel de construcción), deben realizar en el área una aportación de servicio público para acciones de regeneración o mejoramiento urbano.

¿No sería posible colocar como condición para construir o extender los centros comerciales que los empresarios destinen un espacio para actividades culturales no lucrativas: espectáculos, talleres artísticos, salas de cine administradas por la Cineteca, centros de servicios informáticos con fines sociales? Así como se regula el impacto ambiental de estas grandes construcciones, habría que valorar su impacto cultural y requerir que las inversiones lucrativas den a sus ganancias un efecto de retorno sobre la vida comunitaria. Quizás esta reconsideración del valor público de los nuevos espacios de sociabilidad y consumo podría ser motivo de una ampliación de la agenda ciudadana, tal como se está reelaborando en otras ciudades (Holston y Appadurai, 1996).

Si bien el crecimiento de la ciudad de México en el último medio siglo se debió a su industrialización y la consiguiente atracción de migrantes nacionales, desde la apertura económica del país al exterior a principios de los años ochenta, las zonas más dinámicas de desarrollo en la capital son las vinculadas a la instalación de inversiones transnacionales y la transnacionalización de empresas mexicanas. El Distrito Federal y su entorno metropolitano se han convertido en uno de los veinte o treinta megacentros urbanos del mundo donde se articulan dispositivos de gestión, innovación y comercialización a escala transnacional. Este cambio es patente, sobre todo, en las 650 hectáreas dedicadas en la zona de Santa Fe a los edificios de Hewlett Packard, Mercedes Benz, Chubb Insurance, Televisa y otras empresas, a centros comerciales y zonas residenciales de alto nivel. También en la remodelación arquitectónica del Paseo de la Reforma, de partes de Polanco, Insurgentes y Periférico Sur, en la proliferación de macrocentros comerciales, nuevos hoteles transnacionales, la modernización de las telecomunicaciones y su conexión satelital, la difusión de servicios informáticos, de televisión por cable y digital, así como las multisalas de cine ya mencionadas. Varias de estas actividades introducen cambios directamente en la oferta cultural y comunicacional; otras reordenan el sentido de la vida urbana y los modos tradicionales de apropiación del espacio. En ambos casos, el Estado cede su papel de actor protagónico a empresarios privados y corporaciones transnacionales.

Para que la globalización de la vida urbana se afiance y sea más que simples negocios inmobiliarios, financieros y mediáticos, sería necesario que se replantearan las relaciones de la política cultural con la esfera pública y con la ciudadanía. Si las tradiciones artísticas y artesanales, los museos y los barrios históricos, llegaran a formar parte de un proyecto de desarrollo urbano (y nacional) junto con los sistemas avanzados de comunicación e informática, serían otras las posibilidades de intervenir en los problemas de desintegración y desigualdad. Quizá cambiaría la imagen y la competitividad de la ciudad (y de cada país) en el exterior.

IMAGINARIOS PROVINCIALES Y GLOBALES

A esta altura del análisis, la dualización urbana aparece ligada al problema de la segregación en los procesos globales. ¿En qué medida la globalización dinamiza a las megalópolis y en qué grado acentúa su descomposición?

Si seguimos la información periodística sobre grandes ciudades latinoamericanas observamos el crecimiento de las noticias sobre inseguridad y violencia, descomposición del tejido social y privatización del espacio público para protegerse. Estudios como los de Miguel Ángel Aguilar en México y Teresa P. R. de Caldeira en San Pablo muestran cómo los imaginarios de estas megalópolis se vienen modificando por las nuevas formas de segregación y violencia. En las ciudades latinoamericanas la segregación se organizó, durante el desarrollo modernizador, separando a los grupos sociales en distintos barrios. Luego, para ordenar la expansión urbana provocada por las migraciones y la industrialización desde mediados del siglo, se dividió a la gente bajo la oposición centro/periferia: las clases medias y altas en las zonas céntricas mejores equipadas, en tanto los pobres se aglomeraban en suburbios desfavorecidos. Si bien este último modelo sigue operando, dice Teresa P. R. Caldeira, en su estudio sobre San Pablo, al volverse los diferentes grupos demasiado próximos en muchas zonas de la ciudad, se elevan muros, portones y puestos de vigilancia, se cierran barrios residenciales limitando el acceso a sus calles, se construyen grandes edificios con entradas electrónicas codificadas.

Los ciudadanos adoptan nuevas estrategias de protección que modifican el paisaje urbano, los viajes por la ciudad, los hábitos e imaginarios cotidianos. En barrios populares –las favelas brasileñas, las villas miseria de Buenos Aires y sus equivalentes en Bogotá, Lima y México– los vecinos se organizan para cuidar la seguridad y aun impedir, en ciertos casos, la entrada de la policía. Sectores económicos poderosos establecen conjuntos residenciales y lugares de trabajo cerrados a la circulación o con acceso rigurosamente restringido. Algunos colocan controles igualmente estrictos en los centros comerciales y en otros edificios públicos. En los últimos años, la formación de barrios cerrados se ha vuelto el principal estímulo para organizarse en sectores altos y medios de grandes ciudades, que no solían formar parte de movimientos sociales: su particular modo de ejercer la ciudadanía consiste en aislarse de la conflictividad urbana mediante la privatización de espacios sobrevigilados y la restricción de la sociabilidad o de los encuentros azarosos.

Se está pasando de una visualidad multicultural al repliegue compartimentado. De las ciudades a las que los provincianos llegan, como explican los estudios sobre migración, buscando trabajo y mejores ingresos, confort y anonimato, fascinados por las luces de la ciudad, estamos dirigiéndonos a urbes ensombrecidas, reordenadas para ocultarse, para no ver ni ser vistos.

Hay un contraste entre el imaginario provinciano, para el cual todavía las megalópolis son horizontes de modernidad y progreso, y, por otra parte, el imaginario internacional, el que circula en la prensa, la televisión y algunos estudios especializados, para el cual las ciudades de México, San Pablo, Bogotá y Caracas se asocian a sobrepoblación, congestionamientos, contaminación y violencia.

Junto al proceso de deterioro de los espacios públicos, crecimiento descontrolado y violencia segregante, aparecen en los años noventa nuevos focos y modalidades de desarrollo sociocultural. Mientras se agravan la dualización económica y urbanística, el desorden del comercio informal y el aumento de crímenes, algunas capitales latinoamericanas eligen por primera vez a sus gobernantes (Buenos Aires, México) y otras encuentran en los períodos posdictatoriales la escena para ensayar formas más democráticas de participación y reactivar su desarrollo cultural (Santiago de Chile, Montevideo, Bogotá, San Pablo). Cabe destacar algunas experiencias realizadas en Porto Alegre, Brasil, desde principios de esta década, bajo la administración del Partido de los Trabajadores, para enfrentar el desajuste entre las reivindicaciones sociales acumuladas y la estrechez presupuestaria mediante la participación activa de los ciudadanos de todos los distritos en la fijación de prioridades para el uso de recursos (Jelin, 1998). Otro ejemplo es el de la ciudad de Barcelona, donde la democratización de la gestión municipal está ligada a proyectos participativos de mejoramiento estético como recursos para fomentar el uso más intensivo de espacios públicos y contribuir así a su seguridad (Borja y Castells, 1997).

La globalización económica y comunicacional propicia en las ciudades un desenvolvimiento más cosmopolita. No ocurre en forma pareja en todas las áreas. En el campo académico y en algunos otros de la vida intelectual, las principales urbes latinoamericanas multiplican las visitas internacionales y los flujos de información. Sin embargo, la retracción de los Estados y el débil financiamiento privado reducen en algunas ciudades que fueron muy cosmopolitas la difusión del arte extranjero, como se comprueba en las empobrecidas exposiciones de artes visuales en México, en el teatro de Montevideo y Bogotá. El cine, cuya producción decayó en los pocos países latinoamericanos que tienen en este campo industria nacional (Argentina, Brasil, Colombia y México), y que había perdido salas para exhibirlo, muestra ahora signos de reactivación, aunque la distribución de las salas y de todo el sistema multimedia está cada vez más controlado por empresas norteamericanas.

En casi todos estos campos las nuevas administraciones urbanas están impulsando un mejoramiento y una diversificación de la oferta cultural. Un hecho novedoso es que la apertura internacional se da no sólo hacia las metrópolis del Primer Mundo sino también entre las grandes ciudades latinoamericanas: esto ocurre a veces por iniciativa estatal (festivales interciudades, ciclos de cine y teatro de un país en otro) y en otros casos mediante la asociación de empresarios privados o productores independientes, desde Televisa hasta festivales de música caribeña que enlazan a las ciudades de América Central y el Caribe con Nueva York y Miami. En Porto Alegre-Buenos Aires se ha establecido otro circuito de intercambio entre músicos, artistas visuales y grupos teatrales de esas ciudades.

No es un mero juego de palabras preguntar con qué capital cultural encaran estas tareas las capitales latinoamericanas. ¿En qué medida esta movilización se basa hoy en un patrimonio propio (histórico, de producción de música, películas, videos locales) y en qué grado depende de la importación, las giras con sentido comercial y, por tanto, la movilización de fuertes capitales deslocalizados, casi siempre regidos por una estética *light*, de ganancias rápidas y pasajes efímeros? ¿Cuáles son las posibilidades de hablar en nombre de la propia ciudad y comunicarse con otras ciudades cuando se han achicado tantos rubros de la producción local: editoriales quebradas o compradas por transnacionales, escasa capacidad de filmar y subordinación de lo poco que se hace en cine a los criterios comerciales de las coproducciones internacionales? Por cierto, estas tendencias del mercado son reequilibradas, en alguna medida, por las adaptaciones regionales de las cadenas transnacionales (ejemplos: las sucursales de MTV en México, Brasil y Argentina; las *majors* productoras de discos). También deben correlacionarse estos cambios con las nuevas tendencias del consumo cultural: gustos más cosmopolitas, predominio de las industrias comunicacionales sobre la cultura local.

Todo esto se vincula, asimismo, con el hecho ya señalado de que no sólo cambió el sentido de las capitales nacionales sino también las capitales referentes de Europa a Estados Unidos. Lo que París, Madrid o Londres significaron en otra época para los latinoamericanos ahora lo representan para las élites Nueva York, para los sectores medios Miami o Los Ángeles. El alto número de artistas e intelectuales, y de población de sectores medios y populares de nuestra región en esas ciudades –por tanto, de públicos y mercado en español–, así como la comunicación fluida entre las comunidades latinoamericanas del Primer Mundo y las ciudades de

América Latina, vuelve necesario pensarlas como capitales culturales latinoamericanas (y no sólo referentes extranjeros prestigiosos). Tenemos que
preguntarnos, al hacer política urbana y política cultural, cómo pueden
contribuir las políticas transurbanas al conocimiento y la comprensión intercultural. Varios programas recientes, como las semanas de arte Buenos
Aires-Porto Alegre y el Fideicomiso para la Cultura México-Estados
Unidos, así como la declaración de México D. F. "ciudad refugio" para escritores perseguidos son iniciativas que impulsan esta línea de trabajo.

Este conjunto de tendencias, que no van en la misma dirección y que a
veces son alentadas por intereses contradictorios, reconfiguran el paisaje
cultural latinoamericano. No es algo que ocurra sólo en las grandes ciudades, pero éstas concentran –una vez más– muchas innovaciones. Son, por
eso, escenarios preferentes para reflexionar sobre el sentido de los cambios
y los desafíos que presenta para los gobiernos urbanos, las empresas privadas y las asociaciones independientes el torbellino de la globalización.

Quiero destacar, por último, el papel que desempeñan algunas ciudades en la conceptualización de lo global y en los imaginarios que suscita.
A diferencia de la literatura de los años ochenta y principios de los noventa, organizada predominantemente en el eje de oposición global/local, la
bibliografía reciente considera el proceso de globalización en "una trian-
gulación de Estado nacional, economía global y localidades estratégicas"
(Sassen, 1998: 15). A esto se añade, como cuarto referente, la importancia
de regiones transfronterizas donde las tendencias globalizadoras adoptan
formatos específicos, por ejemplo Tijuana-San Diego (Alegría, 1992; Herzog, 1990; Valenzuela, 1999), y, de un modo incipiente, varios puntos de la
frontera Argentina-Brasil.

De modo análogo a las fronteras, muchas ciudades –entre ellas las fronterizas– son escenarios donde lo global se espacializa, exhibe las tensiones
entre globalización y desglobalización, adopta formas que difieren de una
frontera a otra, de una megaciudad a otra (Vila, 1999). Señalo, entonces,
dos consecuencias. Una es la conclusión metodológica de que los estudios
macrosociales sobre globalización, típicamente los económicos y comunicacionales, necesitan contrastar sus descubrimientos con los lugares –ciudades y fronteras– donde lo global interactúa y es remodelado por la historia local. La segunda inferencia es política: las acciones culturales que los
Estados puedan desarrollar en medio de la globalización no se agotan en
las industrias culturales y los organismos internacionales; pueden lograr
resultados específicos en las ciudades y las fronteras estratégicas donde las
naciones interactúan con lo global.

Capítulo 8

HACIA UNA AGENDA CULTURAL
DE LA GLOBALIZACIÓN

Hemos visto que, aunque la globalización sea imaginada como la co-presencia e interacción de todos los países, de todas las empresas y todos los consumidores, es un proceso segmentado y desigual. Entre las sociedades centrales y las élites de las periferias se intensifican las dependencias recíprocas. Ambas logran un acceso más diversificado a mayor número de bienes y mensajes. Pero aun en esas franjas privilegiadas conviene distinguir la globalización de los movimientos de internacionalización y trans-nacionalización, o los simples agregados regionales.

Por razones de afinidad geográfica e histórica, o de acceso diferencial a los recursos económicos y tecnológicos, lo que llamamos globalización muchas veces se concreta como agrupamiento regional o entre países históricamente conectados: asiáticos con asiáticos, latinoamericanos y europeos o estadounidenses, estadounidenses con aquellos grupos que en países lejanos hablan inglés y comparten su estilo de vida. Las afinidades y divergencias culturales son importantes para que la globalización abarque o no todo el planeta, para que sea circular o simplemente tangencial.

También observamos que algunas áreas de las industrias y del consumo son más propicias que otras para que la globalización tenga un formato más o menos extendido. La industria editorial acumula fuerzas e intercambios por regiones lingüísticas, en tanto el cine y la televisión, la música y la informática, hacen posible que sus productos circulen mundialmente con más facilidad. Las megalópolis y algunas ciudades medianas (Miami, Berlín, Barcelona), sedes de actividades altamente globalizadas y de movimientos migratorios y turísticos intensos, se asocian mejor a las redes mundiales, pero aun en ellas existe una dualización que deja marginados a amplios sectores.

Las condiciones más o menos "objetivas" que distribuyen los bienes y mensajes entre unas naciones más que entre otras, entre actividades más o menos planetarias, pueden esquematizarse en lo que podemos llamar la doble agenda de la globalización.

a) El relato más reiterado sobre la globalización es el que narra la expansión del capitalismo postindustrial y de las comunicaciones masivas como un proceso de unificación y/o articulación de empresas productivas, sistemas financieros, regímenes de información y entretenimiento. Wall

Street, el Bundesbank, Bertelsmann, Microsoft, Hollywood, CNN, MTV, Sotheby's y Christie's serían algunos de los personajes organizadores de esta narración. Al unificar los mercados económicos e interrelacionar simultáneamente los movimientos financieros de todo el mundo, al producir para todos las mismas noticias y parecidos entretenimientos, se crea por todas partes la convicción de que ningún país puede existir con reglas diferentes de las que organizan el sistema-mundo. Si este relato ha sido tan persuasivo en muchas sociedades es porque efectivamente existen bancos, empresas y organizaciones no gubernamentales mundializados, y también redes de consumidores integradas como "comunidades" transnacionales de usuarios de tarjetas de crédito y servicios de computación, espectadores de películas, información y videoclips. Convertida en ideología, en pensamiento único, la *globalización* –proceso histórico– se ha vuelto *globalismo*, o sea imposición de la unificación de los mercados y reducción al mercado de las discrepancias políticas y las diferencias culturales. Al subordinar estos dos escenarios de la diferencia a una sola visión de la economía, lo político se diluye y el Estado parece casi innecesario. Las políticas culturales deben ceder a la comercialización de lo simbólico cualquier pretensión estética y cualquier reconocimiento de diferencias que no sean las que pueden existir entre clientes. Lo excluido o lo disidente no puede ser pensado sino como lo que no entra en la organización mercantil de la vida social.

b) Al mismo tiempo, esta unificación mundial de los mercados materiales y simbólicos es, como enuncia Lawrence Grossberg, una "máquina estratificante", que opera no tanto para borrar las diferencias sino para reordenarlas con el fin de producir nuevas fronteras, menos ligadas a los territorios que a la distribución desigual de los bienes en los mercados. Además, la globalización –o más bien las estrategias globales de las corporaciones y de muchos Estados– configuran máquinas segregantes y dispersadoras. Sus políticas de "flexibilización laboral" producen desafiliación a sindicatos, migraciones, mercados informales, en algunos casos conectados por redes de corrupción y lumpenización. Varios autores citados en este libro, que prestan atención no sólo a los movimientos de capital sino a lo que la globalización hace con los trabajadores, con los derechos sociales y con la ecología, destacan que la eliminación de trabas a las inversiones extranjeras ha sido el recurso para destruir la normatividad sindical, asistencial y ecológica con que los Estados modernos domesticaban la voracidad de los capitales y protegían a la población. En esta perspectiva, globalización no significa únicamente libre circulación de bienes y mensajes; también debe incluirse en su definición el poder de "exportar fuentes de trabajo" a donde sean más bajos los costos laborales y las cargas fiscales.

En suma: la globalización unifica e interconecta, pero también se "estaciona" de maneras diferentes en cada cultura. Quienes reducen la globalización al globalismo, a su lógica mercantil, sólo perciben la *agenda integradora y comunicadora*. Apenas comienza a hacerse visible en los estudios sociológicos y antropológicos de la globalización su *agenda segregadora y dispersiva*, la complejidad multidireccional que se forma en los choques e hibridaciones de quienes permanecen diferentes. Poco reconocidas por la lógica hegemónica, las diferencias derivan en desigualdades que llegan en muchos casos hasta la exclusión.

¿Qué sucede cuando estos dos movimientos se combinan? Las tendencias globalizadoras producen lo que Sergio Zermeño denomina un "despedazamiento de lo social": destrucción del empresariado y del proletariado que contribuyeron a la industrialización sustitutiva de importaciones, de las capas medias de asalariados, de los espacios de intermediación entre actores sociales y Estado (sindicatos, partidos, movimientos populares). Migraciones nacionales y transnacionales que no pueden ser contenidas por los mercados de trabajo achicados, efectos cada vez más degradantes en las condiciones laborales y la inseguridad urbana, espectacularización de todo esto en los medios masivos e intentos fallidos de controlar las protestas y la violencia aumentando la represión legal e ilegal.

La divergencia engendrada por la complementariedad paradójica de estas agendas lleva a dar vuelta la pregunta: ¿qué sucede en tanto estos dos movimientos no pueden combinarse? Se presenta una asimetría radical entre el carácter extraterritorial del poder y la territorialidad de la vida cotidiana. "La empresa tiene libertad para trasladarse; las consecuencias no pueden sino permanecer en el lugar", explica Zygmunt Bauman. En este punto, la relación entre globalización y alteridad cultural llega a su mayor desigualdad: cuando para los capitales el enfrentamiento con lo diferente se vuelve una resistencia imbatible, parten en busca de mercados más moldeables. Dado que "la movilidad se ha convertido en el factor estratificador más poderoso y codiciado de todos" (Bauman, 1999: 16), la minoría que logra desplazarse, aislarse y actuar a distancia, volverse inmune a las intromisiones locales, inmoviliza a los segregados en los rincones del espacio urbano y al final de las terminales electrónicas. Por tanto, los dos requisitos para contrarrestar el poder de los globalizadores son que los grupos subordinados se vuelvan capaces de actuar en circunstancias diversas y distantes, y, a la vez, que fortalezcan los organismos locales (en las ciudades y en los Estados nacionales) a fin de poner límites a los movimientos del capital y el dinero. Es obvio que si cada Estado lo hace por separado, los capitales se irán a otra parte. Se impone, entonces, la necesidad de acuerdos regionales y de avanzar hacia un gobierno y una ciudadanía mundiales.

Los estudios culturales cuando escasea el asombro

En estas páginas he explorado de qué modo el estudio de la cultura puede ayudarnos a entender mejor estas contradicciones de la globalización. Ahora queda por saber si las acciones culturales son capaces de intervenir en la disociación y los choques entre esas dos agendas globalizadoras. Otro modo de plantear la cuestión es si en esta época de privatizaciones y pérdida del control sobre las economías y las culturas nacionales todavía tiene sentido hablar de políticas culturales.

He venido sugiriendo que para responder esta cuestión debemos problematizar lo que hacen las ciencias sociales y los estudios culturales. ¿Desde dónde hablan y qué tienen para decir? Se me ocurre un modo un poco extraño de avanzar sobre este asunto, que consiste en observar dónde se colocan ahora los libros de antropología y de estudios culturales en las librerías. En Estados Unidos se me hizo evidente lo que voy a señalar, pero luego vi algo parecido en librerías francesas, españolas, argentinas, brasileñas y mexicanas. Los textos de antropología y estudios culturales están ubicados a menudo entre los de religión y los de viajes. Una interpretación literal de esta posición hace pensar que se vincula a la antropología y a los estudios culturales con las creencias y los desplazamientos. En librerías más especializadas, estos libros son colocados junto a los de teoría social y posmodernismo. Si juntamos ambas observaciones, podríamos concluir que los estudios culturales y la antropología, al estar vinculados con las creencias y los viajes, se ocupan del asombro. Y su proximidad con la teoría social nos habla de la tendencia a reflexionar conceptualmente sobre la sorpresa que nos produce lo diferente, a buscar modelos para entender qué nos sucede con los otros.

Creo que existe aun otra razón para explicar no sólo esta ubicación en las librerías, sino el crecimiento de los estantes –y de las ventas– de obras de antropología y estudios culturales. Se ha dicho que los antropólogos sienten predilección por estudiar lo que se está extinguiendo, y como el asombro es uno de los bienes más escasos en este fin de siglo es un asunto atractivo para la antropología. ¿Quién puede sorprenderse ya de encontrar tiendas hindúes y africanas en ciudades occidentales, o de que la radio más escuchada en Nueva York, *La Nueva Mega*, hable en español? ¿A quién le asombra que Sony compre la principal productora de cine de Hollywood y la empresa alemana Bertelsmann se apropie de Random House, la mayor editorial de Estados Unidos? En suma, ya nos admiramos poco de los cruces y fusiones interculturales. Tampoco queda en esta transición de un siglo a otro mucho espacio para lo imprevisto cuando se clausuraron los horizontes revolucionarios y se supone que hay un solo modo de imaginar la globalización.

Quizá porque este mundo inestable y entrecruzado está aminorando el asombro, lo vuelve un tema central en la antropología y los estudios culturales. Algo tiene que ver esto con que ambas corrientes sean parcialmente asociadas al posmodernismo. Unos de los rasgos de la modernidad, llevado a la exasperación por las vanguardias, fue la innovación incesante. El arte posmoderno, que no se ha desprendido de las vanguardias tanto como pretende, también buscó asombrarnos con novedades inesperadas. La diferencia consistía en que sus innovaciones no representaban una originalidad que aspiraba a superar en forma evolucionista lo anterior, sino que sorprendía al mezclar épocas y estilos desjerarquizándolos.

Sabemos que uno de los dramas de los artistas actuales es que ya no descubren con qué sorprender. Me parece que esto también les está ocurriendo a los antropólogos y a los especialistas en estudios culturales. Hace diez años era novedoso decir que no podíamos hablar desde identidades autocontenidas y dedicábamos muchas páginas a analizar mezclas desconcertantes: artesanías indígenas en *boutiques* modernas, músicas folclóricas convertidas en éxitos mediáticos, costumbres gastronómicas y religiosas que durante siglos estuvieron localizadas en un país y de pronto se expandían hacia culturas lejanas. De modo análogo, los artistas asombraban haciendo *collages* multiculturales, en tanto los libros y las revistas aumentaban su clientela mostrando estos encuentros insólitos.

Hoy el asombro rara vez irrumpe en las librerías, los congresos de estudios culturales o las bienales de arte. Las novedades aparecen ahora cada año en las pasarelas de modas, los estrenos cinematográficos y las innovaciones informáticas. Pero la mayoría de estas sorpresas son una exigencia del mercado, de su necesidad de acelerar la obsolescencia de lo conocido para ampliar las ventas. Pocas veces resultan de innovaciones estéticas o de la investigación. Tampoco el agravamiento de la pobreza y la inseguridad, que repite cotidianamente sus escándalos, contribuye a renovar nuestra mirada sobre la sociedad.

¿Sería entonces la novedad de los estudios culturales y antropológicos hablar de esta imposibilidad de asombro? Encuentro dos maneras de colocarse ante esta situación. Por una parte, se hace de los estudios culturales un canto de réquiem de la alta cultura y un ejercicio crítico de los medios masivos denunciando las manipulaciones mercantiles con que éstos se apoderaron de la administración de novedades. Por otro lado, se hallan quienes eligen una posición subordinada –la subalternidad, la condición poscolonial, los discursos minoritarios– y proponen construir, con una mirada crítica, una visión alternativa del mundo.

En verdad, ambas posiciones tienen antecedentes en quienes intentan, desde hace tiempo, hallar alternativas a las contradicciones de la modernidad. Atrincherarse en la alta cultura para descalificar la mercantilización, la rapidez sin profundidad y la obsolescencia desmemorizada es algo que practicaron pensadores como Teodor W. Adorno y José Ortega y Gasset, cuestionados por su aristocratismo. Por otra parte, la pretensión de encontrar en algún sector oprimido la clave de las contradicciones capitalistas y colonialistas tiene precedentes en Georg Lukács, quien atribuyó a la clase obrera ese papel privilegiado en la epistemología y la política, en Franz Fanon y otros que imaginaron ese actor contestatario situado en los países coloniales, y en innumerables doctrinarios y líderes vanguardistas de izquierda: me parece redundante insistir en el parcial fracaso de estos diagnósticos y la conocida refutación de sus inconsistencias teóricas. Hugo Achugar, entre otros, ha señalado lo que en estas corrientes aún da para pensar, sus antecedentes y limitaciones en el pensamiento crítico de América Latina (Achugar, 1997).

Una de las razones por las que esas miradas críticas no se agotan enteramente es por la persistencia de la banalización cultural y la explotación socioeconómica impugnadas por esos autores. El último rostro del capitalismo, la globalización, también es cuestionado por el incumplimiento de sus promesas integradoras, porque agrava asimetrías y desigualdades, y genera otras. Desde el punto de vista social tenemos hoy menos ilusiones sobre la globalización y su capacidad de producir innovaciones radicales.

Los estudios culturales sobre globalización sugieren, entonces, tres conclusiones. La primera es que la globalización capitalista no puede justificarse como orden social único ni como único modo de pensar. La segunda es que la complejidad de las interacciones en un mundo globalizado no permite identificar como clave a una sola de las oposiciones entre hegemonía y subalternidad, ni por tanto a un actor decisivo para modificar el rumbo histórico de las contradicciones (ni el proletariado, ni las minorías, ni los países coloniales o poscoloniales). La tercera es que la formación compleja y ambigua de las contradicciones tampoco hace posible explicarlas sólo como antagonismos. Limitaré la discusión de esta triple revisión a lo que significa para algunos aspectos de la investigación y la acción cultural.

Voy a concentrarme en tres orientaciones de trabajo futuro a las que nos lleva el relativizar la globalización desde la interculturalidad y la crítica a sus desigualdades. Frente al pensamiento único que entiende los movimientos globalizadores como homogeneizantes, hay que hacerse cargo de las diferencias que la globalización no logra reducir, gran parte de éstas son culturales. Luego, se trata de no conceder el papel decisivo a ninguna diferencia en particular sino reconocer su variedad y, por tanto, la dificultad de que las diferencias sean acumulativas (en un solo tipo de análisis sociocultural o un único frente político). Por último, dado que en un mundo con alto grado de integración las culturas particulares suelen compartir aspectos de las culturas hegemónicas, sus diferencias no se asocian siempre de igual modo a la desigualdad: por eso, la diversidad puede manifestarse a veces como antagonismo pero también como transacción y negociación.

Trabajar con estos puntos de partida puede ser un modo de salir de las creencias rutinarias en los estudios culturales, o sea ir construyendo nuevas alternativas (varias, no sólo una) desde una recuperación de lo que nos asombra o de lo que desatienden los sistemas hegemónicos de información. Si he privilegiado en este libro los aportes antropológicos y de los estudios culturales, es porque encuentro en estos campos los instrumentos más desarrollados para esta revisión de los procesos globalizadores. Pero llevar hasta consecuencias más radicales este enfoque implica plantear en seguida cuestiones políticas.

La reconstrucción cultural del espacio público

Explorar lo que significa la globalización en lugares donde la agenda segregadora prevalece a menudo sobre la que integra y comunica, como en América Latina, conduce a preguntar si será fatal la baja participación comparativa que describimos en los mercados globalizados de bienes y mensajes, la desactualización tecnológica en la industria editorial y audiovisual, y el haber perdido el tren de las innovaciones informáticas. En este último campo, la dependencia parece irreversible, y en los anteriores se ha acentuado en las últimas dos décadas. Sin embargo, el consumo de todas las industrias culturales y comunicacionales se expandió enormemente, y en algunas áreas de unos pocos países (Brasil, México, Argentina y Colombia) hubo en los últimos años reactivación de la producción endógena en cine, discos y sobre todo en televisión.

Hay otros datos que revelan avances efectivos, al menos en la potencialidad de los países latinoamericanos. El aumento de población con escolaridad media y superior, que incorpora a sectores vastos de un mercado con casi 500 millones de personas, al que se suman los lectores y espectadores españoles y los 30 millones de hispanoparlantes en Estados Unidos, nos convierte en uno de los universos idiomáticos más amplios y con mayor capacidad de consumo de industrias culturales en el mundo. La expansión de la radio, la televisión y la difusión transnacional de libros, revistas y medios interactivos (desde Internet a videojuegos) se realiza a ritmos más veloces que en otras lenguas. La preferencia ya referida de los latinoamericanos por productos musicales, periodísticos y televisivos propios, incluso del mismo país, revela oportunidades mayores que las aprovechadas para la producción endógena. Se puede agregar, sin agotar la lista, el aumento de profesionales especialistas en artes e industrias culturales, el extraordinario desarrollo de escuelas de cine, periodismo y comunicación (no muchas de buen nivel y con escasísimos posgrados), y el avance de investigaciones académicas que en los últimos quince años ofrecen por primera vez datos firmes sobre los hábitos culturales y comunicacionales en los países más desarrollados.

Esta potencialidad para situarnos en buena posición en los mercados globales y asumir productivamente los nuevos papeles de las industrias comunicacionales en el desarrollo socioeconómico, es desaprovechada por el bajo interés en ellas de las élites responsables de la política cultural en esta región. Los ministros y encargados de la cultura de América Latina han estado ausentes, o en silencio, en dos negociaciones económicas en las que los asuntos culturales desempeñaron un papel central: la del GATT en 1993, y la del Acuerdo Multilateral de Inversiones en la OCDE (1997 y 1998). Los debates de estos foros fueron retomados en publicaciones de la UNESCO y en su Conferencia Mundial de Políticas Culturales (Estocolmo, 1998), así como en otras reuniones promovidas por gobiernos europeos, Canadá y organismos internacionales para elaborar posiciones diversas del AMI, de la oligopolización hollywoodense y de las *majors* transnacionales. Como argumentaron en varios de estos encuentros los ministros francés, sueco y canadiense, los bienes culturales no son sólo mercancías, sino recursos para la producción de arte y diversidad, identidad nacional y soberanía cultural, acceso al conocimiento y a visiones plurales del mundo (UNESCO, 1997; Alonso, 1999).

Aun cuando organismos tradicionalmente ocupados sólo en cuestiones económicas hicieron reuniones internacionales con instituciones culturales para tratar estos asuntos, como el SELA con la UNESCO y el Convenio Andrés Bello en Buenos Aires (julio de 1998), y el BID en París (marzo de 1999), la mayoría de los gobiernos demostró apatía. El BID convocó a este último encuentro a los ministros de cultura y de economía latinoamericanos para que dialogaran con un grupo de especialistas sobre industrias culturales y participación social, justo dos días antes de la reunión anual de los ministros de economía en la misma ciudad. Ninguno de los responsables de economía asistió a las deliberaciones. La reunión fue un diálogo más entre especialistas, con intensa participación de los principales responsables del BID, y pocas intervenciones de los ministros de cultura presentes.

Asistí a tres de esas reuniones, y a varias más intergubernamentales efectuadas durante la década de los noventa en América Latina. En algunas llevé un diario de campo, del que transcribo una observación: "una de las preocupaciones mayores en las sesiones y en las entrevistas que los funcionarios dan para la prensa, en estas reuniones donde se cruzan ministros y otros responsables de cultura de más de un centenar de países, con delegaciones que suman más de mil personas, es que no haya accidentes. Como en los grandes aeropuertos, tipo Dallas o París, en que cada cinco minutos aterrizan y despegan más de cien aviones, se cuida mucho que todo se haga con el máximo rigor, que los tiempos y las órdenes se cumplan, que no haya enfrentamientos ni imprevistos". "Una de las maneras que tienen las conferencias internacionales de evitar los accidentes es producir silencio. Tan importante como la agenda explícita y negociada de lo que se va a tratar es la agenda que nadie enuncia, invisible, y también estrictamente respetada, de lo que no se quiere hablar."

¿Qué aterriza y qué despega en estas reuniones donde se tratan las políticas culturales? Se habla de pianistas que van a llegar y pintores o escritores que van a ser enviados, se conversa del patrimonio histórico que no se debe mover ni tocar, y que últimamente se va comercializando. De lo que casi nadie quiere hablar es de las industrias culturales.

Es como si hace un siglo los presidentes se hubieran negado a mencionar los ferrocarriles, hace cincuenta años los coches, los camiones y los tractores, hace treinta los electrodomésticos o las fuentes de energía. ¿Qué se pretende al sustraer de la esfera pública recursos estratégicos para el desarrollo y el enriquecimiento de las naciones? ¿No es posible que las gigantescas ganancias que hoy salen de los usos industriales de la creatividad cultural beneficien a las sociedades que las generan, les permitan comprenderse y gozar mejor, comunicarse en forma diversificada con mayor número de culturas?

Sin duda, hay razones políticas y económicas para esta negligente desatención, propias de un tiempo en que gobernar se reduce a administrar un modelo económico que entiende lo global como la subordinación de las periferias a un mercado omnipotente. Un tiempo en que la política y la cultura –en tanto gestión de las diferencias– son subsumidas en la homogeneidad económica. Me interesa detenerme en los errores conceptuales y de perspectiva político-cultural que contribuyen a esta ausencia de los poderes públicos en áreas estratégicas de la vida social.

Acostumbramos hablar de *espacio* público y *esfera* pública como ámbitos identificados en el territorio de cada nación, y pensamos qué pueden hacer en ellos los partidos políticos, sindicatos y movimientos sociales del propio país. Pero según acabamos de ver, lo público se ha desdibujado espacialmente y hoy debemos re-concebirlo con imágenes de *circuitos* y *flujos* que trascienden los territorios. John Keane propuso una definición nueva de lo público que, aunque sigue usando metáforas espaciales, permite comprenderlas con este sentido abierto y transterritorial. Define la esfera pública como "un tipo particular de relación espacial entre dos o más personas, usualmente vinculadas por algún medio de comunicación (televisión, radio, satélite, fax, teléfono, etc.), en la cual se producen controversias no violentas, durante un tiempo breve o más extendido, referidas a las relaciones de poder que operan dentro de su medio de interacción y/o dentro de los ámbitos más amplios de estructuras sociales y políticas en las cuales los disputantes están situados" (Keane, 1995: 8).

Para caracterizar cómo interactúan los contendientes de diferentes escalas geográficas y comunicacionales, este autor distingue, primero, las *esferas micropúblicas*, espacios locales en los que intervienen decenas, centenares o miles de participantes. Ejemplos: las reuniones de vecinos, las iglesias, cafeterías y, por supuesto, los movimientos sociales que funcionan como laboratorios locales de comunicación ciudadana.

En segundo término, aparecen las *esferas mesopúblicas*, de alcance nacional o regional, donde millones de personas debaten sobre el poder, por ejemplo en diarios como *The New York Times, Le Monde, A Folha de São Paulo, Clarín* o *El País*, y medios electrónicos con repercusión semejante. En los últimos años, el predominio de estos medios sobre la comunicación local, y su administración por empresas privadas, muestra el declinante papel de los "servicios públicos" o paraestatales y la hegemonía de actores privados en las controversias sobre el poder.

Los procesos de globalización llevan a reconocer también la existencia de lo *macropúblico*. Este tercer circuito se halla representado por la agencias de noticias que cubren todo el planeta y las transnacionales multimedia (Time-Warner, MTV, Bertelsmann). Su modo de concentrar el talento periodístico y creativo, las innovaciones tecnológicas y los canales de difusión, las convierte en las grandes administradoras de la información y el entretenimiento mundial. Propician debates públicos transnacionales (aunque los hechos ocurran en uno o dos países), como se vio en las guerras del Golfo y del Báltico, en las crisis financieras del sudeste asiático, México y Brasil. Pasamos de la cámara de diputados y la televisión nacionales al mundo de la comunicación por satélite como escena deliberativa.

Es necesario avanzar más allá de esta valiosa propuesta de Keane, demasiado formal y que por eso tiende sólo a ampliar la perspectiva diciendo que si se quiere actuar en la vida pública hay que ocuparse de todas las escalas. Es necesario considerar cómo se reorganiza el poder al articular escenarios y circuitos diferentes. A medida que las industrias culturales transnacionalizadas se apropian de los ámbitos estratégicos de la vida pública, la cultura se privatiza y sufre un proceso de desresponsabilización respecto de los intereses sociales y las desigualdades. La globalización es imaginada, como explicábamos, según la lógica única de competitividad homogeneizada en los mercados. El ciudadano abstracto de la democracia moderna clásica es reemplazado por empresarios e inversionistas abstractos, sin rasgos diferenciales aparentes en su presentación. Por supuesto, suelen introducir las marcas y los estilos de su sistema simbólico y social (estadounidense, japonés o de algún país europeo), pero en verdad el sesgo principal que imprimen a sus prácticas es el de reducir a mercancía el sentido polisémico que tienen los bienes culturales.

¿Qué pueden hacer los Estados y organismos supranacionales ante esta reorganización de los mercados culturales? Los actores estatales e intergubernamentales (UNESCO, BID, OEA, Convenio Andrés Bello, SELA, Mercosur), en tanto representan intereses públicos, pueden contribuir a situar los intercambios comerciales en relación con otras interacciones sociales y culturales donde se gestiona la calidad de vida y que no son reductibles al mercado, como los derechos humanos, la innovación científica y estética, la participación social, la preservación de patrimonios naturales y sociales. Comienza a realizarse esta tarea, de acuerdo con la recomposición globalizada de la esfera pública, en los textos de esos organismos citados en la bibliografía al final de este libro. Pero esas líneas de pensamiento raras veces son traducidas en políticas de órganos estatales y supranacionales para atender los derechos sociales y culturales o las reivindicaciones políticas de mayorías y minorías.

A diferencia de la oposición realizada en otro tiempo entre el Estado y las empresas, hoy concebimos al Estado como lugar de articulación de los gobiernos con las iniciativas empresariales y con las de otros sectores de la sociedad civil. Una de las tareas de regulación y arbitraje que pueden ejercer los organismos públicos es no permitir que la sociedad civil se reduzca a los intereses empresariales, e incluso que los intereses empresariales se reduzcan a los de los inversores.

"El Estado no debe intervenir en la cultura", escuchamos a menudo. Este principio ha sido útil para oponerse a la censura, el autoritarismo y el paternalismo que ahogan la creatividad social. Pero aplicado no sólo a la creación sino al conjunto de procesos de circulación de bienes culturales implica dejarlo librado a las determinaciones de los actores más poderosos. Supone, en posiciones idealistas, que la creación cultural sólo la harían individuos y sucedería en la intimidad. Eso es difícil de sostener ante las investigaciones antropológicas, sociológicas y comunicacionales que muestran la creación cultural haciéndose también en la circulación y la recepción. Las empresas privadas, aunque declaren defender la libertad creativa de los individuos, a la vez realizan las mayores intervenciones en la selección de lo que va a circular o no, condicionan la "invención" y "creación" de individuos y grupos. No corresponde al Estado indicar a los artistas qué deben componer, pintar o filmar, pero tiene responsabilidad sobre el destino público de esos productos a fin de que sean accesibles a todos los sectores y que la diversidad cultural pueda expresarse y valorarse.

Quiero describir brevemente cuatro áreas estratégicas en que ahora puede ejercerse la acción de los Estados, de organismos supranacionales y de entidades societales para revitalizar la vida pública. Las selecciono teniendo en cuenta las posibilidades de los países no hegemónicos en la producción cultural de mejorar su participación competitiva en los mercados globales y dar mayor reconocimiento democrático a la diversidad.

a) *La política cultural que debe considerarse prioritaria para evaluar cómo se desempeña una sociedad en la globalización es la que se hace con la ciudadanía.* Esto significa, ante todo, colocar en el lugar protagónico del desarrollo a las personas, no a los capitales ni a otros indicadores mercantiles. La pregunta inicial no es con qué productos culturales vamos a ganar más para decidir entonces si promovemos las películas, los discos o las telenovelas y dejamos a su suerte las sinfonías, los cuadros y los libros científicos. El punto de partida es cómo se ha venido estructurando la oferta cultural de una sociedad (con el patrimonio histórico, lo que se crea actualmente y lo que se recibe de otras culturas) y cómo se interactúa con los hábitos de consumo y apropiación de la población. Se trata de estudiar si esa oferta y esos modos de apropiarla son los más adecuados para que los diversos sectores de la sociedad puedan reconocerse con sus diferencias, logren una distribución más justa de los recursos materiales y simbólicos, se confronten solidariamente dentro de la nación y con las otras naciones. Los actores de la política cultural –sobre todo estatales y societales, en colaboración con los privados– necesitan preguntarse cómo promover los diversos patrimonios contenidos en la sociedad, y hacer lugar para las diferencias no reconocidas, para las innovaciones no previsibles.

Trabajar a la vez con la cohesión sociocultural y con las diferencias supone desarrollar programas para reducir las desigualdades en el acceso a la cultura y en su ejercicio creativo, derivadas de vivir en distintas ciudades o barrios, de ser hombre o mujer, blanco, negro o indio, pero a la vez garantizando escenarios públicos y circuitos comunicacionales para que los hombres y mujeres, los miembros de diversas etnias y grupos de edad, manifiesten lo que ha sido y es significativo para su grupo, y ensayen su renovación. Si estas condiciones se dan, ya está casi todo para que los consumidores y creadores culturales se conviertan en ciudadanos.

Poner en lugar central la ciudadanía implica qué se hace no sólo con las diferencias históricamente construidas dentro de un territorio, sino también entre nativos y extranjeros. Los ejemplos analizados en este libro sobre la circulación continua de personas, dinero, mercancías e información entre los asentamientos originarios y los nuevos muestran la importancia adquirida por comunidades económicas y simbólicas multiterritoriales, regímenes de múltiples pertenencias entre los que viven dentro y fuera de cada país. ¿Por qué si millones de miembros de estas comunidades diaspóricas rigen sus conductas según estas cartografías multinacionales no pueden tener expresiones políticas, jurídicas y culturales que representen su cultura transfronteriza?

Los acuerdos de libre comercio en América del Norte y Mercosur se ocupan poco de este tema, aunque la interacción entre migrantes lo vuelve cotidianamente presente en esas sociedades. Se lo encapsula en las políticas nacionales. Por ejemplo, el Congreso de México aprobó, en diciembre de 1996, reformas constitucionales que garantizan a las personas nacidas en territorio mexicano y a los hijos de padres o madres mexicanas nacidos en el mismo país no ser privados de la nacionalidad en caso de adoptar otra. Esta decisión fue tomada, sobre todo, pensando en los millones de mexicanos residentes en Estados Unidos que están pidiendo la ciudadanía estadounidense para evitar agresiones a su frágil condición de migrantes. José Manuel Valenzuela ha destacado el cambio que este reconocimiento constituye respecto de la expulsión simbólica de la comunidad nacional sufrida por los mexicanos que migran a Estados Unidos, a los cuales se ha identificado como "desnacionalizados", "pochos" y "agringados". Implica también redefinir el concepto de soberanía, ya que se permite a mexicanos residentes en el extranjero y que adoptaron otra nacionalidad participar en actividades económicas, pero aún no se aprueba –aunque ha sido mencionado– el derecho a que voten en las elecciones mexicanas.

En otros países latinoamericanos, donde la nacionalidad no es renunciable, se conserva al adquirir una nueva, como lo han comprobado exiliados políticos y migrantes económicos argentinos y uruguayos que en las últimas décadas se volvieron también mexicanos, españoles o italianos. Esta combinación de lealtades puede tener complicaciones subjetivas, como fueron descriptas en otras partes de este libro, pero hasta donde sé no ha implicado daños políticos. Muchos han escrito sobre los beneficios culturales para los países de origen y los de destino (Ribeiro, Yankelevich y otros). Sin embargo, esta flexibilización no cuenta aún con nuevas figuras legales de alcance internacional, acordes con los procesos de liberalización comercial e integración económica entre países latinoamericanos. Estamos lejos de la construcción de una ciudadanía continental o regional, como ha ocurrido en la Unión Europea.

Quizá la investigación antropológica y sociopolítica comparativa sobre el ejercicio transnacional de la "ciudadanía cultural" pueda hacer visible la necesidad jurídica, los riesgos y las oportunidades de la construcción de una ciudadanía latinoamericana. Intervenir respecto de una de las experiencias de mayor desprotección e irregularidad vivida por millones de latinoamericanos es uno de los estímulos para que nos ocupemos de este asunto. Su importancia se aprecia, sobre todo, cuando vemos que los acuerdos establecidos en el Mercosur y el Tratado de Libre Comercio de América del Norte se circunscriben casi exclusivamente a dos campos:

– Una coordinación de intereses empresariales altamente concentrados (la "patria grande" exaltada en la retórica diplomática es ahora una ampliación de la "patria financiera").

– Una coordinación de dispositivos de seguridad, administrados por órganos policiales y militares, que agrava la intromisión disciplinaria y represiva de poderes privados para controlar la vida personal de los ciudadanos.

Quizá no se puede esperar mucho más que esto mientras la integración latinoamericana no sea entendida como unión de los ciudadanos, como relaciones de solidaridad entre trabajadores, artistas, científicos y medios de comunicación expresivos de la diversidad cultural. Sólo se registran unos pocos acuerdos en estas áreas, surgidos de la sociedad civil y con escaso apoyo gubernamental (Red Cultural del Mercosur, Convenio Andrés Bello, Fideicomiso para la Cultura México-Estados Unidos, reuniones ocasionales de rectores universitarios, de antropólogos y artistas).

Sin duda, hay razones para mantener las fronteras y las nacionalidades diferenciadas entre los países latinoamericanos, por ejemplo, para proteger el patrimonio natural, histórico y económico, regular los flujos migratorios, controlar el narcotráfico y otras modalidades de la globalización criminal, y por supuesto defender la continuidad de las culturas locales. Pero estos motivos de prevención han tenido poco peso en los apurados acuerdos de libre comercio entre los países del Mercosur, los del TLC y otros establecidos entre naciones latinoamericanas, así como en la privatización transnacional de empresas de interés geopolítico, entre ellas las de teléfonos y televisión.

No conviene dejar estos asuntos sólo en manos de políticos y empresarios, dado que tienen que ver con derechos humanos básicos y con la comunicación y comprensión entre naciones. Implican a la educación como formadora de la mirada sobre los diferentes, y a la política cultural donde se seleccionan patrimonios y se excluyen otros, se transmiten discriminaciones o se ayuda a apreciar lo diverso. Si a veces, como registramos aquí, quienes se ocupan de la cultura, y en particular los artistas, tienen peculiar competencia en estos temas es por su disposición a imaginar vidas posibles. Los poetas, los dramaturgos, los actores son expertos en encarnar otros cuerpos, acercar lo distante, experimentar el tiempo y el espacio más allá de lo que las rutinas de la propia cultura consiente hacerlo. Las vanguardias del siglo XX exaltaron esta capacidad de los artistas como transgresión o ruptura, y cultivaron la marginación a que los conducía. Frente a la agenda homogeneizadora de la globalización esa disidencia sigue siendo una tarea valorable del arte, y de muchos grupos que, sin pretensiones artísticas, la practican. Pero al mismo tiempo lo que hay en las tendencias globalizadoras de confrontación con vidas imaginadas permite pensar que la opción por lo diferente –otras costumbres, otras medicinas, otros lenguajes– es ahora, más que nunca, una posibilidad integrable a nuestra cotidianidad. Sirve para ensayar modos no convencionales de ser ciudadanos.

b) Habiendo partido de que la política cultural debe tener su centro en lo que significa para los ciudadanos, podemos considerar mejor *los bienes y mensajes que una sociedad, y cada grupo dentro de ella, logran comunicar a públicos masivos a través del mercado*. La descripción hecha en capítulos precedentes muestra que no son los Estados, ni los organismos societales, los protagonistas principales de la expansión internacional de las telenovelas latinoamericanas, de las músicas étnicas o regionales. Las ganancias generadas a escala transnacional por estos bienes culturales vuelve a los productores e intermediarios privados sus gestores primordiales.

Algunos realizadores de cine, empresas televisivas, de discos y editoriales encuentran en las músicas y los melodramas latinoamericanos los recursos culturales para competir mejor dentro y fuera de la región. Prolongación del folletín y el teatro posromántico, el melodrama actual sería un instrumento para articular el "imaginario surrealista y premoderno junto a un imaginario urbano-industrial", según Román Gubern. Gracias a este estilo dramático, el capital simbólico de los sectores tradicionales podría recuperar lugares perdidos por el avance de la cultura mediática transnacional. ¿Por qué no expandir este patrimonio compartido de los países iberoamericanos, pregunta el crítico español, a través de coproducciones en cine y televisión, que vuelvan a estas naciones más competitivas "en la era posgutemberguiana"?

El atractivo indudable de esta línea de expansión es reubicado por otros especialistas en una perspectiva más amplia, no sólo mercantil, de las políticas culturales. Autores europeos y latinoamericanos vienen examinando los vínculos entre el éxito masivo del melodrama –no sólo en la ficción sino también en programas de información política y social–, y el "neopopulismo de mercado", que valora los medios con una visión acrítica del *rating* (Sarlo, 1994). Las alianzas del "conservadurismo estético" con los efectos especiales de tecnologías avanzadas y con el populismo político sirven para neutralizar los cuestionamientos a las estructuras sociales injustas y organizar el consenso desde los poderes carismáticos de líderes autoritarios (Bourdieu, 1998: 9). Es en esta confusión del entretenimiento, la farándula y la política que Evita y el Che pasan a formar parte de la misma serie de espectáculos que Lady Di y las aventuras eróticas de Clinton. No parece que esta "equiparación" del sur y el norte ayude a equilibrar las desigualdades. Ni tampoco que la mejor manera de que los países periféricos obtengan reconocimiento sea por el realismo mágico de escritores, telenovelas y películas que estereotipan lo latinoamericano en el casillero de las narrativas edénicas, la naturaleza exuberante y la famila tradicional. No ha servido mucho a la comprensión de nuestras sociedades limitarse a interpretar sus conflictos como dramas familiares y lo social como relaciones siempre hechizadas por los afectos.

Sería útil, además, revalorar los "éxitos" de la industrialización y masificación transnacional de las culturas de América Latina a la luz de informaciones con las que hoy no contamos: ¿cuánto queda en las sociedades latinoamericanas de las regalías producidas por nuestra músicas, telenovelas y libros? ¿Cuántos artistas, productores y técnicos se benefician con esta difusión transnacional? Sabemos algo de lo que ocurre con las películas en español, que no superan el 10 por ciento del tiempo en pantalla, ni siquiera en los países productores de cine. Pero sólo una valoración por rama cultural y artística del significado económico y estético de la exportación de productos simbólicos permitiría evaluar su proyección posible, sus beneficios para la región, para los productores y para quienes son sólo inversores.

c) Reformular la política cultural en función de intereses públicos obliga a *revertir la tendencia a la simple privatización y desnacionalización de las instituciones y los programas de acción cultural*. No se trata de retornar al Estado propietario (de radiodifusoras y canales de televisión), sino de reconstruir su papel como regulador de las empresas privadas, impulsor de las iniciativas societales más débiles o no lucrativas –grupos teatrales y musicales, bibliotecas y centro barriales, medios de comunicación independientes–, así como defensor y coordinador de acciones públicamente valiosas. Para reencontrar el lugar del Estado en la actual coyuntura es necesario repensar su concepción como agente del *interés público, de lo colectivo multicultural*, y árbitro en los conflictos entre intereses privados, así como entre empresas de las naciones hegemónicas y de las subdesarrolladas. "Las naciones proporcionan un foco para la autodeterminación" (Giddens, 1999: 156).

De acuerdo con el principio de que una función del Estado es evitar que los bienes y las búsquedas culturales se reduzcan a mercancías, y defender lo que en la vida simbólica de las sociedades no puede ser comercializable, necesitamos que existan espacios como los museos nacionales, las escuelas, las universidades públicas y los centros de investigación y experimentación artística subvencionados por los Estados, o por sistemas mixtos donde la colaboración de gobiernos, empresas privadas y agrupaciones independientes garantice que el interés y las necesidades de información y recreación de las mayorías no serán subordinadas a la rentabilidad comercial.

La acción social de los Estados debe dirigirse, primero, a defender y reforzar lo adquirido históricamente en las luchas sociales, en las culturas nacionales, y mantenerlo en la memoria y las acciones institucionales. Luego, es necesario que esa valoración y preservación de lo público encuentren formas organizadas supranacionales, de manera que las conquistas sociales y culturales no sean atropelladas por los actores del mercado global.

d) Lo que puedan hacer los Estados y organismos independientes nacionales depende cada vez más de que se construyan *nuevos programas e instituciones culturales regionales que acompañen la integración comercial entre naciones*. Entre las industrias culturales de alcance transnacional y las débiles políticas culturales de cada país existen instancias intermedias. La redistribución del poder cultural y comunicacional presenta oportunidades de alianzas regionales, interciudades, de organismos estatales, ONG y otras asociaciones y fundaciones independientes que impulsan formas tangenciales de globalización y cooperación intercultural. Acerca de cómo fortalecer a las economías regionales en la competencia global existen ya ejemplos en la Unión Europea: dispositivos de integración que facilitan no sólo la libre circulación de mercancías sino de personas y mensajes. Lo hacen a través de programas educativos conjuntos, políticas de defensa de la herencia cultural común y de lo que se define como "el espacio audiovisual europeo". También estableciendo regulaciones que obligan a los Estados a promover los libros y la lectura, defender los derechos de autor y expandir las industrias culturales endógenas.

Aun cuando los europeos oponen cada vez menor resistencia a la privatización de sus telecomunicaciones y al control estadounidense sobre su espacio cultural, sus gobiernos diseñaron marcos normativos comunes que favorecen la circulación de programas del propio continente, estableciendo mínimos para todos los países miembros en cuanto a contenidos, y límites a la publicidad mediática; crearon programas para desarrollar las industrias audiovisuales de la región, promover la televisión de alta definición y normas compartidas para transmisiones por satélite. Se argumenta no sólo la necesidad de defender la identidad, sino el importante papel de las industrias culturales en el crecimiento económico, la creación de empleos y la consolidación de sociedades democráticas más participativas (Council of Europe, 1997).

La menor iniciativa de los gobiernos latinoamericanos en estos campos está siendo compensada en algunos aspectos por acciones de organismos y redes culturales independientes. Entre varios ejemplos, menciono la red iniciada por cineastas, productores, distribuidores y algunos legisladores de Argentina, Brasil, Canadá, Colombia, Cuba, España, Estados Unidos, Venezuela y México, que realizó una reunión en este último país, en 1998, bajo el título "Los que no somos Hollywood". Para reactivar la industria cinematográfica en esas sociedades se elaboraron propuestas destinadas a obtener subsidios gubernamentales, incentivos fiscales, pago por transmisión de películas por televisión y cobro de un porcentaje (del 5 al 10 por ciento) del costo de boleto en taquilla. Para defender al cine latinoamericano de la competencia desleal de las productoras estadounidenses, se propuso legislar en cada país a fin de que, por ejemplo, las importaciones de películas que costaron cien millones de dólares y van a dar ganancias aún mayores no se acepten como "copias sin valor comercial". En 1998 se realizaron dos reuniones más, en Venezuela y Bogotá, donde se acordó crear una comisión permanente de legisladores latinoamericanos para defender la "cinediversidad" de la región y "armonizar criterios y mecanismos de defensa del patrimonio cultural" cinematográfico.

Se están ensayando otras experiencias de colaboración entre Estados, empresas privadas y organismos independientes, cuyo valor innovador merece atención. El último ejemplo que deseo referir es el del Fideicomiso para la Cultura México-Estados Unidos. En 1991 la Fundación Rockefeller, el Fondo Nacional para la Cultura y las Artes (ente público) y la Fundación

Cultural Bancomer, estos últimos de México, crearon un organismo bina-
cional para "enriquecer el intercambio cultural" entre esos países. Si bien
en Estados Unidos existe el National Endowment for the Arts y en México el Consejo Nacional para la Cultura y las Artes, éstos apoyan sólo actividades del propio país.

El Fideicomiso otorga apoyos financieros cada año a proyectos binacio-
nales en bibliotecas, publicaciones, música, danza, museos, artes visuales,
arte en los medios, teatro, estudios culturales y trabajos interdisciplinarios.
Las 3.386 solicitudes presentadas de 1992 a 1999, de las cuales casi 500 fueron apoyadas, revelan el alto impacto de esta iniciativa en dos países que,
pese a la intensidad de sus interacciones, no tenían el hábito de realizar
programas conjuntos, en parte por la carencia de instituciones culturales
que los auspiciaran. En un estudio de diagnóstico y evaluación del Fideicomiso, que realicé con George Yúdice en 1996, al entrevistar a instituciones y artistas beneficiados, éstos valoraban las experiencias de "colaboración interactiva" y la elaboración de imaginarios artísticos compartidos
entre sociedades tan diversas. Pedían que el Fideicomiso, además de proporcionar apoyos financieros, organice talleres, simposios y otras actividades que promuevan mayor conocimiento de la cultura de un país en las esferas públicas del otro, contribuyan a elaborar interculturalmente las
diferencias y estimulen "las artes de arraigo comunitario y étnico", la reflexión y la experimentación multiculturales que el mercado o las instituciones convencionales dejan fuera. Fue interesante, asimismo, ver que estas confrontaciones, además de generar experiencias compartidas entre
culturas distintas, llevan a trabajar sobre las diferencias en la concepción
de la cultura y la diversidad en Estados Unidos y en México, a las que me
referí en capítulos anteriores. Sin duda, sería productivo extender iniciativas semejantes a otras regiones.

ESTÉTICA PARA *GOURMETS* INTERCULTURALES

A comienzos de 1998 Susan Sontag estuvo en México y le recordaron
que en su libro *Contra la interpretación* había afirmado que si se viera forza-
da a elegir entre Dostoievski y los Doors, escogería a Dostoievski. Pero
también había escrito: "¿por qué tenemos que elegir?". El entrevistador le
preguntó cuáles serían hoy los equivalentes de aquellas manifestaciones
culturales. Sontag dijo que la oposición Dostoievski-Doors era propia de
los años sesenta cuando el dilema se daba entre la alta cultura y la de masas, y los intelectuales defendían la legitimidad de diversas experiencias.
"El problema ahora –agregó– es que la gente está tan fascinada con el entretenimiento de masas, que difícilmente puede pensar en otro nivel. La
idea por la que tienes que pelear ahora tiene que ver con los conceptos de

'seriedad' y 'compromiso'. La pregunta ahora es ¿por qué va uno a querer otra cosa que el entretenimiento masivo?"

Este dilema no apunta únicamente a un conflicto entre narrativas estéticas. Nos coloca en el centro del espacio público transnacional e implica lo que hoy se juega en el intercambio entre culturas. Tiene que ver, para usar una expresión de Jesús Martín Barbero, con recuperar la dimensión simbólica de la política y con "lo que no puede hacer el mercado". Este autor señala tres carencias: "El mercado no puede *sedimentar tradiciones* ya que todo lo que produce 'se evapora en el aire' dada su tendencia estructural a una obsolescencia acelerada y generalizada, no sólo de las cosas sino también de las formas y las instituciones. El mercado no puede crear *vínculos societales*, esto es *entre sujetos*, pues éstos se constituyen en procesos de comunicación de sentido, y el mercado opera anónimamente mediante lógicas de valor que implican intercambios puramente formales, asociaciones y promesas evanescentes que sólo engendran satisfacciones o frustraciones pero nunca sentido. El mercado no puede *engendrar innovación social* pues ésta presupone diferencias y solidaridades no funcionales, resistencias y disidencias, mientras el mercado trabaja únicamente con rentabilidades" (Martín Barbero, 1998: XV y XVI).

Quiero añadir una cuarta carencia del mercado como "organizador" de la interculturalidad. Pese a que los mercados se rigen por la competencia, y que la globalización la intensifica, las mezclas entre culturas suelen presentarse en los circuitos mercantiles como *reconciliación y ecualización*, con más tendencia a encubrir los conflictos que a elaborarlos. Pienso en las razas conviviendo en los carteles publicitarios de Benetton; las melodías flamencas, italianas, inglesas y de sociedades no europeas que "superan" sus diferencias locales en las giras de conciertos de los tres tenores; las exposiciones universales, los espectáculos olímpicos y las fiestas deportivas que "hermanan a los pueblos" y ofrecen a todos versiones sencillas de lo diverso y lo múltiple; el *zapping* que nos permite vincularnos en pocos minutos con canales de treinta países. Son algunas de las experiencias que crean la ilusión de que el repertorio cultural del mundo está a nuestra disposición en una interconexión apaciguada y comprensible.

Cuando la hibridación es la mezcla de elementos de tantas sociedades como conjuntos de clientes se desea interesar en un producto, suele aplicarse a las diferencias entre culturas lo que en música se llama ecualización. Así como mediante artificios electrónicos en la grabación y reproducción se reducen las variaciones tímbricas y los estilos melódicos pierden su especificidad, formas culturales distantes pueden volverse demasiado fácilmente conmensurables.

La búsqueda de una estética de equilibrio sonoro, iniciada en los aeropuertos, restaurantes, centros comerciales y otros lugares donde se trataba de "climatizar" el ambiente, se expande ahora mediante técnicas de grabación industrial que eliminan "lo discordante". Jose Jorge de Carvalho ha estudiado los principales procedimientos utilizados: a) las intensidades de distintos géneros e instrumentos musicales, los pianísimos y fortísimos, son equilibrados para que suenen bajo una homogeneidad orquestal o subordinados al canal de la voz; b) el abuso en el efecto de retorno o reverberación del sonido en *shows* y bares, que atrofia la capacidad del oyente para captar pasajes más sutiles, se extiende a los hábitos de grupos juveniles, y aun a individuos con *walkman*, para los cuales la mejor manera de escuchar música es con la mayor amplificación y volumen de la masa sonora; c) el disco compacto consagra los paradigmas uniformadores de audición al ofrecer versiones "depuradas", que se presentan como si fueran producidas en salas acústicas equilibradas, con la orquesta perfecta y el espectador en la posición ideal para oír: la grabación ecualizada, con un sujeto auditor ecuánime, siempre en el centro (Carvalho, 1995).

Forjada como un recurso del gusto occidental, la ecualización se vuelve un procedimiento de hibridación tranquilizadora, reducción de los puntos de resistencia de otras estéticas musicales y de los desafíos que traen culturas incomprendidas. Bajo la apariencia de una convivencia amable entre ellas, se simula estar cerca de los otros sin preocuparnos por entenderlos. Como el turismo de apuro, como tantas superproducciones fílmicas transnacionales, la ecualización es muchas veces un intento de climatización monológica, olvido de las diferencias que no se dejan disolver.

No se trata sólo de intentos de esfumar lo distinto. También se encubren las desigualdades de acceso a la producción, la circulación y el consumo de la cultura. Un análisis de las estrategias de hibridación mercantil debe situarlas en lo que llama Ulf Hannerz la "economía política de la cultura inherente al *continuum* mestizo", o sea la distribución desnivelada de centros y periferias, y aun la "coexistencia de varios *continuums* en vez de uno único e inclusivo" (Hannerz, 1997: 115-116). El hecho de que empresas de los países centrales presten más atención a los subdesarrollados, y que los migrantes y los mensajes latinoamericanos a veces se hibriden en el centro (discos de músicas étnicas grabados en Nueva York, Miami, México y Buenos Aires, y esas ciudades convertidas por MTV, a la misma hora, en capitales del rock latinoamericano) no significa que desaparezcan lo central y lo periférico.

Más que para reconciliar o emparejar a etnias y naciones, la hibridación es un punto de partida para deshacerse de las tentaciones fundamentalistas y del fatalismo de las doctrinas sobre guerras civilizatorias. Sirve para volverse capaz de reconocer la productividad de los intercambios y los cruces, habilita para participar en varios repertorios simbólicos, para ser *gourmets* multiculturales, viajar entre patrimonios y saborear sus diferencias (Werbner, 1997: 11). Los patrimonios históricos, entendidos de este modo abierto y cambiante, pueden enriquecerse y actuar como puentes de comprensión entre sociedades distintas. Pero la hibridación es, a veces, el lugar en que las culturas se descaracterizan o se frustran, como se comprueba en los migrantes obligados a renunciar a su lengua o que la ven desvanecerse en sus hijos, en los artistas presionados para "descontextualizar" su estilo si quieren ingresar al *mainstream*. Quizás el rock, donde conviven "su ideología rebelde, su intensidad de sentimiento y su presencia masiva y millonaria en el mercado", la mayor libertad intercultural y el riesgo constante de quedar atrapado en fetichismos generacionales, sea el lugar en que se manifiestan con más elocuencia estas paradojas (Ochoa Gautier, 1998).

Es cierto, como afirma Nikos Papastergiadis, que la hibridación –en tanto concibe a la identidad "construida a través de una negociación de la diferencia"– ha servido como "principio organizador para iniciativas culturales internacionales" (Papastergiadis: 257-258). Pero no garantiza por sí sola políticas multiculturales democráticas. Depende del poder conservado por los músicos, escritores y directores de cine en la edición y circulación que sus productos híbridos sean "el tercer espacio que hace posible la emergencia de otras posiciones" (Bhabha, 1994: 211), que sean una simple superación que niega y conserva, que sintetiza los contrarios, como la *Aufheben* hegeliana (Beverley, 1996), o un campo de energía e innovación sociocultural. La mezcla intercultural puede agotarse como escena de la *World Music* ecualizada, o del estilo internacional en literatura, pero es capaz, asimismo, de auspiciar improvisaciones *unplugged* e imprevistas obras que renueven el lenguaje establecido. Pretexto para maniobras comerciales o soporte de conversaciones que inauguren visiones inesperadas. No son únicamente contenidos culturales los que circulan en los procesos de hibridación; también se experimenta el carácter relativamente arbitrario y contingente de toda cultura, una de las bases del reconocimiento de la diferencia necesario en el juego democrático.

"¿Por qué dar tanta importancia a la cuestión estética al debatir políticas culturales?" me preguntaba un funcionario de un organismo internacional. Efectivamente, el énfasis en la búsqueda estética pareciera sólo interesante para grupos minoritarios y por tanto opuesto a la vida pública, que acostumbra asociarse con lo que puede ser compartido por todos. Sin embargo, el arte importa aquí de un modo paradójico. Los escritores y artistas no devorados por el *establishment* cultural, o que aun siendo recibidos por él rechazan la agenda única con que el mercado estructura la esfera pública, cumplen una función contrapública en tanto introducen temas locales o formas de enunciarlos que parecen improductivos para la hegemonía mercantil. Quienes requieren usar tanto tiempo para una actividad privada de dudosos réditos (¿cuatro años para escribir una novela que van a leer dos mil personas?), y confiesan dedicar semanas o meses a decir en una página de un modo asombroso lo que algunos viven o a discutir lo que muchos prefieren olvidar, son personajes contrapúblicos. Al menos para quienes suponen que la vida pública es la de la racionalidad capitalista, por ejemplo las telenovelas en las cuales producir un capítulo de una hora requiere invertir entre 100 y 120 mil dólares, y filmarlo en tres días para luego venderlo a más de cien países (Mato, 1999a). Al trastornar las relaciones habituales entre lo público y lo privado, entre experimentación cultural y rendimiento económico, la economía lenta de la producción artística cumple la función pública de incitar a repensar lo que la economía apremiante de las industrias simbólicas impone como público, fugaz y desmemoriado.

El escritor es el que "interrumpe el debate en la escena pública, quien corta y cambia y desvía", dice Ricardo Piglia. Él observa que hay cierta analogía –invertida– con lo que hace la televisión cuando no deja hablar a los sectores populares: los reporteros llegan, "por alguna catástrofe seguramente, en un barrio, en una zona obrera, va la TV y de pronto, como si fuera un marciano, habla un obrero, y trata de explicarse, tiene un tiempo y un modo de usar el lenguaje que es antagónico con la lógica social. Lo interrumpen en seguida, porque les lleva mucho más tiempo hablar que a los profesionales del habla pública, hablan, digamos, normalmente, como si estuvieran en la casa o en un bar, no están 'adaptados' al habla pública, a la TV, a la radio, a la escena. Aparece un obrero y lo interrogan en su ambiente por alguna cuestión trágica (una huelga, un choque, un crimen), y muchas veces son mujeres, porque son las que han sobrevivido o las que han soportado la violencia, y ella o él empieza a hablar como habla siempre, mira la cámara y trata de decir, de empezar a contar, piensa entonces, trata de ser preciso y contar lo que pasó y entonces tartamudea un poco e inmediatamente le sacan el micrófono y el periodista da su versión, lo dejan ahí, mudo, porque habla otra lengua, no tiene la precisión que han aprendido a tener los que juegan ese juego en el espacio público" (Piglia, 1998: 17). El escritor y el artista no sometidos a los medios interrumpen esa interrupción, reinstauran el drama social, la tensión entre lenguajes, entre formas de vivir y pensar, que los medios querían reducir a espectáculo, un espectáculo rápido para pasar pronto al siguiente.

Llegamos así a una segunda característica de la acción estética: en un mundo narrado como globalización circular, que simula encerrar todo, el arte mantiene abiertas las globalizaciones tangenciales y aun desviadas. O sea, mantiene la posibilidad de elección, la incertidumbre de elegir en la densidad y variedad de lo social, algo bastante más estratégico que manejar el control remoto de la televisión. Interrumpir el relato y escoger otra lógica es sostener la tensión inestable entre lo social y los modos de re-imaginarlo, entre lo que existe y cómo podemos criticarlo. Es negarse a que la globalización y su potencialidad masificadora se parezcan al fin de la historia, anunciado por Francis Fukuyama, o al fin de la geografía celebrado por Paul Virilio y los ideólogos internéticos de un mundo sin centro ni orillas.

La historia de la globalización apenas comienza. Su generalización de la interactividad está entorpecida no sólo por el "retraso" de las culturas poco integradas sino por las nuevas fronteras y la segmentación de circuitos y públicos inventadas por quienes afirman colocar al mundo en estado de telepresencia. Pese a la retórica unificadora, las diferencias históricas y locales persisten, ante todo, porque los poderes globalizadores son insuficientes para abarcar a todos y también porque su modo de reproducirse y expandirse necesita que el centro no esté en todas partes, que haya diferencias entre la circulación mundial de las mercancías y la distribución desigual de la capacidad política de usarlas. Además, porque la lógica de la desigualdad impulsa a los excluidos del trabajo, del comercio y los consumos unificados a revitalizar producciones artesanales o preglobalizadas. Las creaciones artísticas, lentas y divergentes, representan a veces en sus relatos y procedimientos las contradicciones irresueltas de las políticas globales, las peripecias de la desigualdad y la necesidad de los marginados de interrumpir los flujos totalizadores, totalitarios, con afirmaciones de lo propio, con invenciones desglobalizantes.

DEL GESTO INTERRUPTOR A LAS POLÍTICAS DE INTERMEDIACIÓN

Estoy insinuando en qué sentido la interrupción artística se correlaciona con movimientos culturales y sociales más amplios. Con movimientos indígenas y ecológicos que reafirman la territorialidad y los usos locales de bienes naturales y sociales no reductibles a la lógica global. Con movimientos feministas que cuestionan en ámbitos específicos las pretensiones masculinas de definir en una sola perspectiva de género la esfera pública. Con sectores desocupados o excluidos de la productividad o el consumo mundializados que, no logrando ser representados por los políticos ni escuchados por los gobiernos, cortan carreteras, hacen "escraches" (denuncias públicas tipo *performance* frente a la casa del torturador amnistiado, en Argentina, Chile y Uruguay). O se organizan en movimientos de consumidores o televidentes. Así como la mercantilización compulsiva de la publicidad interrumpe cada pocos minutos las películas, el relato de la globalización es entrecortado por la irrupción de intereses locales insatisfechos.

Los estudios culturales y antropológicos han destacado en los últimos años que muchos actos interruptores con aspecto político no aspiran a obtener el poder o controlar el Estado. ¿Para qué desplegaron los estudiantes chinos un "coraje desmesurado" al desafiar a los tanques en la plaza de Tiananmen, pregunta Craig Calhoun, si era previsible que esos enfrentamientos fracasarían? El pensamiento instrumental sobre el interés, atento sólo a la racionalidad del éxito económico y macropolítico, no alcanza a entender comportamientos que buscan, más bien, legitimar o expresar identidades. Son, dice Calhoun, "luchas por la significación" (Calhoun, 1999). Al valorar la dimensión afectiva en las prácticas culturales y sociales, la solidaridad y la cohesión grupal, se hace visible el peculiar sentido *político* de acciones análogas a las del arte, en tanto no persiguen la satisfacción literal de demandas ni réditos mercantiles sino reivindican las estructuras de sentido de ciertos modos de vida. No obstante, estos actos –aun cuando a veces logran eficacia porque se apropian de los silencios y contradicciones del orden hegemónico– no eliminan la cuestión de cómo ascender hasta la reconfiguración general de la política.

No sé cuánto sentido tiene en esta etapa de globalizaciones apresuradas y desglobalizaciones incipientes proponerse totalizar estas interrupciones dispersas. Quizás el camino más fecundo sea reconocer que el desmantelamiento (parcial) de los Estados y la subordinación (poco eficiente) de las sociedades nacionales a la lógica global del mercado está modificando los espacios y circuitos de intermediación. Concluyo señalando las dos tendencias que avanzan en estos espacios. Una de ellas está representada por *la "integración" de los excluidos en las redes globales del narcotráfico y el crimen amparándose en burocracias nacionales y estructuras de poder "premoderno"*. A los expulsados del mercado formal y de los derechos laborales, a las naciones en las que se ha limitado el desarrollo industrial endógeno, se les ofrecen "compensaciones" ilegales. El dato de que la globalización del comercio de armas y drogas se acerca al 100 por ciento del comercio electrónico mundial (aproximadamente un billón de dólares anuales) sugiere en qué sentido los administradores del mundo interconectado y del presente perpetuo, las 24 horas de los 365 días del año, coexisten con la distinta temporalidad de los fundamentalismos bélicos argelinos y serbio-croatas, con los aparatos de los Estados nacionales ex comunistas y de los populismos neoliberales latinoamericanos.

Como el dinero electrónico que va y viene del lavado corrupto a la economía formal, las comunicaciones globales trafican con las culturas arcaicas y locales. Así como, según Manuel Castells, "la economía criminal global es una forma capitalista avanzada" (por su lógica mercantil, sus condiciones de inversión y preservación de sus activos financieros), los asesinatos en que culminan la descomposición de las políticas nacionales, sus alianzas y enfrentamientos con los poderes económicos, desestabilizan el orden de los intercambios globales. A la vez, oportunamente filmados, renuevan cada semana el imaginario televisivo. Nunca las estrategias estéticas de las transnacionales de la comunicación, que condenan en el discurso verbal estos hechos pero los celebran mediante su transmisión incesante, estuvieron más cerca de las culturas populares marginalizadas y lumpenizadas que acompañan esos procesos: más de quinientos corridos dedicados a narrar aventuras de narcos que se difunden en radios de la frontera mexicana, en casetes piratas y legales, se han vuelto una de las músicas más escuchadas cuando se sube a un autobús popular o un taxi. Los grandes medios y las tecnologías avanzadas comparten con los sectores excluidos de la economía formal, con los capos de la informalidad, una cultura hegemónica, que es caricatura grotesca de la modernidad. Postula como recursos clave para triunfar la competencia despiadada y la espectacularización de la crueldad, la acumulación familiar de dinero, los códigos de honor y lealtad mafiosos, las tradiciones religiosas y rurales junto a la ostentación electrónica y el cosmopolitismo frívolo.

Sin embargo, tantas interconexiones y complicidades entre lo local y lo global, lo tradicional y lo hipermoderno, lo popular y los superinformados, no pueden ser interpretadas como un armónico plan maquiavélico mundial. Basta recordar todo lo que la globalización no es siquiera capaz de incluir en sus políticas ni en sus esquemas conceptuales. La aceleración de los intercambios y el acercamiento de lo distante aumentan la información sobre los otros, pocas veces la comprensión de sus diferencias y a menudo los vuelve insoportables: la xenofobia y el racismo también crecen con la globalización. En tanto algunas redes pueden usarse en forma "civilizada", como Internet, que empezó siendo un sistema militar, son más los circuitos destinados a la competencia feroz y la vigilancia de lo que no se logra incorporar. Pero también la competencia y la vigilancia funcionan en pedazos. No desembocan en un gobierno mundial, porque la globalización mercantil ha creído poder avanzar más rápido sin Estados, ni poderes públicos transnacionales, en suma, sin globalización política.

La otra línea de trabajo con la intermediación es la de *movimientos culturales y agrupamientos sociales no gubernamentales que intentan la convergencia de excluidos y marginados por los Estados nacionales y por los mercados globalizados*. Estoy pensando en organismos de derechos humanos (Amnistía Internacional, redes de investigación sobre dictaduras y desapariciones), en movimientos y medios comunicacionales comunitarios que actúan en el espacio micropúblico y se enlazan vía Internet, o asociándose con movimientos, radios y productoras musicales de otros países para establecer circuitos de información y colaboración en los que la representatividad cultural y política prevalezca sobre las cuentas mercantiles. En los últimos años, varios encuentros intergubernamentales –las conferencias por el ambiente en Río de Janeiro o por los derechos humanos en Viena, entre otras– han tenido al lado reuniones de estas redes independientes. A veces, como en la Conferencia Mundial de Políticas Culturales organizada por la UNESCO en Estocolmo, en 1998, son incorporadas al programa mediante foros paralelos a la asamblea intergubernamental.

No todas las iniciativas merecen la misma valoración. Algunas absolutizan lo comunitario con indiferencia hacia los Estados; otras buscan, mediante la negociación con ellos, convertir estos ejercicios de ciudadanía en nuevas formas de gobernabilidad. De un modo u otro, muestran que entre Goliat y David, entre las fuerzas globalizadas del mercado que se imaginan omnipotentes y el malestar social sin expresión política, existe algo más que las redes clientelistas de la globalización criminal. Sin embargo, no es posible sacar conclusiones tan rotundas como la de Anthony Giddens cuando destaca el crecimiento de organizaciones gubernamentales internacionales (unas 20 a principios de siglo y más de 300 ahora) y de ONG transnacionales (de 180 a 5.000 en el mismo período), e infiere: "Hay ya gobierno global y ya hay una sociedad civil global" (Giddens, 1999: 165).

Existe, sin duda, un incipiente pasaje de los gestos interruptores a la construcción de nuevas modalidades de intermediación social, cultural y política. ¿Qué significa colocar el eje de acción sociopolítica en la intermediación? Ante todo, superar la oposición dualista y polar entre Estados y ciudadanos, empresas y clientelas, macroinstituciones y comunidades, para repensar lo público en procesos de comunicación más compleja, donde los intermediarios legitiman las instituciones y reelaboran el consenso social. Luego, en la medida en que muchos movimientos intermediarios desarrollan su acción en forma transnacional, logran insertarse a la vez en varias escalas de los procesos sociopolíticos, con más flexibilidad que los Estados nacionales, los organismos intergubernamentales y los agrupamientos sólo locales. Se acercan a la versatilidad de las megaempresas que reordenan los mercados, comunican a las sociedades y configuran una "sociedad civil mundial" centrada en el consumo y desentendida de la ciudadanía.

No se resuelve de este modo el problema de imaginar un gobierno mundial, pero se avanza hacia un conocimiento de lo que significa la globalización en la vida de la gente, y se trabaja, en algunos casos, por una ciudadanía ecuménica que vaya haciendo posible la gobernabilidad mundial con bases democráticas. Quizá más que alcanzar un paradigma coherente de globalización, expresado en un nuevo orden planetario, importe hoy discernir los efectos destructivos o promisorios de las narrativas y acciones globales con el conocimiento más riguroso que puedan lograr las ciencias sociales. Inventar nuevos modos de acumulación de los saberes locales y nacionales en redes regionales y globalizadas, enlazar a los actores intelectuales y artísticos con los movimientos sociales y las industrias culturales para imaginar programas integradores.

Las fiestas de final o de principio de siglo no están para celebrar el fin de la historia o de la geografía, sino para averiguar cómo dibujaremos la geopolítica de una comunicación capaz de reconocer lo que existe entre las narrativas globalizadoras y las que sólo afirman identidades. En las industrias culturales que no renuncian a los riesgos de la imaginación artística, en los intercambios económicos que acepten políticas sociales plurales, en los movimientos culturales que abren formas novedosas de mediación podemos entrever no algún tipo de escena final destinada a repetirse como espectáculo, sino un futuro diverso que se aleja de los totalitarismos mercantiles o mediáticos. En ese horizonte es posible imaginar la globalización como algo más que una abundancia monótona.

Apéndice

HACIA UNA ANTROPOLOGÍA DE LOS MALENTENDIDOS
(Discusión de método sobre la interculturalidad)

ESTRATEGIAS ARTÍSTICAS Y CIENTÍFICAS

¿Puede un extranjero estudiar y comprender a otro país? ¿Es posible que los migrantes o exiliados que pasan muchos años fuera de su nación sigan entendiendo su sociedad de origen como para estudiarla, e incluso para tener derecho a votar desde el extranjero? Estas cuestiones se plantean con mayor fuerza en algunos países, sobre todo en los que tienen una historia densa, potente, y se han vuelto especialmente precavidos ante los extraños luego de invasiones, como es el caso de México. Ante artistas de distintos países que han pintado a sus indígenas y fotografiado las ciudades mexicanas, ante historiadores y antropólogos europeos y estadounidenses que dedicaron décadas a investigar la revolución o la política cotidiana de este país, he oído a varios mexicanos comentar: los extranjeros no pueden decir cómo es México.

En un primer momento, me parece necesario separar esas preguntas. No es lo mismo hacer historia o antropología *de* México que hacer arte mexicano. Parte del consenso internacional acerca de las ciencias sociales se construye y justifica en un campo de relativa objetividad. Pertenecer a una nación o sumergirse en su historia y su cultura cotidianas puede ser útil en el momento del *descubrimiento*, de la formulación de hipótesis, pero en seguida el investigador debe cuestionar las certezas del sentido común, construir su objeto de estudio y someter sus hipótesis a pruebas sin pedir ningún privilegio metodológico para las certezas que haya acumulado por haber nacido y pasado su infancia familiarizándose con lo que una nación, una etnia o una región consideran su identidad. Dado que esa inmersión en lo identitario puede dar tantas ventajas como anteojos, es posible –como de hecho ocurre– que las historias de la revolución y la modernización mexicanas escritas por Alan Knight y François Xavier Guerra sean tan pertinentes y tan discutibles como las de los historiadores del Colegio de México.

Si hoy tenemos serias objeciones a los estudios antropológicos de Robert Redfield y de Oscar Lewis no es porque su condición de extranjeros les impidió comprender aspectos peculiares de la vida mexicana, sino por razones análogas a las que nos hacen discrepar de los trabajos de Manuel Gamio y Gonzalo Aguirre Beltrán: porque los presupuestos teóricos con que unos y otros guiaron sus observaciones de campo después se mostraron parcialmente inconsistentes, o porque ya no ayudan a entender nuevos procesos sociales y culturales que ellos no pudieron prever.

Es distinto lo que ocurre con el arte y la literatura. Sus imágenes y textos no aspiran a decir cómo funciona una sociedad, sino cómo disfrutan y padecen los hombres y las mujeres ese modo de funcionar, cómo se las arreglan para actuar en él y a la vez imaginar otros desempeños acordes con los deseos, las fantasías y las frustraciones que tenemos por habernos formado en un cierto tipo de familia, de clase social y de nación.

Por eso tiene cierto sentido hablar de una literatura mexicana a la que pertenecen, por ejemplo, Octavio Paz, Carlos Fuentes y José Emilio Pacheco; o de un cine mexicano formado, entre otros, por Fernando de Fuentes, el Indio Fernández y Arturo Ripstein, pero en los que no situaríamos *Bajo el volcán* de Malcom Lowry, ni las películas filmadas por Einsenstein en México. En cambio, no me parece pertinente hablar de una antropología mexicana como si existiera un modo nacional de hacer ciencia, sino más bien de una antropología de o sobre México.

No obstante, me apresuro a decir que esta clasificación deja varios problemas sin resolver. Uno es qué hacer con vastas partes de las obras de Paz, Fuentes y Pacheco que pueden ser plenamente comprendidas sin haber vivido nunca en México, porque dialogan no sólo con este país sino con el arte, la literatura y lo que en general podemos llamar la condición contemporánea. Otra dificultad es que, si bien creo tener argumentos para no convertir a Einsenstein en un realizador mexicano, sería difícil excluir del cine mexicano las películas que el español Luis Buñuel filmó durante su estadía en este país.

La zona desdibujada de estas obras, que no se deja atrapar en la dicotomía nacional/extranjero, remite también a aquello de las ciencias sociales que no logro incluir en la clasificación anterior. Muchos antropólogos actuales diríamos que nuestra disciplina trabaja tanto con el orden social como con los imaginarios que los hombres y mujeres formulan para actuar y pensar de acuerdo con deseos no complacidos por ese funcionamiento.

Aquí llegamos al punto en que la antropología, también la historia, la sociología, y otras disciplinas llamadas científicas, se aproximan al arte y la literatura, sea por la importancia que dan a la creatividad en el proceso de investigación, sea por la necesidad de recurrir a las metáforas y al ensayo para decir lo que no logran exponer con el rigor del discurso científico. Esta zona indefinida entre ciencia y arte tiene que ver, ya se sabe, con las tensiones y los deslizamientos entre lo objetivo y lo subjetivo. También se vincula con lo que comencé planteando en este apéndice: si un extranjero puede captar lo que es México.

Una primera conclusión que puedo extraer de lo anterior se me hizo clara observando lo que sucede con los artistas extranjeros que intentan hablar de México. Encontré que cuando algunos espectadores mexicanos comentaban "esto no es México" se referían a artistas que habían representado pirámides, máscaras y danzas, narrado escenas en cantinas o mercados, con pretensión de describirlas objetivamente, o sugerir interpretaciones de lo que "en el fondo" sucedía en esos lugares. En cambio, los espectadores se sentían más atraídos cuando el artista parecía no estar diciendo "así es México" sino "esto es lo que me ocurrió a mí cuando viví en México", lo cual era sugerido con reflexiones subjetivas o introduciendo imágenes de su historia personal no mexicana en su representación de las pirámides y las cantinas.

¿Qué significa esta comparación artística para el trabajo antropológico? En la medida en que los antropólogos buscamos producir conocimiento o, si queremos decirlo así, un conocimiento más preocupado por la objetividad que el de los artistas, debemos realizar descripciones e interpretaciones basadas en datos construidos con métodos científicos, expuestos de tal modo que puedan ser contrastados empíricamente y quizá refutados. Pero al mismo tiempo el antropólogo se coloca en la intersección entre lo "real objetivo" y los imaginarios de los sujetos, nacionales y extranjeros, que contribuyen a configurar el sentido de una pirámide, una danza o un mercado. Siempre México fue una construcción imaginada seleccionando ciertos aspectos y dejando otros afuera, nos dicen los historiadores y antropólogos (Bartra, Gruzinski, Lomnitz) y esta selección fue hecha, al menos desde la conquista, en un proceso complejo de negociación entre cómo lo imaginan quienes nacieron en el país y quienes lo miraron desde otros, desde la hispanidad contrarreformista o la modernidad ilustrada, desde Europa, América Latina o Estados Unidos. Esta intersección entre la sociedad "real" y la nación imaginada por nativos y extranjeros es aún más intensa en un tiempo de globalización económica e integraciones regionales que presionan a los mexicanos para que se definan como norteamericanos o latinoamericanos, occidentales o herederos de las culturas indígenas. Una época en que los mexicanos elaboran nuevas tácticas para resistir lo que puede perjudicarlos en esas disyuntivas y situarse de modo más conveniente en lo que imaginan como el futuro de esas contradicciones.

Pienso que lo que caracteriza al especialista en la heterogeneidad y la alteridad que es el antropólogo es ubicar su trabajo en estas intersecciones. Concebirlo así puede disminuir la distancia entre dos personajes: por un lado, el antropólogo mexicano que busca comprender su sociedad sin mimetizarse con ella, descentrándose de los autorretratos etnocéntricos; por otro, el antropólogo de origen extranjero que intenta mirar desde adentro cómo es este país más allá de lo que cuentan los medios, las agencias de turismo y los discursos hegemónicos predicados por la propia nación. Sabemos que aun viendo a México con esta perspectiva intercultural subsisten diferencias entre la antropología nativa y la que hacen sobre esta sociedad estadounidenses, europeos o latinoamericanos. Trataré de reflexionar en este capítulo sobre las posibilidades y los límites de este enfoque intercultural a partir de la experiencia de alguien que llegó a México como filósofo, aprendió aquí a ser antropólogo y trata de describir cómo son algunas partes de este país al mismo tiempo que intenta comprender lo que significa para un argentino hacer ciencias sociales y vivir en una nación que siente cada vez más propia sin que deje de suscitarle extrañamientos.

Recuerdo la frase de Adorno: en el exilio la única casa es la escritura. "¿Qué casa puede fundar la escritura?", pregunta Julio Ramos al comentar la fórmula adorniana. Más complicado se vuelve para el científico social que, además, pretende que esa casa sea universidad o centro de investigación. Pero, ¿no tiene una dificultad parecida el científico nativo que decide no mimetizarse con su sociedad, no ser el ventrílocuo de sus compatriotas?

Historias desconectadas

El exilio es una experiencia de pasajes. No sólo de un país a otro, sino de desplazamientos personales y de trabajo, de los hábitos y la comprensión del mundo "familiares" a aquellos establecidos en la sociedad que nos recibe. Voy a presentar descripciones más o menos objetivas de la estructura y el significado de esas diferencias entre Argentina y México, desde la experiencia de alguien que eligió quedarse a vivir en este último país y ha ido elaborando, en el contraste, una mirada distinta sobre su nación de origen.

Quiero referirme a tres pasajes: a) el de alguien que viaja de una sociedad con una historia corta y descuidada a otra con una historia densa que emerge por todas partes; b) de una sociedad con pretensiones de ser enteramente occidental, blanca y homogénea a una nación multiétnica; c) finalmente, me ocuparé de una confrontación difícil de tratar, de la que hablamos bastante entre los extranjeros en México, pero sobre la cual no se ha escrito casi nada: lo que pensamos y sentimos sobre los diversos modos de situarse en los conflictos mexicanos.

Argentina y México han tenido entre sí menores vínculos que los que cada uno de estos países tuvo con otras naciones latinoamericanas.[1] Pese a ser de las sociedades con mayor desarrollo económico y cultural en la América de habla española, y a la intensa relación entre algunos de sus intelectuales, antes de los exilios iniciados en los años setenta, el intercambio y el conocimiento recíproco fueron escasos. Lo poco que sabíamos unos de otros estaba lleno de equívocos, como fuimos advirtiendo quienes vinimos a vivir a México. El poeta mexicano Antonio Mendiz Bolio, siendo emba-

---

1. Este punto y el siguiente del presente capítulo retoman parcialmente mi texto "Argentinos en México: una visión antropológica", publicado en Pablo Yankelevich (coord.), 1998.

jador en Buenos Aires, le escribía a Alfonso Reyes en 1921 que los argentinos ignoraban casi todo de México. Sólo "conocen y con entusiasmo a algunos de nuestros grandes nombres": a Amado Nervo, "casi apropiándoselo", a José Vasconcelos y al propio Reyes. Mendiz Bolio dedicó gran parte de su tiempo como diplomático a desmentir en dos diarios argentinos, *La Nación* y *La Prensa*, las noticias con que las agencias Associated Press y United Press distorsionaban los cambios posrevolucionarios en México, así como las versiones del cine norteamericano, donde los mexicanos aparecían siempre como traidores, borrachos y bandidos. Esa labor fue confirmada por otros escritores-embajadores, entre ellos Enrique González Martínez y Alfonso Reyes, quienes desarrollaron amistades con escritores argentinos y multiplicaron la difusión de la cultura de su país donando centenares de libros mexicanos a bibliotecas populares de Argentina.

Esos intercambios encontraron especial eco en los líderes de la Reforma Universitaria argentina, iniciada en 1918. La Revolución Mexicana, y sobre todo la efervescencia artística e intelectual promovida en México por la gestión ministerial de Vasconcelos, aparecía en varios países latinoamericanos "como modelo de reconstrucción política y cultural" (Yankelevich, 1998). Los dirigentes de la Reforma Universitaria, que trascendían las aulas y buscaban convertirla en programa social de democratización, no sólo en Argentina, sino en Chile, Perú, Colombia, Cuba y Guatemala, veían en el México posrevolucionario la promesa de que sus utopías llegaran a plasmarse en políticas de Estado. La reflexión vasconceliana sobre el mestizaje americano como base de una nueva "raza cósmica" parecía dar consistencia al impulso de proyección continental que animaba a los universitarios argentinos. Llegaron a Buenos Aires, a La Plata y a Córdoba las noticias de que el ministro Vasconcelos encabezaba campañas internacionales contra los tiranos de América Latina, especialmente contra Juan Vicente Gómez en Venezuela, e identificaba como causas de las dictaduras las mismas que señalaban los reformistas en Argentina: el caudillismo militar y el latifundismo, la explotación de los trabajadores y el dominio clerical.

Del 20 de septiembre al 8 de octubre de 1921 la Federación de Estudiantes de México organizó un congreso internacional con participantes de dieciséis países. Las delegaciones argentina y mexicana tuvieron el liderazgo en las sesiones y en la declaración final, que instaba a luchar continentalmente contra "la explotación del hombre por el hombre", se oponían al patriotismo nacionalista y llamaban a "la integración de los pueblos en una comunidad universal".

Uno de los delegados de Argentina, el platense Arnaldo Orfila Reynal, recibió pocas semanas después del congreso dos cajas y un baúl con libros y objetos arqueológicos para montar una exposición de cultura mexicana en Buenos Aires. En 1923 se creó en La Plata la revista *Valoraciones*, con la dirección de Alejandro Korn, en la cual se alternaban artículos de los estudiantes y escritores de los dos países que iban desarrollando esas amistades: Aníbal Ponce y Alfonso Reyes, Héctor Ripa Alberdi y Daniel Cosío Villegas, Jorge Luis Borges y Diego Rivera. Esa colaboración se fue multiplicando con viajes y conferencias de Antonio Caso y Vasconcelos en universidades argentinas.

Pese a que Vasconcelos anunciaba en sus conferencias que "ya pasó la época romántica de las relaciones iberoamericanas y ha llegado la hora de ligar a nuestros pueblos por lazos estrechos y constantes del intercambio de ideas y productos" (citado por Yankelevich), los intercambios se redujeron a compartir trabajos intelectuales y utopías románticas: conferencias de mexicanos en Argentina y de argentinos en México, donaciones periódicas de libros y el estímulo de la experiencia revolucionaria para que fuera cohesionándose en Argentina un espacio político-intelectual con orientación antimperialista y de integración latinoamericana. Algunos resultados notables se encuentran en el modo en que intelectuales de un país se insertaron en instituciones del otro: Pedro Henríquez Ureña, cuando dejó México a mediados de los años veinte por conflictos políticos, se incorporó como profesor al Colegio Nacional de la Universidad de La Plata; en la década del treinta, Alfonso Reyes, embajador mexicano en Argentina, dio cursos en la Universidad Popular Alejandro Korn, de La Plata; en los años cuarenta, Arnaldo Orfila comienza a dirigir la representación del Fondo de Cultura Económica en Buenos Aires, y luego es invitado a conducir la casa central de esa editora en México. Ocupó ese cargo hasta que un conflicto por la publicación de *Los hijos de Sánchez*, el libro de Oscar Lewis, a finales de los años sesenta, lo desvinculó del Fondo y lo llevó a crear, con la solidaridad financiera de intelectuales mexicanos y latinoamericanos, la Editorial Siglo XXI. El núcleo del conflicto con el libro de Lewis fue si un extranjero tenía derecho a hablar de "la cultura de la pobreza" en México.

Entre los escasos intentos de articular acuerdos económicos, el más destacado de toda la primera mitad del siglo fue la visita del general Enrique Mosconi a México en 1928, donde transmitió su experiencia en la empresa estatal argentina de petróleo para ayudar a la creación de Petromex, en 1934, la empresa mexicana que buscaba, también, expandir la producción de hidrocarburos para garantizar el autoabastecimiento y el avance industrial del propio país. Pero esos intentos de cooperación latinoamericana para desarrollar la autonomía de las economías nacionales fueron limitados por la ambición estadounidense de apropiarse del petróleo en América Latina, y por la inestabilidad política de México y Argentina.

Esta historia fue casi desconocida para quienes nos educamos en Argentina en la segunda mitad de este siglo. Cuando fui estudiante y profesor en La Plata, en las décadas de los años sesenta y setenta, muy pocos de los nombres que cité aparecían en conversaciones en las que algún profesor del Colegio Nacional de la universidad evocaba, por ejemplo, a Henríquez Ureña, como su maestro. Me pregunto por qué nunca me incitaron a leer su admirable obra *Las corrientes literarias en la América Hispánica*, ni los ensayos luminosos de Reyes y de Vasconcelos. A la Biblioteca de la Universidad de La Plata íbamos a veces a curiosear la *Revista de la Universidad de México*, pero nos interesábamos sólo por Octavio Paz, Carlos Fuentes y un joven escritor, Carlos Monsiváis, que publicaba allí sus textos irreverentes. Un día vimos en un cine club la película *México, la revolución congelada*, de Raymundo Gleyzer, y algo supimos del movimiento estudiantil y la represión de octubre de 1968, pero el '68 para nosotros era París, y no entendíamos bien por qué se había congelado esa revolución hecha por indígenas y campesinos, nos preguntábamos si aún habría tantos en un país que se concebía moderno y cosmopolita, donde se escribían novelas de vanguardia como *Cambio de piel* y poesía como *Libertad bajo palabra*. Era difícil hallar respuestas, porque los diarios casi nunca traían noticias mexicanas.

Desde el lado argentino veo dos razones que explican este bajo conocimiento sobre México. En primer lugar, el intercambio entre las élites fue casi interrumpido durante el gobierno peronista (1945-1955), cuyas intenciones nacionalistas y latinoamericanistas buscaban interlocutores distintos de México, por ejemplo las dictaduras de Stroessner y Trujillo. Pero en un sentido más estructural pienso que una de las diferencias fuertes que alejó a Argentina y México es la diversa relación con la historia.

En los años recientes, luego de las políticas de censura y desmemorialización desarrolladas a partir de la última dictadura militar (1976-1983), se está trabajando mucho, dentro y fuera de Argentina, sobre el olvido de la historia en este país. Pero en verdad los argentinos siempre tuvimos una relación débil y descuidada con nuestro pasado. A diferencia de naciones donde las culturas precolombinas y la sociedad colonial tuvieron un desarrollo potente (México, Guatemala, Bolivia y Perú), en Argentina su menor desenvolvimiento histórico sufrió, además, políticas de persecución y la carencia de leyes que reconocieran y protegiesen su patrimonio. La oligarquía guardó durante mucho tiempo algunos sitios históricos, muebles y costumbres, como testimonios de su propia grandeza, e hizo de ellos un uso privado, sin preocuparse casi nunca por socializarlos en museos ni en programas comunicacionales que los situaran en la modernidad, más allá de la complacencia autocelebratoria. El nacionalismo populista, que amplió la concepción del patrimonio al incorporar tradiciones populares y extendió su difusión a sectores subalternos, quedó en manos de folcloristas nostálgicos e ideólogos que embalsamaron esas tradiciones en una visión metafísica, ahistórica, del "ser nacional". Ser liberal o de izquierda en Argentina significó casi siempre no tener tiempo para preocuparse más que por el porvenir. El reciente reciclaje de unos pocos edificios y barrios en algunas ciudades argentinas suele limitarse a la revalorización mercantil de signos arbitrarios para un presente efímero.

Por eso, quienes vinimos a vivir en México nos sentimos sorprendidos y fascinados por la densidad de monumentos preservados y de tradiciones vivas, museos que requirieron altas inversiones y antiguas fiestas campesinas que se repiten también en las ciudades. En fin, una historia elocuente. Hay quienes no saben cómo situarse ante tanto pasado: uno de los mayores escritores argentinos, historiador de origen, me justificó una vez el no haber visitado el Museo de Antropología "porque me falta código". Otros hemos sentido la dificultad de asumir un pasado tan denso y dialogar con él, pero en alguna medida aprendimos, a partir de lo visto en México, a valorar nuestra propia historia nacional –y la historia latinoamericana– no como referencia erudita sino como fuente explicativa de rasgos actuales.

Descubrir la multiculturalidad

México fue para muchos argentinos, junto con la revelación del espesor de la historia, el lugar donde encontramos el rostro indígena de América Latina. Para quienes habíamos pensado y escrito desde las tierras blancas del Río de la Plata, sin viajar hasta el norte de Argentina ni a los enclaves mapuches de la cordillera, la capital mexicana nos confrontó con el lugar central que tiene en muchas ciudades del continente la presencia étnica. Más aún si, como fue mi caso, uno se vuelve antropólogo y se interna en territorios purépechas para hacer trabajo de campo y acompaña a los alumnos a las sierras de Oaxaca y Chiapas, a los territorios de la hibridación en la frontera con Estados Unidos. Quiero detenerme un poco en esta diferencia tanto por los contrastes socioculturales que manifiesta entre ambas sociedades como por lo que representa en una y en otra ser antropólogo.

Para eso voy a introducir el relato de lo que sucedió en 1973, cuando en Argentina estábamos estrenando una democratización más y el presidente de México en ese momento, Luis Echeverría, exploraba las posibilidades de convertirse en líder internacional. Como había ocurrido con García Morín, Alfonso Reyes y tantos otros, las operaciones diplomáticas mexicanas seguían concediendo un papel destacado a los artistas y académicos, de manera que Echeverría llenó un avión de intelectuales y viajó a Argentina. Me contó el antropólogo Guillermo Bonfil, que formaba parte de la expedición, que en la Casa Rosada el presidente Héctor Cámpora les ofreció una cena, en la que casi cien representantes de la cultura mexicana se iban a encontrar con equivalentes argentinos. El protocolo estaba organizado de un modo que a los mexicanos les resultó curioso: llegaba un pintor a la puerta, un edecán le preguntaba el nombre y la ocupación, y entonces gritaba hacia dentro: ¡un pintor! Aparecía algún argentino que tenía que ver con las artes visuales. Después llegó Carlos Fuentes, y el edecán pidió: ¡un escritor! Luego, le tocó el turno a Guillermo Bonfil: le preguntaron a qué se dedicaba, él dijo ser antropólogo, el edecán puso cara desconcertada, vaciló un instante, y luego gritó hacia dentro: ¡un cineasta!

Parece que a comienzos de los años setenta, en Argentina, era tan difícil encontrar a un antropólogo como a los que se suponía que debían ser sus objetos de estudio. Las reivindicaciones de lo nacional y popular en esa época, más ideológicas que efectivas, no corrigieron el centralismo ni las discriminaciones a "los del interior". Muchos seguían creyendo que el genocidio, aún denominado por la historia oficial con el eufemismo de "campaña al desierto", había acabado a principios de siglo con la mayoría de los indios, y existían pocas noticias de que ya, en otros países, los antropólogos comenzaban a estudiar sus propias sociedades. Yo era profesor de Antropología Filosófica en la Facultad de Humanidades de La Plata, pero lo que enseñaba de Lévi-Strauss y Herskovits eran más bien sus contribuciones teóricas. De la antropología mexicana ignoraba casi todo.

Al llegar a México, como el primer empleo estable que conseguí fue como profesor en la Escuela Nacional de Antropología e Historia, y quería estudiar el arte popular, salí a Michoacán de trabajo de campo con los estudiantes. Estudié a antropólogos que nunca había leído, casi al mismo tiempo que mis alumnos, y descubrí también que la antropología podía decir algo sobre las sociedades modernas que a otras disciplinas no se les ocurría. Así fui convirtiéndome a la antropología social sin abandonar la filosofía, me fui volviendo especialista en las culturas de México sin dejar de ser argentino.

Interdisciplina e interculturalidad: hay analogías entre el hecho de cambiar de país, y aprender otros códigos culturales, y el mudarse de disciplina, ser una especie de migrante epistemológico. El contexto mexicano me estimuló a experimentar lo que podía ocurrir al poner en relación los saberes que la historia del arte y la estética filosófica habían reunido sobre lo culto, la antropología sobre lo popular y los estudios comunicacionales sobre las culturas masivas. La proximidad de México con Estados Unidos, con sus debates multiculturales y sus masivas discriminaciones hacia latinoamericanos, me hizo ver lo que estos temas significan en nuestro trato con las metrópolis. La multietnicidad de México, no resuelta, como lo revelan los recientes conflictos en Chiapas y otras regiones, pero menos reprimida que en Argentina, me llevó a percibir la complejidad teórica y empírica de estas cuestiones y su centralidad en nuestro tiempo.

Sabemos que Argentina es un país constitutivamente multiétnico, formado por poblaciones indígenas –que subsisten en el Noroeste, en el Chaco y en la Patagonia– y diversas migraciones europeas, con diferencias notables entre sus regiones. Pero también conocemos que ha sido un hábito argentino tratar de olvidarlo. Como si el tango y el sainete, Borges y Les

Luthiers, Fontanarrosa y el rock llamado nacional no estuvieran repletos de citas de otras culturas. No digo que sea indispensable salir de Argentina para darse cuenta de que en el mundo hay bastante más que nuestros orgullos locales, ni para construir una mirada no etnocéntrica hacia nuestras tradiciones. Fontanarrosa renovó paródicamente nuestro folclor haciendo interactuar a Inodoro Pereyra con el Quijote y Darwin, con el Zorro y Superman, con E.T. y Antonio das Mortes. Pero algunos hemos necesitado convertirnos en migrantes, o aprovechar que nos obligaron a serlo, para adquirir una visión menos prejuiciada sobre el lugar de los argentinos en el mundo. Ser "argenmex" me sirvió para entender tanto la miopía de los liberales sarmientinos que absolutizaron lo europeo, como la de los populismos que aún persiguen, contra aquellos liberales, un ser nacional igualmente improbable.

RITUALES DE UN LADO Y DEL OTRO DE LA VENTANILLA

Exiliarse es pasar a ser minoría. Esto puede no ser tan arduo para quienes tuvimos que irnos del propio país porque las posiciones que representábamos eran minoritarias y además perseguidas. La sensación primera de muchos de los que vinimos a México a mediados de la década de los setenta no fue la diferencia histórica y cultural, ni la dificultad de conseguir trabajo o aprender a vivir en una megaciudad multiétnica, sino la de habernos liberado del terror. Luego comenzamos a percibir que algo significativo nos sucedía con el peculiar modo de ser minoría que experimentamos los argentinos en México. Sin duda, la comunidad de lengua y de otras costumbres con los mexicanos ha facilitado nuestra integración más que a quienes migraron a Estados Unidos, Francia o Suecia. También el hecho de que compartiéramos esas características culturales con otros latinoamericanos residentes en México, y que las causas políticas que nos impulsaron a venir fueran vistas con simpatía, o al menos sin rechazo, por un alto número de mexicanos, favorecieron relaciones de solidaridad. ¿Por qué, entonces, existen sobre los argentinos tantos chistes críticos que no se han hecho respecto de otras nacionalidades?

Es posible que las divergentes historias étnico-nacionales a las que me referí hayan contribuido a esta visión negativa de los argentinos en México. Pero eso no parece suficiente para explicarlo: por un lado, porque no se produjeron bromas semejantes respecto de los uruguayos y los chilenos, con los cuales podría existir la misma percepción de distancia intercultural; por otra parte, porque esta caracterización de los argentinos no es exclusiva de los mexicanos. También en otras sociedades que recibieron a migrantes de mi país de origen se define a los argentinos como italianos que hablan español y se creen ingleses, o se dice que el ego es el pequeño argentino que todos llevamos dentro.

Ya los visitantes de principio de siglo a Argentina registraron la soberbia y presuntuosidad de sus habitantes. José Ortega y Gasset, en su *Carta a un joven argentino que estudia Filosofía*, se asombraba de que el destinatario de su carta preguntara "algunas cosas" y admitiera "la posibilidad de que las ignora", y encontraba en las revistas y los libros argentinos "demasiado énfasis y poca precisión. ¿Cómo confiar en gente tan enfática?" (D'Adamo y García Beaudoux, 1995: 20-21).

No conocía estas referencias antiguas cuando asistí, a mediados de los años ochenta, al partido entre Argentina y China del Campeonato Mundial Juvenil, en el estadio Azteca, y los tres o cuatro mil argentinos vimos con sorpresa el fervor con que noventa mil mexicanos gritaban a favor de China. Luego supimos que en el Campeonato Mundial de 1990 en Italia una silbatina permanente repudió al equipo argentino, mientras el apoyo de los italianos se dedicaba a Camerún. Más que imaginar impensadas complicidades de los mexicanos e italianos con chinos y africanos, hay que aceptar que esas preferencias eran modos de manifestar el rechazo a los argentinos.

¿Cómo salir de la sensación de desconcierto que nos produce a los argentinos este rechazo? Un recurso usado por los que no somos de Buenos Aires es adjudicar la responsabilidad de esa imagen a los porteños, con el argumento de que quienes no somos de la capital también hemos sufrido la prepotencia centralista. Pero algo nos suena mal cuando los mexicanos perciben esta diferencia y creen que nos elogian afirmando: "no pareces argentino".

Dos psicólogos sociales, Orlando D'Adamo y Virginia García Beaudoux, que realizaron una encuesta en varios países receptores de migración argentina, proponen algunas explicaciones de esta imagen. Ante todo, destacan la importancia de la formación extranjera de la sociedad argentina. En 1914, el censo indicaba la presencia de 5.527.285 habitantes nativos (70,2 por ciento) contra 2.357.925 de extranjeros (29,8 por ciento) (D'Adamo y García Beaudoux, 1995: 64). Argentina atrajo a multitudes de españoles, italianos, judíos, franceses y alemanes, que al llegar confirmaban las ventajas de trabajar y consumir en esa nueva nación. Para comprar zapatos, camisas y sobre todo carne, los obreros argentinos debían trabajar menos horas que los obreros franceses, italianos o alemanes. La esperanza de vida era a mediados de siglo mayor en Argentina que en muchos países europeos, la posibilidad de enviar a los hijos a la educación media y superior también era más alta y el analfabetismo uno de los menores en el mundo. Estas características económicas y socioculturales favorecieron la conciencia de "poderío" y "superioridad", sobre todo en inmigrantes pobres llegados de Europa, que huían de la guerra y el hambre.

Pero, ¿cómo se sostiene esta autoimagen en la segunda mitad del siglo XX, cuando Argentina se desliza por la decadencia·económica y la hiperinflación? Los autores muestran la discrepancia entre esta declinación y el discurso político o cotidiano, así como la posible función compensatoria o consoladora de las fantasías sobre la "Argentina potencia", cuando la mayoría de los indicadores económicos, sociales y educativos atestiguan cómo se evaporaron las ventajas comparativas de principios de siglo. "Necesitamos perder una guerra y enterarnos de lo que significaba nuestra deuda externa para empezar a tomar conciencia" (D'Adamo y García Beaudoux, 1995: 71). Los autores se refieren a la guerra de las Malvinas, perdida en 1982, pero los exiliados, y varios millones de quienes no salieron de Argentina, podríamos agregar la derrota –de proyectos políticos y aspiraciones económicas, de esperanzas intelectuales y morales– que nos trajo la dictadura de los años setenta. Con el pretexto de exterminar la guerrilla, impuso una reestructuración económica continuada por los gobiernos civiles que sigue agravando, hasta hoy, los datos de la decadencia para la mayoría: recesión económica con concentración monopólica de las ganancias, aumento del desempleo y la deserción escolar, reaparición de enfermedades, como el cólera, que creíamos del siglo pasado pero resurgen como una sintomática comunidad de desgracias con otros países latinoamericanos. Los autores citados mencionan también la depreciación de la moneda, su subordinación al dólar, las extensas filas en las embajadas española e italiana para gestionar la doble ciudadanía como otras causas y expresiones de la caída del sueño de la Argentina "europea" y "potencia".

En el estudio sobre la imagen argentina en el exterior, D'Adamo y García Beaudoux sostienen que para muchos ciudadanos de Venezuela, México y España "su opinión sobre los argentinos mejora" al conocerlos en el propio país. Interpretan que ciertos rasgos de soberbia y actitudes defensivas pueden exacerbarse en los migrantes al verse en un contexto desconocido y confrontarse con necesidades imperiosas de supervivencia (se tiende a inventar o exagerar méritos y omitir limitaciones). En tanto, quienes desempeñan "sus actividades honesta y calificadamente [...] pasaron inadvertidos" y sorprendían a quienes descubrían su nacionalidad, que los consideraban "argentinos 'raros'" en la medida en que no confirman ningún estereotipo que se tenga de la "argentinidad" (D'Adamo y García Beaudoux, 1995: 75-76).

Todo esto ayuda a entender la formación histórica de la imagen de exportación de los argentinos. Pero sería simplificador reducir a esto las dificultades de convivencia y la valoración negativa por parte de los mexicanos. Conviene preguntarse si no hay otras divergencias entre las formas culturales predominantes en ambos países que acentúan los desencuentros, o vuelven más complejos los acuerdos. Hay algunas características de los argentinos, visibles sobre todo en la manera de hablar y expresar los sentimientos, que pueden servir para elaborar este punto.

En la línea de la observación orteguiana sobre el excesivo énfasis del habla argentina, en México nos ven demasiado gritones, con tendencia a hablar todos al mismo tiempo y dar la sensación con nuestro tono alto de que cuando pedimos algo parecemos estar ordenándolo. Sin duda, este rasgo se opone al carácter reservado, silencioso y melancólico que muchos estudiosos analizan en la cultura mexicana, desde Octavio Paz hasta Carlos Fuentes y Roger Bartra. Pero pienso que la comparación podría profundizarse: no se trata apenas de modos de expresarse, que podrían corresponder a rasgos socioculturales; hay diferencias en las culturas políticas y en los modos de hacer política en el sentido más amplio, o sea de gestionar las relaciones de poder con los otros. Una manera de examinar esto es interrogarse, en reciprocidad, acerca de lo que a los argentinos nos ha resultado desconcertante o difícil de asumir en la sociedad mexicana.

Para averiguarlo, en las ciencias sociales se recurre a varias técnicas, de las cuales las más frecuentes son las encuestas y los grupos focales. A falta de información de este tipo voy a proponer una técnica distinta, que consiste en detectar cuál sería la frase distintiva de una sociedad.

Hasta donde sé el que primero utilizó este procedimiento fue el antropólogo brasileño Roberto da Matta, quien halló que la frase clave en su país es *"você sabe con quem está falando?"*. No es sólo una frase, anota da Matta, sino parte de un ritual en el que se marca una asimetría, la separación radical y autoritaria entre dos posiciones sociales. Cuando se enuncia esa fórmula, se está negando el carácter "cordial" que la sociedad brasileña suele atribuirse a sí misma y exhibir ante los otros. A los demás se les enseña el fútbol, la samba, se les habla de las playas y las mujeres brasileñas, pero no se los coloca ante esta pregunta que es el correlato, según este autor, del "cada uno en su lugar". La frase se usa hacia dentro para restablecer, en una sociedad jerárquica, una superioridad desafiada. De hecho, se evidencia así la coexistencia de dos concepciones de la realidad nacional: una es la visión del mundo como lugar de integración y cordialidad; la otra es la visión del orden social centrado en categorías exclusivas, colocadas en una escala de respetos y diferencias.

¿Cuál sería la frase clave en la cultura argentina? Guillermo O'Donnell sostiene que es ésta: "¿Y a mí qué me importa?", que a veces puede convertirse –de acuerdo con el énfasis percibido por Ortega y Gasset– en "¿Y a mí qué mierda me importa?". En general, dice O'Donnell, esta fórmula se emplea, igual que en Brasil, cuando alguien se siente en una situación violenta por una "intolerable igualdad" y trata de re-jerarquizar el vínculo. "Pero, en contraste con los cariocas de da Matta, el interlocutor porteño es, precisamente, un interlocutor: encuentra frente a sí a otro hablante. Éste, sin ceremonias, suele mandar, redonda y explícitamente, a la mierda al otro y, junto con él, a la jerarquía social sobre la cual quiso montarse". En realidad, afirma O'Donnell, "el interpelado no niega ni cancela la jerarquía: la ratifica, aunque de la forma más irritante posible para el 'superior'". O'Donnell analiza un conjunto de interacciones en las que esta violencia recíproca "organiza" las relaciones en Argentina: por ejemplo, cuando se trata de entrar desde una calle lateral, durante las horas más densas del tránsito, a una avenida, en Estados Unidos se va pasando en el orden en que cada uno llegó a la esquina; en Río de Janeiro es más problemático, pero acaba resolviéndose como "favor", agradecido con el gesto erecto del pulgar por el beneficiario; "en Buenos Aires somos aparentemente iguales: es regla que si no hay policía a la vista (o presumiblemente escondido) cada uno debe pasar primero. Por lo tanto, parte del asunto es impedir que pase el otro. [...] La forma de hacerlo, teóricamente ilegal pero universalmente practicada, es 'meter la trompa' (o 'meter la punta'). Resultado, los autos que avanzan hasta rozarse. [...] La consecuencia de esto es, por supuesto, una monumental ineficiencia, peleas, insultos y, no pocas veces, el gesto 'sobrador'... cuando no pulgar o índice cerrados en evocativo círculo, del que consiguió meterle la trompa al otro y lo deja, frenando y con rabia (parece título de tango), a pocos milímetros del auto que se desliza victoriosamente." La relación que O'Donnell hace de estos comportamientos cotidianos con la violencia de la represión militar –que no tengo ahora tiempo de resumir– le permite mostrar que la sociedad argentina tal vez sea más igualitaria que la brasileña pero igualmente autoritaria y violenta. Esas conductas corresponden a una "sociedad individualista, llena de confrontaciones que no resuelven nada pero activan la furia de los más poderosos". Los minidramas de los enfrentamientos individuales "despliegan una *apariencia* de igualdad que no deja de ratificar las diferencias existentes, de forma que además siembra resentimientos y ocluye posibilidades cooperativas" (O'Donnell, 1984: 20-21).

Son comprensibles, a la luz de lo anterior, las dificultades que encontramos los argentinos para adaptarnos a una sociedad como la mexicana. Para explicarlo sugiero confrontar la frase elegida por O'Donnell con la que podría ser una de las frases clave en México: "el que se enoja, pierde". Es una fórmula que los mexicanos usan internamente, como en Brasil, en situaciones donde alguien desafía el orden y las jerarquías. Se aplica –o se nos explica– a los extranjeros cuando nos impacientamos exhibiendo un inadecuado reconocimiento de esas jerarquías, o la premura por resolver un trámite o un conflicto sin guardar los procedimientos habituales en la sociedad mexicana. Es posible interpretar literalmente esta frase como síntoma de un tipo de relaciones que prohíben enojarse y promueven la resignación, al menos para quienes ocupan posiciones subordinadas. No faltan análisis realizados por autores mexicanos, entre ellos los ya citados de Octavio Paz y Roger Bartra, que avalan esta línea interpretativa sobre la sociedad en general, aunque no se refieran específicamente a esta frase. A mí me parece conveniente, en la dirección de los estudios referidos sobre Brasil y Argentina, entender esta fórmula como parte de una organización ritual del poder y las jerarquías sociales que, según escribe Claudio Lomnitz, van asociadas a "utilizaciones tácticas de la ambigüedad" (Lomnitz, 1992: 99).

Cabe aclarar que esta descripción de la cultura mexicana no es extensible a todo el país. Algunos mexicanos nacidos en Tabasco, Veracruz y en el norte de México me han hecho notar que su carácter más expresivo, su modo más directo de relacionarse y expresar los afectos, no queda bien representado por esa caracterización que juzgan más pertinente para los habitantes de la meseta central. Tal vez la centralización de la nación ha sobredeterminado la imagen global de "lo mexicano", de modo equivalente a como los rasgos de los porteños son atribuidos a pobladores de toda la Argentina. Como en otras sociedades, la comodidad en la formación de estereotipos nacionales no deja distinguir suficientemente las diferencias de cada región.

Más allá de que el carácter clave o no de esta frase debería ser demostrado por una investigación más extensa, me interesa señalar el contraste con el tipo de cultura característico de la sociedad argentina y que los nativos quisiéramos reencontrar en el extranjero. La oposición entre las fórmulas que identificamos como representativas de Argentina y México corresponde a la diferencia entre una sociedad donde la expresividad interpersonal es más directa, suele burlarse de las instituciones y de las formas institucionalizadas de interacción, es poco ceremonial, como observa O'Donnell, y otra sociedad, la mexicana, donde los conflictos y las diferencias se hallan intensamente ritualizados, las instituciones duran más, se acostumbra hacer planes con plazos largos y existe la tradición, al menos posrevolucionaria, de buscar prioritariamente la reproducción pacífica del conjunto de la sociedad. Todos sabemos que los mexicanos también se enojan, pero se tiende a diferir la explosión, dar tiempo a que surjan negociaciones y confiar, en última instancia, en que los rituales preserven el orden colectivo, en apariencia más importante que la satisfacción individual. Aprender a vivir en México nos ha exigido entender otro modo de relacionar las pasiones y los sentimientos personales con el sentido comunitario o social, la realización y las frustraciones individuales y grupales con los procesos políticos.

Voy al banco y pido los movimientos de mi cuenta en los últimos quince días. Advierto que la empleada lucha con la computadora y no logra obtener la información. Consulta con el compañero de la caja de al lado algo que el vidrio que me separa de ellos no me permite oír. Luego, me dice que no puede conformar mi estado de cuenta. Le explico con energía que es la tercera vez en esa semana que solicito lo mismo y no me lo dan.

– No me grite. Le estoy informando.

Yo no creo haberle gritado, pero descubro una vez más que alzar la voz, como hacemos los argentinos para reclamar, es considerado en México como enojo. Me voy de la ventanilla enojándome como argentino por no obtener los datos que necesitaba y reclamándome desde mi parte mexicana por qué después de veintidós años de estar en México sigo reaccionando como argentino. Decido no ser ni una cosa ni la otra, y preguntarme –desde mis dos identidades profesionales– qué significa lo que ocurrió.

En tanto filósofo, reflexiono sobre el sentido de que me anuncien haberme dado información cuando no pudieron contestarme lo que solicité. Reconozco que me dio la información que tenía, o sea que no podía configurar el estado de mi cuenta en su pantalla. En relación con mi pedido, semánticamente, podría decirse que la información fue cero, pero respecto de lo que ocurrió en la interacción de la empleada con la máquina, en cuanto al contexto y desde el punto de vista pragmático, la información fue clara y concisa.

Mi lado de antropólogo me hace averiguar cómo puede interpretarse la ritualidad de la interacción. Creo que, aparte de la ineficiencia del banco o de la empleada, el desdibujamiento de mi cuenta en la pantalla es metáfora de la relación intercultural. ¿Cómo configuramos o somos capaces de configurar los comportamientos de los otros? La inercia de mi programación cultural como argentino me impidió actuar adecuadamente en el contexto de un banco mexicano. Sé que enojarse es inútil en este país en términos pragmáticos, y hasta agrava los obstáculos para conseguir lo que se desea, pero ¿acaso es posible esconder siempre el enojo, o el énfasis demandante que es interpretado como enojo, si uno fue entrenado en otra modalidad cultural, que supone a su vez un modo de organización de la afectividad y de las relaciones interpersonales?

Cuando me pregunto por qué soy tan insuficientemente mexicano después de tantos años de vivir aquí, recuerdo que este país me hizo comprender las muchas formas que existen de ser mexicano y las dificultades de que compartan un patrimonio y un estilo común sus presidentes y sus escritores, sus clérigos, empresarios y artesanos. Quien es considerado por muchos periodistas e intelectuales el mayor cronista de México, Carlos Monsiváis, me reconfortó con lo que decía en una entrevista. Al final, le propusieron que se hiciera la pregunta que siempre quiso que le formularan . Monsiváis contestó: "la pregunta es ésta: ¿por qué tu relación tan viva con una sociedad cuyas tradiciones en su mayoría no reconoces o no te interesan? Y la respuesta: "de México me importa la tradición histórica, no de modo unánime, pero sí en lo fundamental: soy juarista, soy maderista, soy zapatista. Reconozco el impulso formidable de creación colectiva, reconozco lo muy notable de la tradición cultural, y ahí me detengo. No soy guadalupano, no me gusta el fútbol, detesto las corridas de toros, nunca he bebido tequila, no tengo compadres, y así sucesivamente. Pero según creo, es muy viva mi relación con la parte del país que me importa, y me desentiendo de todo lo demás en niveles que van de la indiferencia al rechazo a ultranza" (Bautista, 1999: 33).

Concuerdo con esa respuesta, salvo en que disfruto el fútbol y el tequila. La coincidencia principal reside en afirmar, como Monsiváis, que pertenecer a un grupo no supone adherir sin selección a la totalidad de sus tradiciones o costumbres. Más bien me atraen los grupos y las naciones capaces de reconocer múltiples modos de imaginar lo que significa formar parte de ellos, y que por eso conviven mejor con los otros.

Éste es, quizás, el problema básico de la interculturalidad. ¿Cómo articular la comprensión intelectual de las diferencias, y de las prácticas flexibles que requieren, con la rigidez o unidimensionalidad de la formación y las lealtades afectivas? El aprendizaje de la convivencia intercultural tiene su clave en establecer modelos de interacción democráticos, lo más objetivos y horizontales posibles, y a la vez reconocer la diversidad legítima de posiciones afectivas y de culturas institucionales de un lado u otro de la ventanilla. Dicho de otra manera, cómo volver conmesurable y convivible lo que entra con lo que no entra en la configuración cultural de cada uno.

Me ayuda a avanzar en esta línea la "antropología de la ventanilla" desarrollada por Amalia Signorelli. Permítanme transcribir *in extenso* su descripción, que no es resumible.

"A mediados del mes de junio de 1992 me encontraba a las 11 de la mañana, en una oficina de correos de la República Italiana, situada en el centro de la ciudad de Nápoles. Era una oficina grande y repleta de gente. Estaba en una larga fila frente a la ventanilla X, esperando hacer efectivo el pago que nos permite a todos gozar de la condición de usuarios de la energía eléctrica, del teléfono, del agua, del gas; tenemos que pagar las facturas, en las que se indica el importe de nuestros consumos. El plazo límite está próximo, la fila es larguísima y todos estamos cansados y sudando. La espera dura más porque la ventanilla X se ocupa, también, de otras 'operaciones' relacionadas con el servicio postal propiamente dicho y de otros servicios que, en Italia, tienen que llevar a cabo las oficinas de correos. La fila es ordenada, silenciosa.

"Las frases que se oyen ('por favor, ¿tiene un bolígrafo?', 'muchas gracias') tienen un contenido instrumental y un estilo pundonorosamente impersonal y ceremonioso. La espera se prolonga, el calor aumenta, mi presión disminuye, crece mi agresividad. Comento a media voz que en días como éstos 'podrían abrir otra ventanilla más', pero ninguno de mis compañeros de desventura se inmuta.

"Unos metros más adelante se encuentra la ventanilla Y, sobre la que señorea un rudimental pero perentorio cartel: CORREO CERTIFICADO. Delante de la ventanilla no había nadie; detrás, una joven empleada. Llegan dos guardias urbanos vestidos con su uniforme correspondiente y se dirigen directamente a la ventanilla Y. Sacan sus facturas y se las dan a la empleada. Ésta las recoge e inicia las prácticas correspondientes.

"Mi tendencia puritana de ciudadana respetuosa de la ley, preocupada por diferenciar escrupulosamente lo público de lo privado, contraria a cualquier privilegio, no soporta tal provocación: Abandono 'mi' fila, 'marcho' literalmente hacia la ventanilla Y, muestro mi carnet de concejal del Ayuntamiento y protesto contra los guardias: primero, porque resolvían un asunto personal mientras estaban de servicio; segundo, porque utilizaban ese uniforme para gozar de la preferencia de un funcionario público. Los dos guardias me miran estupefactos. Observo en sus ojos miradas de asombro, estupor, incredulidad: pero nada que se pareciera al bochorno o a la preocupación y mucho menos a la vergüenza. La empleada, que ha asistido a la escena no menos maravillada, es, sin embargo, la primera que recupera la capacidad de 'ir más allá según ciertos valores'. Se echa hacia delante y me reprocha en tono confidencial pero respetuoso: '¡Concejala, haberlo dicho antes y le habría atendido a Usted también!' (Mayúscula en la entonación, lo juro). Confundida, literalmente sin palabras, regreso a mi fila, y sus componentes activan lo mejor que pueden sus técnicas corporales para enviarme un silencioso pero elocuente mensaje colectivo 'Ésta no es de los nuestros, no la conocemos'. Abatida además de confundida llego, por fin, a la suspirada ventanilla y efectúo el pago de mis facturas. Como es obvio, mientras salgo de la oficina de correos me enfado conmigo misma. Naturalmente, qué estúpida soy, qué especie de antropóloga soy, bien merecido me lo tengo, como si no supiera que he violado la primera regla que define el campo de las relaciones sociales de Nápoles: *me he metido donde no me llaman.*"

"No te metas" es otra fórmula que, como se dijo muchas veces, puede considerarse representativa de las relaciones interpersonales e interculturales en una sociedad individualista como la argentina. Seguramente, es aplicable a otros países, entre ellos México, que ve con reservas a los extranjeros que se meten en sus asuntos. Y algunos entrevistados sobre este tema me recordaron el "me vale", que los mexicanos emplean para manifestar que se desentienden de asuntos nacionales o extranjeros. Al mismo tiempo, en el contexto de la globalización, aplicar la prohibición de no meterse a los extranjeros tiene eficacia limitada en una época en que las fronteras se relativizan con la penetración de las industrias culturales, y las migraciones masivas y los intercambios económicos y comunicacionales desdibujan los límites geográficos entre naciones.

Amalia Signorelli observa que, en un tiempo en que las instancias de poder son cada vez más abstractas, inalcanzables e inimaginables para los ciudadanos, los contactos e intercambios informales entre éstos y el Estado, a través de ventanillas y "conocidos", ofrecen posibilidades alternativas de resolver los problemas e integrarse socialmente. La ventanilla, como otros umbrales entre sujetos diversos y poderes asimétricos, por ejemplo las fronteras geográficas, son sitios donde se negocian formas diversas de articular lo público y lo privado, lo colectivo y lo individual. En este sentido, son lugares donde nos metemos con los otros, los demás se meten con nosotros y acordamos límites e intercambios. Esto puede hacerse de un modo informal. Pero en el mundo moderno la conflictividad emergente en tales espacios liminares es administrada mediante procedimientos formalizados, o sea en una esfera pública que garantice los derechos con relativa independencia de los actores y sus subjetividades: un mismo espacio público, con reglas comunes para quienes son cordiales y jerárquicos, para quienes se enojan y para quienes ritualizan los enfrentamientos.

La novedad de los últimos años globalizados es que este espacio público debe ser construido a escala transnacional. Es difícil que el mundo funcione como una sucesión de ventanillas que varían arbitrariamente según los conocimientos, amistades y preferencias subjetivas de los que se encuentran, o libradas a los estilos culturales de cada sociedad. Sin duda, las peculiaridades culturales seguirán interviniendo. Pero tanto la construcción de una esfera pública más allá de etnias y naciones, como la metodología de la investigación, requieren trascender la preocupación de si los extranjeros tienen derecho a estudiar la cultura de una nación distinta de aquella en que nacieron. Más bien se trata de cómo explorar las relaciones supranacionales en las migraciones, las industrias culturales, todos aquellos circuitos en que se intersectan nuestros modos de vida. Respecto de las políticas culturales, se trata de ascender de las interacciones espasmódicas entre países latinoamericanos, y de éstos con Europa y Estados Unidos, a la construcción de intercambios permanentes.

Intensificar los intercambios de arte, literatura, cine y televisión de calidad, que presenten las trayectorias de cada sociedad, puede contribuir a liberarnos de los estereotipos, de uno y otro lado, y a pensar juntos en lo que es posible hacer en nuestra sociedades, y entre ellas, para que sean menos desiguales, menos jerárquicas y más democráticas. Avanzar el movimiento de intercambios fluidos entre intelectuales y artistas de los países latinoamericanos, europeos y Estados Unidos requiere planes orgánicos de investigación científica y cultural transnacional, acciones que representen las búsquedas multiculturales en los medios masivos donde se informan las mayorías para que no sean sólo los intereses mercantiles los que diseñen y comuniquen las imágenes en las que nos reconocemos o nos rechazamos.

BIBLIOGRAFÍA

Abélès, Marc: "L'Europe en trois questions", *Esprit*, 202, junio 1994.

—:*En attente d'Europe*, Francia, Hachette, 1996 (colección Questions de politique).

Achugar, Hugo: "Leones, cazadores e historiadores: a propósito de las políticas de la memoria y del conocimiento", *Revista Iberoamericana*, 63 (180), 1997, pp. 379-387.

Aguilar, Miguel Ángel: "Espacio público y prensa urbana", en Néstor García Canclini (coord.), *Cultura y comunicación en la Ciudad de México*, vols. 1 y 2, México, Grijalbo, 1998, pp. 84-125.

Alatriste, Sealtiel: "El mercado editorial en lengua española", en Néstor García Canclini y Carlos Moneta (coords.), *Las industrias culturales en la integración latinoamericana*, ob. cit., pp. 261-306.

Albrow, Martin: *The global age*, Stanford, Stanford University Press, 1997.

Alegría, Tito: *Desarrollo urbano en la frontera México-Estados Unidos*, México, Conaculta, 1992.

Alonso, Guiomar: "¿Bienes culturales o mercancías? Tendencias y dilemas en el comercio mundial de productos culturales", inédito.

Anderson, Benedict: *Comunidades imaginadas*, México, Fondo de Cultura Económica, 1997.

Appadurai, Arjun: *Modernity at Large: Cultural Dimensions of Globalization*, Minneapolis / Londres, University of Minnesota Press, 1996.

Arizpe, Lourdes (ed.): *The Cultural Dimensions of Global Change: An Anthropological Approach*, París, UNESCO Publishing, 1996.

Arizpe, Lourdes y Alonso, Guiomar: "Culture, globalization and international trade", Human Development Report Office, PNUD, 1999.

Audinet, Jacques: *Le temps du métissage*, París, Les Éditions de l'Atelier / Les Éditions Ouvrières, 1999.

Bachelard, Gaston: *Études*, París, Librairie Philosophique, J. Vrin, 1970.

Balibar, Étienne: *Droit de cité*, La Tour d'Aigues, L'Aube, 1998 (colección Monde en Cours).

Bartolomé, Miguel Alberto: *Gente de costumbre y gente de razón: las identidades étnicas en México*, México, Instituto Nacional Indigenista/Siglo XXI, 1997.

Bartra, Roger: *La jaula de la melancolía: identidad y metamorfosis del mexicano*, México, Grijalbo, 1987.

——: *El salvaje artifical*, México, UNAM-Ediciones Era, 1997.

Baudrillard, Jean: *América*, 3ª ed., Barcelona, Anagrama, 1997.

Bauman, Zygmunt: *Intimations of postmodernity*, Londres, Routledge, 1992.

——: *La globalización: consecuencias humanas*, Buenos Aires / México, D. F., Fondo de Cultura Económica, 1999.

Bautista, Juan Carlos: "El intelectual entre el proscenio y la intimidad: entrevista con Carlos Monsiváis", *Viceversa*, 49, México, 1997, pp. 27-33.

Beverley, John: "Estudios culturales y vocación política", *Revista de Crítica Cultural*, nº 12, Santiago de Chile, julio de 1996, pp. 46-53.

Beck, Ulrich: *¿Qué es la globalización?: falacias del globalismo, respuestas a la globalización*, Barcelona, Paidós, 1998.

Berger, John: "Señuelos", *El País*, 10 de diciembre de 1995, pp. 13-14.

Bhabha, Homi K.: *The location of culture*, Londres / Nueva York, Routledge, 1994.

Bonet, Lluís y De Gregorio, Albert: "La industria cultural española en América Latina", en Néstor García Canclini y Carlos Moneta (coords.), *Las industrias culturales en la integración latinoamericana*, 1999, ob. cit., pp. 77-111.

Bonfil Batalla, Guillermo: *México profundo: una civilización negada*, México, Grijalbo / Consejo Nacional para la Cultura y las Artes, 1990.

Borja, Jordi y Castells, Manuel: *Local y global: la gestión de las ciudades en la era de la información*, Madrid, United Nations for Human Settlements (Habitat) / Taurus, 1997.

Bourdieu, Pierre (ed.): *Liber 1*, San Pablo, Editora da Universidade de São Paulo, 1997.

——: *Contre-feux*, París, Raisons d'Agir, 1998.

Brunner, José Joaquín: *Globalización cultural y posmodernidad*, México / Santiago de Chile, Fondo de Cultura Económica, 1998.

Caldeira, Teresa P. R.: "Un noveau modèle de ségrégation spatiale: les murs de São Paulo", *Revue Internationale des Sciences Sociales*, n°147, París, 1996.

Calhoun, Craig: "The infrastructure of modernity: indirect social relationship, information technology, and social integration", en H. Haferkamp y N. J. Smelser (eds.), *Social Change in Modernity*, Berkeley, University of California Press, 1992.

——: "El problema de la identidad en la acción colectiva", en Javier Auyero, *Caja de herramientas*, Buenos Aires, Universidad Nacional de Quilmes, 1999.

Calvino, Italo: *Las ciudades invisibles*, Barcelona, Minotauro, 1985.

Carvalho, Jose Jorge de: *Hacia una etnografía de la sensibilidad musical contemporánea*, Brasilia, Universidad de Brasilia, Departamento de Antropología, 1995 (serie Antropología).

Case, Brendan M.: "El estado unido de México", *Latin Trade*, agosto de 1999, pp. 48-52.

Castells, Manuel: *La ciudad informacional*, Madrid, Alianza, 1995.

Castoriadis, Cornelius: *La institución imaginaria de la sociedad*, vol. 2, Buenos Aires, Tusquets, 1999.

Chanady, Amaryll: *Hybridity as an Imaginary Signification*, Montreal, 1997, inédito.

Chesnaux, Jean: *La modernité-monde*, París, La Découverte, 1989.

Clifford, James: *Itinerarios transculturales*, Barcelona, Gedisa, 1999.

Cornejo Polar, Antonio: "Una heterogeneidad no dialéctica: sujeto y discurso. Migrantes en el Perú moderno", *Revista Iberoamericana*, 67 (176-177), 1996, pp. 837-844.

Council of Europe: *In From the Margins: A Contribution to the Debate on Culture and Development in Europe*, Estrasburgo, Council of Europe Publishing, 1997.

D'Adamo, Orlando y García Beadoux, Virginia: *El argentino feo*, Buenos Aires, Losada, 1995.

Da Matta, Roberto: "Você sabe com quem está falando?: um ensaio sobre a distinção entre indivíduo e pessoa no Brasil", *Carnavais, malandros e heróis*, Río de Janeiro, Zahar, 1980.

De Grandis, Rita: "Processos de hibridação cultural", en Zilá Berdn y Rita De Grandis (coords.), *Imprevisíveis Américas: questões de hibridação cultural nas Américas*, Porto Alegre, Sagra-DC Luzzatto / Associação Brasileira de Estudos Canadenses, 1995, pp. 21-32.

De la Campa, Román: "Transculturación y posmodernidad: ¿destinos de la producción cultural latinoamericana?", en *Memorias: Jornadas Andinas de Literatura Latinoamericana*, La Paz, Plural, Facultad de Humanidades y Ciencias de la Educación, UMSA, 1995.

——: "Latinoamérica y sus nuevos cartógrafos: discurso poscolonial, diásporas intelectuales y enunciación fronteriza", *Revista Iberoamericana*, 62 (176-177), julio-diciembre de 1996, pp. 697-717.

De León, Arnaldo: *They called them greasers*, Austin, University of Texas Press, 1983.

De Rudder, Véronique y Poiret, Christian: "*Afirmative action* et «discrimination justifiée»: vers un individualisme en acte", en Philippe Dewitte (dir.), *Immigration et intégration: l'état des savoirs*, ob. cit., pp. 397-406.

Derrida, Jaques: "La mythologie blanche", en *Marges de la philosophie*, París, Minuit, 1972.

Dewitte, Philippe (dir.): *Immigration et intégration: l'état des savoirs*, París, La Découverte, 1999 (Colección L'état des savoirs).

Dietz, Henry y Mato, Daniel: "Algunas ideas para mejorar la comunicación entre los investigadores de Estados Unidos y América Latina: una carta abierta", *LASA Forum*, 28 (2), 1997, pp. 31-32.

Echeverría, Ignacio: "El estilo internacional" (reseña al libro *McOndo*, editado por Alberto Fuguet y Sergio Gómez, Barcelona, 1996), *El País*, 18 de enero de 1997.

Enzensberger, Hans Magnus: *La gran migración*, Barcelona, Anagrama, 1992.

Eudes, Yves: "MTV: chaine du rock et de la jeunesse", *Le Monde: Culture, ideologie et societe*, París, marzo de 1997.

Faret, Laurent: "La frontera y el Estado-nación en la perspectiva de los migrantes internacionales", actas del Coloquio "Las Fronteras del Istmo", Guatemala, 25-27 de septiembre de 1996.

Flores, William V. y Benmayor, Rina (eds.): *Latino Cultural Citizenship*, Boston, Beacon Press, 1997.

Ford, Aníbal; Martini, Stella M. y Mazziotti, Nora: "Construcciones de la información en la prensa argentina sobre el Tratado del MERCOSUR", en Néstor García Canclini (coord.), *Culturas en globalización*, ob. cit., pp. 177-214.

Fox, Claire F.: *The Fence and the River: Culture and Politics at the U.S.-Mexico Border*, Minneapolis, MN, University of Minnesota Press, 1999 (*Cultural Studies of the Americas*, vol. 1).

Fraser, Nancy: *Iustitia interrupta: reflexiones críticas desde la posición "postsocialista"*, Santa Fe de Bogotá, Siglo del Hombre Editores / Universidad de los Andes, Facultad de Derecho, 1997.

Fuentes, Carlos: *Tiempo mexicano*, México, Joaquín Mortiz, 1971.

Fukuyama, Francis: "The end of history", *The National Interest*, nº 16, verano de 1989.

Galli, Gabriel: en *Fórum Mercosur Cultural*, Bahía, 18 a 20 de septiembre de 1999.

García Canclini, Néstor: *Culturas híbridas: estrategias para entrar y salir de la modernidad*, México, Consejo Nacional para la Cultura y las Artes / Grijalbo, 1990.

——: *Consumidores y ciudadanos: conflictos multiculturales de la globalización*, México, Grijalbo, 1995.

—— (coord.): *Culturas en globalización. América Latina - Europa - Estados Unidos: libre comercio e integración*, Caracas, Seminario de Estudios de la Cultura (CNCA) / CLACSO / Nueva Sociedad, 1996.

——: *Cultura y comunicación en la Ciudad de México*, vols. 1 y 2, con textos de A. Ballent, M. T. Ejea, A. Giglia, R. Nieto, E. Nivón, P. Ramírez Kuri, A. Rosas, P. Safa, M. A. Aguilar, F. Cruces, A. Sevilla, C. A. Vergara, E. Vernik y R. Winocur, México, Grijalbo, 1998.

García Canclini, Néstor y Moneta, Carlos (coords.):*Las industrias culturales en la integración latinoamericana*, Buenos Aires, EUDEBA; México, Grijalbo / SELA / UNESCO, 1999.

Garnham, Nicholas: "Economía política y estudios culturales: ¿reconciliación o divorcio?", *Causas y azares*, n°6, Buenos Aires, primavera de 1997.

Garretón, Manuel Antonio: "Políticas, financiamiento e industrias cultura-les en América Latina y el Caribe", documento de la III Reunión de la Comisión Mundial de Cultura y Desarrollo de la UNESCO, San José, Costa Rica, 22-26 de febrero de 1994.

Garson, Jean-Pierre y Thoreau, Cécile: "Typologie des migrations et analy-se de l'intégration", en Philippe Dewitte (dir.), *Immigration et intégration: l'état des savoirs*, ob. cit., pp. 15-31.

Getino, Octavio: *Cine argentino: entre lo posible y lo deseable*, Buenos Aires, Ciccus, 1998.

Giddens, Anthony: "Globalization: Keynote address at the UNRISD Conference on Globalization and Citizenship", en *UNRISD NEWS*, The United Nations Research Institute for Social Development Bulletin, otoño de 1996-invierno de 1997, n° 15.

——: *La tercera vía: la renovación de la socialdemocracia*, Madrid, Taurus, 1999.

Giglia, Ángela y Winocur, Rosalía: "La participación en la radio: entre in-quietudes ciudadanas y estrategias mediáticas", *Perfiles Latinoamericanos*, 9, México, 1996, pp. 73-84.

Goldberg, David Theo: "Introduction: Multicultural Conditions", en D. T. Goldberg (ed.), *Multiculturalism: A Critical Reader*, Cambridge, Mass. & Oxford, Basil Blackwell, 1994, pp. 1-41.

González Martínez, Elda E.: "Españoles en América e iberoamericanos en España: cara y cruz de un fenómeno", *Arbor*, 154 (607), 1996, pp. 15-33.

Grimson, Alejandro: *Relatos de la diferencia y la igualdad: los bolivianos en Buenos Aires*, Buenos Aires, EUDEBA / Felafacs, 1999.

Grossberg, Lawrence, Nelson, Cary y Treicher, Paula (eds.): *Cultural Studies*, Nueva York / Londres, Routledge, 1992.

——: "Cultural studies, modern logics, and theories of globalisation", en Angela McRobbie (ed.): *Back to reality: social experience and cultural studies*, Manchester University Press, 1997a.

——: "Estudios culturales *vs.* economía política: ¿Quién más está aburrido con este debate?, *Causas y azares*, n°6, Buenos Aires, primavera de 1997b.

Gruzinski, Serge: *La pensée métisse*, París, Fayard, 1999.

Gubern, Román: "Pluralismo y comunidad de nuestras cinematografías", *La Jornada*, México, 11 de abril de 1997.

Habermas, Jürgen: *La inclusión del otro*, Barcelona, Paidós, 1999.

Hall, Peter: "La ville planetarie", *Revue international des Sciences Sociales*, 147, París, marzo de 1996, pp. 19-29.

Hannerz, Ulf: *Conexiones transnacionales: cultura, gente, lugares*, Madrid, Cátedra, 1998.

——: "Fluxos, fronteiras, híbridos: palavras-chave da antropologia trans-nacional", *Mana*, 3 (1), Río de Janeiro, 1997, pp. 7-39.

Harvey, Penelope: *Hybrids of Modernity: Anthropology, the Nation State and the Universal Exhibition*, Londres / Nueva York, Routledge, 1996.

Henríquez Ureña, Pedro: *Las corrientes literarias en la América hispánica*, México, Fondo de Cultura Económica, 1949.

Herzog, Laurence: *Where North Meets South*, Austin, Texas University Press, 1990.

Holston, James y Arjun Appadurai: "Cities and citizenship", *Public Culture*, 8 (2), 1996, pp. 187-204.

Hopenhayn, Martín: *Promoción y protección de la creación y la creatividad en Iberoamérica: las ventajas del hacer y los costos del no hacer*, inédito.

Hughes, Robert: *A toda crítica: ensayos sobre arte y artistas*, Barcelona, Anagrama, 1992 (colección Argumentos, 130).

Huntington, Samuel P.: *El choque de civilizaciones y la reconfiguración del orden mundial*, México, Paidós, 1998.

Ianni, Octavio: *Teorias da globalização*, Río de Janeiro, Civilização Brasileira, 1995.

Inglehart, Ronald; Basáñez, Miguel y Nevitte, Neil: *Convergencia en Norteamérica: política y cultura*, México, Siglo XXI / Este País, 1994.

Jameson, Fredric: "Conflictos interdisciplinarios en la investigación sobre cultura", *Alteridades*, nº 5, México, 1993, pp. 93-117.

Jameson, Fredric y Masao, Miyoshi (eds.): *The cultures of globalization*, Durham y Londres, Duke University Press, 1998.

Jelin, Elizabeth: "Cities, culture, and globalization", en UNESCO, *World Culture Report*, ob. cit., pp. 105-124.

Keane, John: "Structural Transformations of the Public Sphere", *The Communication Review*, 1 (1), San Diego, California, 1995.

Kennedy, John: "Entrevista a Madeleine Albright: «Lo mejor con Cuba es aislarla»", *El País*, 8 de febrero de 1998, pp. 12-13.

Kerouac, Jack: *Lonesome Traveler*, Nueva York, McGraw-Hill, 1960, pp. 21-22.

Klahn, Norma: "La frontera imaginada, inventada o de la geopolítica de la literatura a la nada", M. Esther Schumacher (comp.), *Mitos en las relaciones México-Estados Unidos*, México, Fondo de Cultura Económica / Secretaría de Relaciones Exteriores, 1994, pp. 460-480.

Koolhaas, Rem: *Delirious New York*, Nueva York, The Monacelli Press, 1994.

Kymlicka, Will: *Ciudadanía multicultural: una teoría liberal de los derechos de las minorías*, Barcelona, Paidós, 1996.

Laplantine, François: *Transatlantique: entre Europe et Amériques Latines*, París, Payot & Rivages, 1994.

Laplantine, François y Nouss, Alexis: *Le métissage*, París, Flammarion, 1997 (Dominos, nº 145).

Lechner, Norbert: "Nuestros miedos", *Perfiles Latinoamericanos*, nº 13, México, diciembre de 1998, pp. 179-198.

Lida, Clara E.: *Inmigración y exilio: reflexiones sobre el caso español*, México, El Colegio de México / Siglo XXI, 1997.

Lomnitz, Claudio: "Usage politique de l'ambiguité: le cas mexicain", *L'Homme*, 32 (1), enero-marzo de 1992, pp. 99-121.

——: *Las salidas del laberinto: cultura e ideología en el espacio nacional mexicano*, México, Juaquín Mortiz / Planeta, 1995.

——: *Modernidad indiana: nueve ensayos sobre nación y mediación en México*, México, Planeta, 1999.

Maalouf, Amin: *Identidades asesinas*, Madrid, Alianza, 1999.

Margolis, Maxime L.: *Little Brazil: An Ethnography of Brazilian Immigrants in New York City*, Princeton, Princeton University Press, 1994.

Martín-Barbero, Jesús: *De los medios a las mediaciones: comunicación, cultura y hegemonía*, Santa Fe de Bogotá, Convenio Andrés Bello, 1998 (Cultura y comunicación).

Mattelart, Armand: *La mondialisation de la comunication*, París, Presses Universitaries de France, 1996.

Mateu, Cristina y Spiguel, Claudio (entrevista a Rita Laura Segato): "Una aplanadora homogeneizante", *La Marea*, n° 9, Buenos Aires, 1997, pp. 40-45.

Mato, Daniel: "On the theory, epistemology, and politics of the social construction of cultural identities in the age of globalization: introductory remarks to ongoing debates", *Identities. Global Studies in Culture and Power*, 3 (1-2), octubre de 1996.

——: "The transnational making of representations of gender, ethnicity and culture: indegenous peoples' organizations at the Smithsonian Institution's Festival", *Cultural Studies*, 12 (2), 1998a.

——: "On the making of transnational identities in the age of globalization: the US Latina / A Latin American case", *Cultural Studies*, 12 (4), 1998b.

——: "Telenovelas: transnacionalización de la industria y transformaciones del género", en Néstor García Canclini y Carlos Moneta (coords.), *Las industrias culturales en la integración latinoamericana*, 1999a, ob. cit., pp. 229-257.

——: "Sobre la fetichización de la globalización y las dificultades que plantea para el estudio de las transformaciones sociales contemporáneas", *Revista Venezolana de Análisis de Coyuntura*, 5 (1), enero-junio de 1999b.

McAnany, Emile y Wilkinson, Kenton T. (eds.): *Mass Media and Free Trade: Nafta and the Cultural Industries*, Austin, University of Texas Press, 1996.

McLaren, Peter: "White Terror and Oppositional Agency: Towards a Critical Multiculturalism", en David Theo Goldberg (ed.), *Multiculturalism: A Critical Reader*, 1994, ob. cit., pp. 45-74.

Michaelsen, Scott y Johnson, David E. (eds.): *Border Theory: The Limits of Cultural Politics*, Minneapolis, MN, University of Minnesota Press, 1997.

Mignolo, Walter: *The Darker Side of the Renaissance*, University of Michigan Press, 1995.

Milet, Paz y Rojas Aravena, Francisco: "Diplomacia de cumbres: el multi-lateralismo emergente del siglo XXI", en F. Rojas Aravena (ed.), *Globalización, América Latina y la diplomacia de cumbres*, Santiago, FLACSO-Chile, 1998, pp. 201-232.

Mongin, Oliver: "Retour sur une controverse: du «politiquement correct» au multiculturalisme", *Esprit*, París, junio de 1995, pp. 83-87.

Mons, Alain: *La metáfora social: imagen, territorio, comunicación*, Buenos Aires, Nueva Visión, 1994.

Monsiváis, Carlos: "La identidad nacional y la cultura ante el Tratado de Libre Comercio", en *Cultura, medios de comunicación y libre comercio*, México, AMIC, 1993.

Moragas, Miguel de: "Políticas culturales en Europa: entre políticas de comunicación y el desarrollo tecnológico", en Néstor García Canclini (coord.), *Culturas en globalización*, ob. cit., pp. 55-72.

Moreno, Javier: "Los latinoamericanos temen que su crisis sea eterna", *El País*, 18 de abril de 1998.

Morley, David: "EurAm, Modernity, Reason and Alterity or, Postmodernism, the Highest Stage of Cultural Imperialism?", en D. Morley y Kuan-Hsing Chen (eds.), *Stuart Hall: Critical Dialogues in Cultural Studies*, ob. cit., pp. 326-360.

Morley, D. y Kuan-Hsing Chen (eds.): *Stuart Hall: Critical Dialogues in Cultural Studies*, Londres/Nueva York, Routledge, 1996.

Moulin, Raymonde: *L'artiste, l'institution et le marché*, París, Flammarion, 1992.

——: "Face à la mondialisation du marché de l'art", *Le Débat*, París, Gallimard, 80, mayo-junio de 1994.

Nivón, Eduardo: "De periferias y suburbios", en N. García Canclini (coord.) 1998, ob. cit.

Ochoa Gautier, Ana María: "El desplazamiento de los espacios de la autenticidad: una mirada desde la música", *Antropología*, Madrid, n° 15-16, marzo-octubre de 1998, pp. 171-182.

O'Donnell, Guillermo: *¿Y a mí qué me importa?: notas sobre sociabilidad y política en Argentina y Brasil*, Buenos Aires, CEDES, 1984.

Ohmae, Kenichi: *Mundo sem fronteiras*, San Pablo, Makron Books, 1991.

Oliven, Ruben George: "Um antropólogo brasileiro numa universidade norte-americana", *Horizontes Antropológicos*, n° 5, 1997, pp. 225-244.

Ortiz, Renato: *Mundialización y cultura*, Buenos Aires, Alianza, 1997.

Papastergiadis, Nikos: "Tracing hibridity in theory", Pnina Werbner y Tariq Modood (eds.), *Debating Cultural Hybridity: Multicultural Identities and the Politics of Anti-Racism*, ob. cit., pp. 257-281.

Passeron, Jean-Claude: *Le raisonnement sociologique: l'espace nonpoppérien du raisonnement naturel*, París, Nathan, 1991 (colección Essais et recherches).

Paz, Octavio: *El laberinto de la soledad*, México, Fondo de Cultura Económica, 1964.

Perulli, Paolo: *Atlas metropolitano: el cambio social en las grandes ciudades*, Madrid, Alianza Universidad, 1995.

Piglia, Ricardo: *Conversación en Princeton*, Arcadio Díaz Quiñones y otros (eds.), Princeton, Program in Latin American Studies, Princeton University, 1998.

PNUD: *Desarrollo humano en Chile 1998*, Santiago de Chile, Programa de las Naciones Unidas para el Desarrollo, 1998.

Portal, María Ana: "Políticas culturales y reconstitución de la identidad urbana: tiempo, espacio e imagen ciudadana en el Distrito Federal", ponencia presentada en el seminario "El Distrito Federal: Sociedad, Economía, Política y Cultura. Retos para el nuevo gobierno capitalino", México, D.F., noviembre de 1997.

Pratt, Mary Louise: *Ojos imperiales*, Buenos Aires, Universidad Nacional de Quilmes, 1997.

Quijada, Mónica: "Présentation: le cas de l'Argentina", *Cahiers Intenationaux de Sociologie*, 105, 1998a, pp. 301-303.

——: "La question indienne", *Cahiers Intenationaux de Sociologie* 105, 1998b, pp. 305-323.

Ramírez Kuri, Patricia: "Coyoacán y los escenarios de la modernidad", en Néstor García Canclini (coord.), *Cultura y comunicación en la Ciudad de México*, ob. cit., vol. 1, pp. 320-367.

Reati, Fernando y Gómez Ocampo, Gilberto: "Académicos y *gringos malos*: la universidad norteamericana y la *barbarie cultural* en la novela latinoamericana reciente", *Revista Iberoamericana* 64 (184-185), 1998, pp. 587-609.

Recondo, Gregorio (comp.): *Mercosur: la dimensión cultural de la integración*, Buenos Aires, Ediciones Ciccus, 1997.

Rex, John: "Le multiculturalisme et l'intégration politique dans les villes européennes", *Cahiers Intenationaux de Sociologie* 105, 1998, pp. 261-280.

Ribeiro, Gustavo Lins: *Goiânia, Califórnia: vulnerabilidade, ambiguidade e cidadania transnacional*, Brasilia, Universidad de Brasilia, Departamento de Antropología, 1998a (serie Antropología, n° 235).

——: *O que faz o Brasil, Brazil: jogos identitários em San Francisco*, Brasilia, Universidad de Brasilia, Departamento de Antropología, 1998b (serie Antropología, n° 237).

Richard, Nelly: *Residuos y metáforas (ensayos de crítica cultural sobre el Chile de la transición)*, Santiago, Cuarto Propio, 1998.

Ricœur, Paul: *La metáfora viva*, Buenos Aires, Megápolis, 1977.

——: "Para una teoría del discurso narrativo", *Semiosis*, n° 22-23, Xalapa, Veracruz, 1989, pp. 19-99.

——: *La critique et la conviction: entretien avec François Azouvi et Marc Launay*, París, Calmann-Lévy, 1995.

Ritzer, George: *La McDonalización de la sociedad: un análisis de la racionalización en la vida cotidiana*, Barcelona, Ariel, 1996.

Robertson, Roland: *Globalization: social theory and global culture*, Great Britain, Sage, 1996.

Rojas Mix, Miguel: *América imaginaria*, Barcelona, Sociedad Estatal Quinto Centenario / Lumen, 1992.

Roncagliolo, Rafael: "La integración audiovisual en América Latina: estados, empresas y productores independientes", en Néstor García Canclini (coord.), *Culturas en globalización*, 1996, ob. cit., pp. 41-54.

Rosaldo, Renato: "Cultural citizenship: Theory", en William Flores y Rina Benmayor, ob. cit., 1997, pp. 27-38.

Rother, Larry: "Miami, the Hollywood of Latin America", Nueva York, Times News Services, 1996, citado por George Yúdice, 1999b.

Rouse, Roger C.: "Mexican migration and the social space of postmodernism", *Diáspora*, n° 1, 1991, pp. 8-23.

Sarlo, Beatriz: *Escenas de la vida posmoderna*, Buenos Aires, Ariel, 1994.

——: "Europa para los argentinos", en "Radar libros", suplemento literario de *Página/12*, 20 de septiembre de 1998, año 1, n° 45.

——: "Educación: el estado de las cosas", *Punto de Vista*, 63, 1999, pp. 17-21.

Sassen, Saskia: "Ciudades en la economía global: enfoques teóricos y metodológicos", *Eure*, 24 (71), marzo 1998, pp. 5-25.

——: "The de-nationalizing of time and space", *Public Culture 2000* (en prensa).

Schlesinger, Philip: "El contradictorio espacio comunicativo de Europa", *Voces y culturas*, Barcelona, n° 9, 1° semestre, 1996.

Segato, Rita Laura: *Alteridades históricas / identidades políticas: una crítica a las certezas del pluralismo global*, Brasilia, Universidade de Brasília, Departamento de Antropologia, 1998 (serie Antropologia, n° 234).

Sekula, Allan: "Dead Letter Office", en Sally Yard (ed.), *inSITE97: private time in public space / tiempo privado en espacio público*, ob. cit., pp. 28-37.

Senett, Richard: *Uses of Disorder: Personal Identity and City Life*, Londres, Faber & Faber, 1996.

Silva, Armando: *Imaginarios urbanos*, Colombia, Tercer Mundo Editores, 1992.

Signorelli, Amalia: "Antropología de la ventanilla: la atención en oficinas y la crisis de la relación público-privado", *Alteridades*, 6 (11), 1996, pp. 27-32.

——: *Antropología urbana*, Milán, Guerini, 1996b.

Simon, Gilda: "Les mouvements de population aujourd'hui", pp. 43-55, en Philippe Dewitte (dir.): *Immigration et intégration: l'état des savoirs*, ob. cit.

Singer, Paul: "Globalização positiva e globalização negativa: a diferença é o Estado", *Novos Estudos*, n° 48, julio de 1997.

Slater, Candace: "La Amazonía como relato edénico", *Antropología*, 14, Madrid, 1997, pp. 23-43.

Sollers, Philippe: "Deux et deux font quatre", *Le Monde des Livres*, 3 de abril de 1998, pág. 5.

Sontag, Susan: "En el centro de la polémica: entrevista colectiva", *La Jornada Semanal*, 5 de abril de 1998, pp. 10-11.

Soros, George: "Hacia una sociedad abierta global", *El País*, 23 de diciembre de 1997, pp. 15-16.

Tarrius, Alain: "Territoires circulatoires et espaces urbains: diferenciation des groupes migrants", *Les Annales de la Recherche Urbaine*, n° 59-60, 1993, pp. 50-60.

Theroux, Paul: *Old Patagonia Express*, Boston, Houghton Mifflin, 1979, pp. 40-41.

Todorov, Tzvetan: "Du culte de la différence à la sacralisation de la victime", *Esprit*, París, junio de 1995, pp. 90-102.

——: *L'homme dépaysé*, París, Éditions du Seuil, 1996.

Trejo Delarbre, Raúl: "La internet en América Latina", en Néstor García Canclini y Carlos Moneta (coords.), *Las industrias culturales en la integración latinoamericana*, 1999, ob. cit., pp. 261-306.

UNESCO: *Nuestra diversidad creativa: informe de la Comisión Mundial de Cultura y Desarrollo*, Madrid, Ediciones UNESCO / Fundación Santa María, 1997.

——: *World, Culture Report 1998: Culture, Creativity and Markets*, París, UNESCO, 1998.

Valdés, Adriana: "Alfredo Jaar: imágenes entre culturas", *Arte en Colombia internacional*, 42, diciembre de 1989.

Valenzuela, José Manuel: "Diáspora social, nomadismo y proyecto nacional en México", *Nómadas* , n° 10, Santa Fe de Bogotá, abril de 1999.

Varios autores: *El pabellón de Chile: huracanes y maravillas en una exposición universal*, Santiago de Chile, La Máquina del Arte, 1992.

Varios autores: Simposio "Los que no somos Hollywood", México, 1998.

Vila, Pablo: "La teoría de frontera versión norteamericana: una crítica desde la etnografía", presentado en el Seminario Internacional "Fronteras, Naciones e Identidades", Buenos Aires, 26 a 28 de mayo de 1999.

Virilio, Paul: "Un mundo sobre-expuesto", *Le Monde Diplomatique*, agosto de 1997.

Wallerstein, Immanuel: *The Modern World-System*, vol. III: *The Second Era of Great Expansion of the Capitalist World-Economy, 1730-1840*, San Diego, California, Academic Press, 1989.

Walzer, Michael: "Individus et communautés: les deux pluralismes", *Esprit*, París, junio de 1995, pp. 103-113.

Warnier, Jean-Pierre: *La mondialisation de la culture*, París, La Découverte, 1999.

Werbner, Pnina y Modood, Tariq (eds.): *Debating Cultural Hybridity: Multicultural Identities and the Politics of Anti-Racism*, Londres / Nueva Jersey, Zed Books, 1997.

Wieviorka, Michel: "Le multiculturalisme est-il la réponse?", *Cahiers Internationaux de Sociologie*, 105, 1998, pp. 233-260.

Yankelevich, Pablo: *Miradas australes: propaganda, cabildeo y proyección de la Revolución Mexicana en el Río de La Plata*, tesis de doctorado presentada en la Universidad Nacional Autónoma de México, 1996.

—— (coord.): *En México, entre exilios: una experiencia de sudamericanos*, México, Secretaría de Relaciones Exteriores / ITAM / Plaza y Valdés, 1998.

Yard, Sally (ed.): *inSITE97: private time in public space / tiempo privado en espacio público*, San Diego, Installation Gallery, 1998.

Yúdice, George: "El impacto cultural del Tratado de Libre Comercio norteamericano", en Néstor García Canclini (coord.), *Culturas en globalización*, ob. cit., 1996, pp. 73-126.

——: "La industria de la música en la integración América Latina - Estados Unidos", en Néstor García Canclini y Carlos Moneta (coords.), *Las industrias culturales en la integración latinoamericana*, 1999a, ob. cit., pp. 115-161.

——: "La integración del Caribe y de América Latina a partir de Miami", Conferencia sobre el Caribe, Wellesley College, 21 de abril de 1999b.

Zermeño, Sergio: *La sociedad derrotada*, México, Siglo XXI, 1996.